KB032551

백치
아벨라

✦Ⅲ✦

백치
아벨라

박승아 장편소설

✦ III ✦

D&C
BOOKS

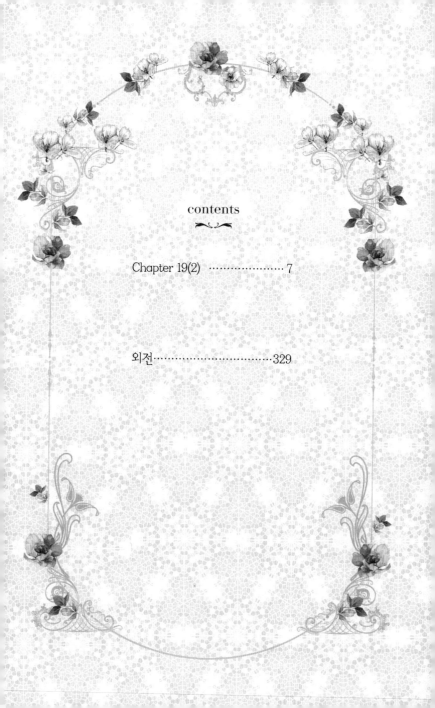

contents

✤ Chapter 19(2) ✤

Chapter 19(2)

잠시 뒤.

"……진짜를 알아볼 줄 모르는 바보가 내 남편일 줄이야."

아벨라가 불만스러운 어조로 중얼거렸다.

"네 존재를 몰라봤단 게 아니야. 그냥 네 곁을 떠나기 싫은 거지."

"그렇다고 목욕하는 모습까지 지켜볼 필요 없잖아."

아벨라가 반박했다. 팔을 뻗을 때마다 찰박거리는 물소리가 고요히 공간을 울렸다.

결국 아벨라가 무사히 펠리체의 품에서 벗어나 목욕할 수 있게 된 것은 깊은 새벽의 일이었다.

일부러 시녀들은 부르지 않았다. 원래도 일찍 일과를 시작하는 사람들이 아닌가. 그들의 잠을 깨우기 민망했다. 게다가 그네들도 무척 피곤할 게 분명했다. 오늘 하루가 보통 요란했어야지.

혼자 씻는 것도 나쁘지 않다. 물도 아직 따뜻한 데다, 필요한 용품들은 모두 이곳에 있었다. 게다가 이전엔 쭈욱 혼자서 씻어 왔었으니까. 문제는 펠리체였다.

"안 나갈래."

"뭐?"

펠리체가 불쑥 말했다. 문 앞에서 등을 돌린 채였다.

"여기 있게 해 줘."

아벨라가 잠시 멍해진 채로 입술을 벌렸다. 얘가 지금 뭐라고 하는 거야. 목욕하는 것까지 보겠다는 건가?

아벨라는 잠시 그런 펠리체를 두고 고민했다. 법도에 어긋나는 일이라고 날카롭게 지적해야 하나? 억지로라도 쫓아내야 하는 건가?

하지만 정말로 날 선 말투로 그를 내쫓는 대신 아벨라는 펠리체의 뒷모습을 가만히 바라보았다. 언제나처럼 탄탄하고 단단한 근육으로 짜여 있는 등이었다. 잘 조여진 허리, 넓게 벌어진 어깨. 그리고…… 덜덜 떨리고 있는 손.

아벨라의 푸른 눈에 이채가 돌았다. 이제야 깨달았다. 어쩌면 펠리체는 생각했던 것보다도 심각하게 무너졌을 수도 있었으리라고. 어쩌면 자신과 체하트의 부재가, 생각했던 것 이상으로 그를 힘들게 만들었을지도 모른다고.

아까, 자신을 껴안은 채로 내내 울었지. 단순히 좀 지나친 그리움과 반가움의 표시라고만 생각했다. 그녀가 자세하게 한 설명으로, 이 해후로 해소되었으리라 생각했다.

하지만 아벨라가 너무 간과했던 것인지도 모른다. 펠리체는 생각보다 훨씬 외롭고, 많은 것이 결핍되어 있는 사람이었다. 여기까지 어떻게든 버텨 온 게 용할 정도로 불우했던 인생.

그리고 그게 바로 펠리체가 목욕하는 아벨라의 곁에 있게 된 이유였다. 결국 내칠 수가 없었다. 저런 사람에게 어떻게 모질게 나가라고 할 수 있겠어.

물론 좀 부끄럽고 창피하긴 했지만 부부가 아닌가. 볼 거 다 본 사이라고 힘껏 자기 최면을 걸었다.

다행히도 물은 아벨라가 입욕 소금과 혼탁한 입욕 향료를 미리 풀어 놓아 불투명한 상태였다. 아니, 이걸 다행이라고 해야 하나?

"원래라면 내쫓았어야 하지만 내가 씻고 싶으니까 봐주는 거야."

"응."

아벨라가 욕조 난간에 제 목을 기대면서 가볍게 투덜거리자, 펠리체가 얌전히 고개를 끄덕였다.

아벨라는 곁눈질로 펠리체를 바라보다가 자신도 모르게 피식 웃음 지었다. 키가 190에 육박하는 덩치가 욕조 바로 옆에 다리를 모은 채로 옹송그리고 앉아 있었다.

"그래도 사실, 네가 옆에 있으니까 좋아."

아까를 떠올리던 아벨라가 고개를 기울이며 속삭였다. 아까보단 많이 식었다지만 여전히 미지근한 물의 온도가 좋았다. 긴장이 풀어지는 기분.

"나도."

펠리체가 대답하면서 욕조에 기댄 손을 물에 살짝 담근다. 펠리체의 셔츠 소맷귀가 물에 젖었다.

그러고 보니, 펠리체의 옷도 많이 젖어 있었다. 아마 욕조 가득 넘치는 물 때문인 것 같았다. 아벨라가 물속에서 움직일 때마다 욕조에 바짝 붙어 앉은 펠리체의 옷도 흠뻑 젖었다.

아벨라가 걱정이 되어 펠리체를 살폈다. 하지만 펠리체는 전혀 아랑곳하지 않는 모양이었다.

뭐, 본인이 괜찮다면야. 거기까지 걱정할 필요는 없겠지. 걱정하던 아벨라의 표정 또한 다시 평온해졌다.

그 뒤로, 아벨라는 잠시 유유자적하게 목욕을 즐겼다. 가끔 펠리체의 시선이 제게 머무르는 게 느껴졌지만 그녀 역시 아랑곳 하지 않았다. 그래 봐야 나오라고 채근하는 눈빛이겠거니 생각하면 될 일이었다.

아벨라는 목욕이 무척 반가웠다. 용의 레어에서 돌아오자마자 펠리체의 품에 안겨 있었다. 누구보다 목욕이 절실했던 건 아벨라였는데도!

생각해 보라. 비를 내리게 해 보겠답시고 불보다도 뜨거운 온도를 마법이 걸린 망토와 옷을 껴입고 견뎠다. 땀도 땀이지만, 열을 식히는 과정에서 생긴 수증기로 몸이 흠뻑 젖었다. 씻고 싶어 죽는 줄 알았다.

그렇게 한참 동안 물속에서 신나게 놀고 있을 때였다. 펠리체가 유독 조용하다. 언제부턴가 기척도 내지 않고 말도 안 하고 있었다. 그제야 펠리체 생각이 난 아벨라가 고개를 돌려 펠리체를 바라보았다.

그리고 순간 아벨라의 숨이 멎었다. 펠리체가 자신의 어깨를 물끄러미 바라보고 있었다. 어둡게 가라앉은 암황색의 눈동자.

목이 턱 막히는 느낌에 사로잡힌 아벨라는 빠르게 눈을 깜박였다. 심장이 쿵쾅거리기 시작했다. 이상했다. 매 앞에 선 토끼가 된 기분. 마치 주박에라도 걸린 양 눈에서 헤어날 수가 없었다.

언제부터 자신을 그런 눈으로 보고 있었단 말인가? 그것도 모른 채 아벨라는 자신에게 가끔씩 머무르는 시선을 빨리 목욕을 끝내라고 채근하는 거라고 착각하기까지 했다.

둔해도 정도껏 둔해야지. 아벨라는 스스로를 자책하며 조심스럽게 펠리체와 다시 눈을 마주쳤다. 장난이라도 쳐서 환기시킬까? 아니, 아벨라는 본능적으로 확신했다. 이럴 땐 그저 조용히 이름을 부르는 게 제일 나았다.

"펠리체."

아벨라는 입술을 조용히 오므려 제 남편의 이름을 발음했다.

하지만 펠리체는 쉽게 대답하지 않았다. 음성 따위는 귀에 들리지도 않는다는 것처럼, 그는 제 시야에 들어온 아내의 몸을 바라보고 있었다. 열띤 시선.

"펠리체."

그녀가 두 번째로 그의 이름을 불렀을 때였다. 그의 이름을 부르며, 아벨라가 조심스럽게 앉은 자리를 바꾸었다. '참방' 하는 작은 물소리가 공간을 울렸을 때였다.

펠리체의 눈동자에 일순 다시 총기가 돌아왔다. 그가 마치 꿈에서 깨어난 것처럼 멍하니 눈을 깜박이다 그를 유심히 바라보고 있는 아벨라와 눈이 마주쳤다.

"……."

그리고 그 순간, 펠리체의 얼굴이 놀라울 정도로 달아올랐다. '화다닥' 하는 소리 날 정도로, 펠리체가 크게 뒤로 상체를 젖혔다. 눈을 동그랗게 뜬 아벨라와 펠리체의 눈이 허공에서 마주쳤다. 펠리체가 황급히 시선을 아래로 내리면서 말했다.

"호, 혹시 무슨 말을 했었다면 다시 한번 말해 주겠어?"

"음, 그냥 이름만 불렀어."

아벨라는 눈을 깜박이며 모른 척 대답했다. 펠리체가 다시 시선을 아래에 두었다가 똑바로 아벨라를 마주 바라보았다. 그는 이내 죄지은 사람처럼 고개를 움츠린 채 입을 열었다.

"미안. 잠시 다른 생각을 하고 있었어."

"무슨 생각?"

"그……."

펠리체의 볼이 일순 달아올랐다.

아벨라는 그 얼굴을 보면서 자신도 모르게 나직하게 웃음을 터뜨렸다. 순간 둘 사이에 감돌던 팽팽한 긴장감이 모두 허물어진 기분이 들었다.

"……미안, 아벨라."

순간 나지막이 펠리체가 사과했다.

"왜 사과하는 건데?"

아직 웃음 섞인 목소리로 아벨라가 물었다. 펠리체가 아벨라의 얼굴을 바라보다 다시 반사적으로 고개를 돌렸다.

"아깐 정말 진심으로 네 곁에 있고 싶어서 필사적이었는데, 네 곁에 어떻게든 절박하게 있고 싶고, 그뿐이면 된다고 생각했는데……."

아벨라는 펠리체가 말을 흐린 뒤를 굳이 캐묻지 않기로 했다. 사실은 사과받을 일도 아니라고 생각한다. 아깐 괜히 긴장되고 심장이 떨렸지만 오히려 펠리체가 자신을 원하지 않는 것보다 훨씬 낫지 않은가.

생각을 끝낸 아벨라는 장난스럽게 눈동자만을 굴려 펠리체를 바라보았다. 펠리체는 뒤돌아 앉아 있었다. 아벨라는 문득, 제 발치에 놓인 수많은 목욕도구들을 바라보았다. 문득 그녀의 입가에 빙그레 미소가 걸렸다.

"……미안할 것도 많지. 우는 얼굴보단 보기 좋았어."

아벨라가 툭 말을 던지며, 펠리체가 기대 있는 난간에 팔을 올렸다. 펠리체의 얼굴 바로 옆에, 아벨라가 가볍게 '후' 하고 숨을 불었다.

펠리체가 깜짝 놀라 옆을 바라보곤 바로 지척까지 다가온 아벨라의 얼굴에 좀 더 놀라 아예 성큼 뒤로 물러났다.

"왜 놀라는 거야?"

아벨라가 욕조 난간에 얼굴을 기댄 채로 조그맣게 키득거렸다. 아깐 그렇게나 봐 놓고, 이젠 사소한 자극에 까무러칠 듯이 구는 펠리체가 웃겼다.

아벨라가 자신을 노골적으로 바라보며 웃는데도, 펠리체는 웃지 말란 말 한마디도 하지 못한 채 잠자코 아벨라를 살폈다. 아벨라의 벗은 어깨와 팔이, 달빛을 받아 마치 백옥처럼 빛나고 있었다.

한참을 키득대던 아벨라가 속눈썹을 팔랑이며 펠리체를 불렀다.

"펠리체."

"응."

열렬한 지지자라도 된 양, 그가 빠르고 열성적으로 대답했다. 아벨라가 작게 다시 키득거리며 욕조 아래로 손을 뻗어 장미 오일을 집어 들었다.

"나 어깨가 너무 뻐근해. 옛날에 네 용병단 친구에게 들었는데, 네가 어깨 안마를 잘한다고 그러더라고."

아벨라는 전혀 들은 적 없는 이야기를 아무렇게나 주워섬기며 배시시 웃었다.

"나 목욕 다 했어. 물도 거의 다 식어 가. 괜찮다면 침실에서…… 오일로 마사지해 줄래?"

"……."

얼결에 아벨라가 건네는 오일 병을 건네받은 펠리체가 눈을 휘둥그레 떴다. 순간 펠리체의 머릿속에 온갖 생각이 스쳤다. 지금 자신을 시험하는 걸까? 아니라면 아벨라에게 삿되게 욕망한 자신을 돌려서 질타하는 것일지도 모른다.

대체 어떻게 반응해야 하는가. 펠리체가 어리둥절하게 아벨라를 바라볼 때였다. 아벨라의 푸른 눈이 다시 수줍게 휘어졌다. 빛나는 두 쌍의 눈이 다시 서로를 곧게 마주 보았다.

그리고 그 순간, 펠리체는 아벨라의 눈동자에 담긴 감정을 알았다. 단순한 장난기가 아니었다. 수줍음, 부끄러움, 그리고…… 분명한 열망.

펠리체는 자신이 바라마지 않았던 상대가 보내는 사인을 무시할 만큼 어리석지도, 무던하지도 않았다. 자신이 가진 감정을 부끄러워만 하던 눈동자가 다시 천천히 가라앉았다.

남자로서의 본능이 일순 꿈틀거렸다. 입술이 버쩍 마르는데, 이상하게 군침은 잔뜩 돌았다. 천천히, 그가 아주 천천히 몸을 낮춘 채 아벨라에게로 다가왔다.

아벨라는 제게 팔을 뻗어 오는 펠리체를 향해 흔쾌히 두 팔을 벌렸을 뿐이었다. 두 눈에서 달콤한 꿀이 뚝뚝 떨어지고 있었다.

마사지가 끝난 뒤, 아벨라는 모슬린 가운만을 걸친 채로 누웠다. 무척이나 나른했다. 금방이라도 잠이 쏟아질 것 같았다. 꽤 길고 무척이나 공들인 '마사지'였다. 침대 시트와 이불 모두, 그대로 덮고 잘 수 없을 정도로 엉망이 되었다.

그렇다고 자고 있는 시녀들을 깨울 수도 없는 노릇이라, 펠리체와 아벨라는 대신 본인들이 자는 침대를 바꾸기로 했다. 두 사람은 펠리체의 방으로 건너갔다.

"여기서 자 보는 거, 왠지 엄청 오랜만이야."

아벨라는 베개를 껴안은 채로 누워 키득거렸다. 아직 다 마르지 않은 머리칼이 넘실대며 빛났다.

"그때, 로튼으로 가기 전이 마지막이었지."

펠리체가 대강 걸쳤던 가운을 다시 벗곤 아벨라가 누운 옆에 비스듬히 누워 속삭였다. 드러난 펠리체의 맨살에 코를 찡그리며 아벨라가 '헤헤' 웃었다.

"마치 몇 년 전 이야기 같다. 그땐 네가 이렇게 울보인 줄 몰랐는데."

"울보 아니야."

웃는 아벨라를 향해, 펠리체가 반박하며 천천히 고개를 숙였다. 아벨라의 부드러운 살결에선 진한 장미 향기가 났다.

어찌 보면 당연했다. 침실을 버릴 정도로 오일을 갖고 놀았으니까. 서로의 몸에 장미 향이 배이지 않는 게 오히려 더 이상하다.

"기억력이 나쁘시네요. 너 엄청 울었어."

아벨라가 키득거리며 반박하는 때였다. 아벨라의 목덜미에 코를 묻은 채, 펠리체가 천천히 숨을 들이마시었다가 내뱉었다.

"아니야."

펠리체의 숨결이 살에 닿는 순간, 아벨라는 잠시 몸을 바르르 떨곤 펠리체에게 마치 항의라도 하려는 듯 그에게서 떨어지려 들었다.

하지만 시도는 간단히 가로막혔다. 펠리체가 팔을 뻗어 그녀의 허리를 휘감았기 때문이다.

"인정해, 울보야."

서로 마주 본 채 누워, 아벨라가 소곤거렸다. 펠리체는 치미는 웃음을 짐짓 억누르면서 그녀에게 대답했다.

"인정할 테니까 하나만 약속하자."

"뭔데?"

아벨라가 물었다. 하지만 그녀의 대답에도 그는 쉬이 다시 입을 열지 않았다. 그저 물끄러미 다시 아벨라를 바라봤을 뿐이다.

"뭔데?"

대답을 기다리던 아벨라가 펠리체의 표정을 살피던 순간이었다. 아벨라의 얼굴이 짐짓 굳었다. 어느새 펠리체의 얼굴에 장난기가 싹 걷혀 있었다.

그녀를 가만히 바라보던 펠리체가 천천히 손을 아벨라의 얼굴로 가져가 그녀의 얼굴에서 머리카락을 치워 주었다.

"내 곁에 있어."

그 순간 펠리체가 조심스럽게 속삭였다. 아벨라는 순간 숨을 멈췄다. 그냥 단순히 하는 말이 아님은 아벨라 자신이 더 잘 알고 있었다. 펠리체는 진심이었다.

"어디 가지 말고 내 곁에 있어. 그거면 돼. 약속하겠어?"

그가 어둠 속에서 눈만 빛낸 채로 나지막이 속삭였다. 아벨라는 다만 그의 얼굴을 오래도록 바라보았을 뿐이다. 소리 하나 내지 않고, 구슬만 한 눈물을 떨구던 슬픈 얼굴이 고스란히 겹쳤다.

"응."

아벨라가 속삭였다. 펠리체가 아벨라의 손을 잡아 왔다. 손가락이 얽혔다. 펠리체가 그녀를 바라보며 눈을 휘었다.

막상 자자고 나란히 누웠는데도, 둘의 이야기는 쉬이 그치지 않았다. 진작 했어야 할 그간의 이야기를 나누기 시작했기 때문이다.

굳이 따지자면 아벨라 때문이었다. 아벨라가 카셀란에 대해 이야기해야 했기 때문이다. 다른 날로 넘길 수 없었다. 사실, 왈로인의 습격만큼 중요한 이야기가 아니냔 말이다.

"호수에 빠진 다음, 내가 용을 만난 것까진 알고 있겠지? 아까 체하트와 같이 이야기했었으니까. 이제 좀 더 자세히 이야기할 때가 된 것 같아."

아벨라가 말했을 때였다. 펠리체가 '쉬' 하고 바람 새는 소리를 내며 아벨라의 주의를 끌었다.

"미안, 내가 먼저 말해도 될까? 너보단 내가 더 짧을 것 같아서."

펠리체의 말에, 아벨라가 얌전히 고개를 끄덕였다. 펠리체 또한 아벨라에게 마저 할 이야기가 남아 있었으니까.

아벨라는 왈로인에게 죽임을 당한 사람이 누구인지, 어떻게 죽었는지를 아직 듣지 못한 상태였다. 펠리체의 상태를 살피느라고 미처 제대로 묻지 못했다.

그리고 이어지는 펠리체의 이야기를 듣던 아벨라는 그 자리에서 다시 벌떡 몸을 일으켰다. 몸을 일으키지 않고는 견딜 수 없었다. 잠이 확 깨는 기분이었다.

"황후께서 돌아가셨다는 걸 왜 이제 말해?!"

"음, 이기적이게도 나는 눈앞의 아내가 가장 소중하고, 이 재회가 믿어지지 않았으니까."

펠리체가 아까와는 달리 딱 떨어지는 말투로 대답했다.

……맞는 말이긴 하지만. 아벨라가 어깨를 늘어뜨렸을 때였다. 펠리체는 그런 그녀를 보곤 자신도 비스듬히 몸을 일으켰다. 베개에 몸을 기댄 채 아벨라를 바라보며 말을 이었다.

"황후는 존경할 만한 분이고, 그렇게 돌아가신 건 안타까워. 하지만 슬프진 않아. 아벨라 널 위해 울라고 한다면 지금도 울 수 있지만……."

그렇게 말하는 펠리체의 눈가가 다시 발개지는 것 같이 느껴졌다. 아벨라가 후다닥, 그의 품으로 다시 붙어 앉으며 그의 눈가를 손가락으로 눌렀다.

"아, 아냐. 울라는 소리가 아니라고. 네가 슬퍼하지 않는다고 비난할 생각도 아니야! 그냥 나는, 황후가 먼저 돌아가실 줄은 몰랐어. 길라 황귀비도 그렇게 단숨에 끈 떨어진 인형처럼 변할 줄 몰랐고. 그래서 그런 거야."

"알아, 내 부인."

펠리체는 다정스럽게 웃으며 아벨라의 손을 잡아들곤 제 눈가를 누르던 손끝에 입 맞췄다. 아벨라는 '큼큼' 헛기침을 했지만 잡은 손을 빼진 않았다.

"어쨌든 아벨라, 네가 떨어지던 그 타이밍에 아이타가 와 있었던 이유는 내게 협력을 구하기 위해서였어. 다른 황실의 형제들이 그녀를 돕는 것을 거절했기 때문에."

"그런."

아벨라의 얼굴이 흐려졌다. 펠리체는 단단한 팔로 제 아내를 제 품 안으로 이끌었다. 앉아 있던 아벨라가 펠리체와 함께 비스듬히 눕게 되었다.

"아까도 잠깐 말했던 것 같지만 왈로인이 널 습격했고. 때문에 호수 바닥으로 빠졌다는 건 이미 알고 있었어. 그 왈로인이 제롬으로 변장하고 있다는 것도 나름 눈치채고 있었고. 그를 처단하기 위해 나도 나대로 계획을 꾸미고 있었지."

"무슨 계획?"

"다 엎어 버릴 계획."

"……."

아니, 그걸 물어본 게 아니라……. 아벨라가 펠리체에게 정색하는 표정으로 눈총을 주었다. 하지만 펠리체는 아벨라에게 빙그레 웃어 보이며 다시 천천히 말을 이었다.

"……하지만 이 계획에서 불안한 게 있다면 왈로인의 마법이지. 그는 이 나라의 유일무이한 대마법사로 알려져 있으니까. 그런데 네가 아까 돌아오자마자 왈로인은 더 이상 마법을 못 쓴다고 말하고, 예언도 더 이상 들을 수 없다고 말했지. 그가 두르고 있는 보석이나 로브는 백룡이 준 선물이라고도 했고. 그걸 빼앗으면 된다고 하니, 준비할 게 훨씬 간략해진 셈이야."

말을 이어 나가던 펠리체가 아벨라를 바라보았다. 아벨라는 그 눈빛이 이제 자신에게 아까 하려던 설명을 요구하는 뜻임을 어렵지 않게 깨닫곤 입을 열었다.

"그럼, 이야기를 할게."

그리고 그 뒤로 아벨라는 카셀란에 대한 이야기를 조심스럽게 꺼내기 시작했다.

"카셀란은 제국을 정말로 사랑하는 용이어서 그동안 수없이 많은 유희를 제국에서 해 왔대."

"음, 그럴 수도 있겠네."

펠리체의 대답에, 아벨라가 다시 하려던 말을 멈췄다. 펠리체에게 뭐라고 설명해야 할까?

이 질문은 카셀란의 레어에 갇혀 있을 때부터 아벨라가 스스로에게 해 왔던 질문이었다. 물론 답을 찾진 못했지만 한국엔 이런 속담이 있다.

쇠뿔은 단김에 빼라고.

"너와 체하트의 모친 되는 로칠라 비가 카셀란이었어."

"……뭐?"

"그런데 그녀는 사실 용이기 때문에 용생으로 돌아와선 너희들이 고생한 거엔 관심이 없고, 자신이 지금까지 너무 제국에 대해서 물렀기 때문에 부패한 제국이 없어졌으면 좋겠대."

"……뭐라고?"

펠리체가 어처구니없다는 듯이 물었지만, 아벨라는 굴하지 않고 계속 말을 이었다. 아직 제일 중요한 부분이 남아 있었다.

"또 남아 있어. 그런데 카셀란은 그 제국을 멸망시키고 싶은데, 그런데 자신이 나설 수 없다고 했어. 그래서 대신 제국을 멸망시키는 주체로 널 지정했어. 우리를 살려 주는 대신 레어에 가둬 놓고, 네가 슬픔에 미쳐서 제국을 멸망시키길 바랐다는 거야. 정말 말도 안 되지 않아?"

아벨라는 마치 빠른 랩을 하는 것처럼 우다다다다 말하곤, 재빨리 입을 다문 채 펠리체를 살폈다. 이제 펠리체는 벌린 입을 다물지도 못한 채 아벨라를 바라보고 있었다.

아, 어쩌나. 좀 더 남았는데.

"그래서 내가 방방 뛰면서 뒤엎고 나왔어. 거기서 체하트랑 같이 온갖 보물을 바리바리 싸들고 나왔다? 내가 대신 화냈고…… 그러니 너는 제국이 망하든 말든 어, 상관할 필요 없어. ……엄, 끝이야."

"……."

아벨라가 입을 다문 채 펠리체의 눈치를 살폈다. 혹시라도 상처받았으면 어쩌지? 아니, 상처를 떠나 아예 안 믿을 수도 있겠다.

사실 안 믿는다 해도 이해한다. 자신의 엄마가 살아 있었다는 것도 놀라운데, 그 엄마가 사실은 용이고, 사실은 자신에게 일말의 정도 없어서 자신을 제국을 멸망시키는 데 써먹으려고 했고, 자신의 가족을 이용하려고 했다니, 이걸 대체 누가 믿겠난 말이야.

하여간 이게 다 카셀란 때문이다. 카셀란의 뻔뻔한 표정을 떠올리던 아벨라가 다시 펠리체의 얼굴을 살폈을 때였다. 펠리체의 표정이 굳어 있었다. 어떡해, 화났나 봐. 상처받았나 봐. 아벨라가 안타까운 표정을 지을 때였다.

"……흠."

펠리체가 천천히 끄는 음을 내다가 아벨라를 흘긋 바라보았다.

"……아주 틀린 말은 아니네. 용은 용이야."

"……뭐라고?"

아벨라가 미간을 찌푸리며 되물었다. 펠리체가 아벨라를 바라보며 빙그레 웃었다. 그 표정에선 놀람도, 분노도, 상처받은 슬픔도 느껴지지 않았다.

펠리체가 천천히 아벨라를 바라보며 침착하게 말했다.

"내 어머니가 생각보다 고통스럽게 삶을 끝내신 게 아니라는 것은 기뻐. 그뿐이야. 아벨라, 그녀가 용이라는 건 내게 아무 의미도 없어."

"어, ……그래?"

"만일 내가 놀란 게 있다면, 카셀란의 통찰력 때문일 거야. 그녀가 용이라는 더없이 확실한 증거라고 생각해."

"무슨 통찰력 말이야?"

"내가 제국을 망하게 할 사람이라고 점찍고 날 이용하려고 했다잖아."

"그게 왜……."

되묻던 아벨라가 순간 제 머리를 번개같이 치고 가는 생각에 말을 멈췄다. 설마, 설마.

"왜기는. 내가 아까 말했잖아, 아벨라. 내겐 계획이 있어."

펠리체가 어깨를 으쓱였다. 그의 눈동자가 어둠 속에서도 묘한 빛을 내며 반짝이고 있었다.

"'다 엎어 버릴 계획' 말이야."

"이미 제국을 없앨 계획을 세우고 있었다고?!"

아벨라는 크게 소리치곤 화들짝 놀라 입을 턱 막았다. 입 밖으로 이야기를 꺼내는 순간 소름이 오소소 돋았다. 누군가 이 이야기를 듣기라도 할까 봐 두려워졌다.

"맞아. 하지만 카셀란이 모르고 있는 게 있다면…… 난 아주 오래전부터 이 계획을 세워 왔다는 거야. 기폭제는 네 죽음이 될 수도 있었겠지만, 계획 자체는 아주 오래전부터 세워 왔어. 아주 오래전부터……. 그러니까 너와 결혼하기 전부터."

아벨라의 입이 떡 벌어졌다. 분명히 아까까지만 해도 놀라고 큰 충격을 받을 자는 펠리체 한 명뿐이라고 확신하고 있었는데, 이 방에서 기겁하는 자는 자신뿐이었다.

이건 완전히 반대가 아닌가.

"아무래도 이에 대해 길게 설명할 사람은 나인 것 같구나."

펠리체가 빙그레 웃으며 그녀에게 다시 고개를 내려 짧게 입을 맞췄다. 아벨라가 할 수 있는 거라곤 단지 그가 입을 맞출 때 그의 볼을 감싸는 일 뿐이었다.

펠리체가 다시 천천히 입을 열었다.

"나는 이 나라에 애정이 없어, 아벨라. 오래전부터 그랬어. 궁이 불타는 순간부터."

펠리체는 담담하게 이야기를 시작했다. 어머니를 잃었던 그때부터였던 걸까. 아벨라가 입술을 달싹였다.

"……샬롯이 너의 어머니를 죽였기 때문인 거야?"

"단지 그 이유뿐만은 아니야. 만일 내가 정말로 그녀만을 미워했다면 그녀를 죽이고 이 황궁을 떠났겠지. 그리고 공국으로 갔을걸. 그리고 네 옆에 있게 해 달라고 공작께 간청드렸겠지."

그 순간, 아벨라는 펠리체가 공국의 대전 앞에서 공작에게 충성을 맹세하는 모습을 상상했다. 음, 썩 나쁘진 않은데. 만일 그랬다면 자신과 펠리체는 공국에서 만났을 수도 있었을 것이다.

아벨라가 제 멋대로 상상하는 사이, 펠리체의 말이 이어지고 있었다.

"하지만 그렇다고 그녀가 아예 이유가 아니라고는 말할 수 없겠구나. 어머니를 죽였기 때문에 내가 궁을 나와 공국에 머무르고 타국의 백성들과 제국의 백성들을 직접 비교해 볼 기회가 생겼던 거니까."

펠리체의 말이 계속되면 될수록 아벨라의 표정 또한 진중해졌다. 펠리체의 입에서 나온 '백성'이란 단어는, 아벨라가 지금까지 단 한 번도 생각해 본 적 없는 단어이기도 했다.

생각할 겨를도 없었다. 이 황궁에서 적응하고 자리 잡는 것만으로도 꼬박 벅찼으니까. 하지만 얼굴이 부끄러움으로 홧홧하게 달아오르는 것은 왜일까?

"제국의 백성들에 대해서 알 생각조차 못했어."

아벨라가 부끄러운 얼굴로 중얼거렸다. 그런 아벨라를 보며, 펠리체가 천천히 고개를 가로저었다.

"알아. 네게 백성을 신경 쓰라고 말하는 게 아닌 걸 알잖아. 그리고 아벨라, 네가 알고자 했더라도 이 황궁은 네게 궁 밖의 상황을 알려 주지 않았을 거야. 애초에 그들도 관심 없는 분야

이니까."

펠리체의 목소리에 냉소가 섞였다.

"일견 괜찮게 보여. 귀족은 화려하게 사치할 수 있고, 백성들 또한 귀족들의 패션이나 가십을 따라 하고파 하는 여유도 있지. 소비는 늘었고, 황궁에서 여는 연회나 사냥 대회를 진심으로 즐기기도 해. 하지만 이는 어디까지나 수도에 한해서야."

아벨라는 자신이 보았던 활기찬 수도의 광경을 떠올리며 눈을 빛냈다. 펠리체가 무엇을 말하고 있는지, 아벨라는 이미 알고도 남을 것 같았다.

"하지만 지방으로 간다면 문제는 달라져. 영지를 소유한 귀족들로 인해 부패는 만연하고, 경제는 휘청거리지. 길었던 가뭄 덕에 농사 또한 아직 자리 잡고 있지 못해. 백성들은 무척이나 힘겹게 살고 있는데, 귀족은 가면 갈수록 배불러지지. 그리고 황궁은 지금까지 단 한 번도 나라 차원에서 귀족들의 영지를 단속한 적이 없어. 귀족들이 각자의 영지에서 무슨 짓을 하고 다니는지, 이 황궁은 아무것도 모르고 있다고."

아벨라는 미간을 강하게 좁히며 기억을 더듬었다. 펠리체의 말은 모두 사실이었다. 아벨라는, 아니 사실상 황궁 내의 모든 사람들은 수도의 백성들밖에 몰랐다. 수도가 아닌 지역에도 백성이 살고 있다는 것을 알지만, 한 번도 그 지역의 백성들을 마주한 적이 없었다.

펠리체가 몸을 완전히 일으켰다. 분노한 눈동자가 떨리고 있었다.

"알겠어? 가장 문제는 이 황궁이야, 아벨라. 황궁은 이미 국가 차원에서 놀라울 정도의 적자를 기록했어. 나라의 모든 돈을 군사력에 쏟아 정복 전쟁을 해 봐야, 제국의 배를 불리기엔 한계가 있을 수밖에 없지. 제국의 몸집은 이제 너무 커졌으니까."

펠리체의 목소리가 희미하게 떨렸다. 냉소로도 숨기지 못하는 분노였다.

"내실을 돌봐야 할 때였어. 제국에 편입된 나라를 자산으로 생각한다면 약탈 따위부터 하지 말았어야 했다고. 지방의 백성들을 위해 귀족과 거리를 두고 그들의 행동을 제한하고 내탕금을 줄이고 후궁들을 정리했어야 했어. 하지만 황제는 모두 반대로 했지. 용병단 생활을 하고 황제의 비밀스러운 임무를 수행하면서 내가 내린 결론은 단 하나야. 이 나라는 나라의 자격이 없어. 정말로 백성을 돌보고 사랑하는 사람도 없어, 아벨라."

펠리체가 아벨라를 똑바로 바라보았다.

"네가 없는 사이, 나는 내가 준비한 모든 바를 실행하기 시작했어. 내가 키웠던 신흥 귀족들과 내가 훈련시킨 사병과 내가 복속시킨 황궁의 군사력과 내게 발맞추는 소수의 원로 귀족들과…… 딜루어까지."

아벨라는 눈을 동그랗게 떴다. 딜루어, 자신의 아버지 또한 이 계획에 동참하고 있었단 말인가?

아벨라의 놀란 얼굴이 귀여운지, 펠리체가 작게 웃었다.

"공작께는 이 정략결혼을 빌미 삼아 자주 연락하며 이미 모든 걸 공유하고 알린 상태였지. 로톤에서도 큰 계획들을 맞춰봤고. 뭐, 물론 왜 공국과 연락할 빌미가 정략결혼이었냐고 물으면…… 글쎄, 이건 이전에도 대답했듯 내 욕심이었고."

펠리체는 손을 뻗어 그녀의 볼을 다시 감싸곤 제 엄지로 천천히 쓰다듬었다.

"용이 네 목숨과 체하트의 목숨을 갖고 뒤흔들지 않아도, 어차피 이 나라는 끝이 날 계획이었다는 거지. 물론 이건 어디까지나 내가 카셀란에게 품은 분노와 원한과는 별개지만."

"……그것참, 용이 들었다면 엄청 좋아하겠구나."

아벨라는 붉은 입술을 벙긋거리다 길게 한숨을 쉬며 말했다. 뭔가 더 길게 말하고 싶은데, 할 말이 아무것도 떠오르지 않았다.

잠시 머뭇거리던 아벨라가 펠리체를 가만히 바라보았다.

"왜?"

펠리체가 나른하게 웃으며 물어왔다.

"이 말만은 꼭 해야겠다 싶어서."

아벨라는 살짝 벌렸던 입술을 꾹 다물곤 펠리체를 똑바로 바라보았다. 이제 막 동이 트기 시작해 밝아진 방 안, 그녀의 눈이 반짝이고 있었다.

"나는 네가 무슨 짓을 해도 괜찮아. 물론 용이 이 나라를 없앤다고 했을 땐 널 걱정해서라도 그런 일은 없게끔 하고 싶었는데, 이제 네 이야길 들었잖아? 난 뭘 하든 무조건 네 편이야."

다부진 아벨라의 말에, 펠리체는 눈을 조금 크게 뜨다 이내 희미하게 웃었다.

"믿음직한 내 아내."

"앞으로도 믿음직스럽게 있을 수 있도록 노력해 볼게."

새초롬하게 대답해 준 아벨라 또한 그와 마주 웃었다.

아침 기상 시간이 되자 펠리체와 아벨라는 태연하게 설렁줄을 당기곤 내실로 둘만의 아침식사를 내올 것을 당부했다.

아이타와 체하트와는 아침을 먹은 뒤 다시 이야기를 나누자 전갈을 전해 두었다. 우선 아벨라와 펠리체부터 앞으로 어떻게 행동해야 할지 서로 상의해야 했다.

내실이 아닌 서재에서, 그것도 완전히 밀착한 채 소곤대며 걸어 나오는 두 사람을 보며 시종들과 시녀들이 푹 고개를 숙였다.

그저 이야기를 나누는 광경이었음에도, 그녀들이 보기엔 이상할 정도로 은밀하고 아찔하게 비춰졌다.

원래 서로 정이 농밀하게 무르익은 연인들이 뿜어내는 분위기는 당사자들보단 주변이 더 쉽게 알아채기 마련이었다.

물론, 그런 그들이 나누고 있는 대화의 실상은 다음과 같았다.

"제롬 먼저 찾아야 해."

"당연하지. 하지만…… 그가 살아 있을까?"

"난 아직 살아 있을 거라고 생각해. 하지만 나중에 아이타와 체하트가 있을 때 다시 한번 이야기해 보자. 이 계획만큼은 모두와 협력하는 게 좋으니까."

펠리체의 속삭임에 아벨라가 고개를 끄덕였다. 내실엔 금세 도착했다. 펠리체가 먼저 문을 연 뒤 그녀를 정중하게 에스코트했다. 베티가 눈을 빛낸 채로 아벨라를 향해 시립해 있었다.

"오늘의 식사 시중은 제가 직접 듭니다."

"베티!"

"아씨⋯⋯!"

똑 부러지게 말하던 베티가 순간 아벨라의 부름에 울먹거렸다. 하지만 그녀는 곧 고개를 좌우로 가로젓곤 다시 비장한 얼굴이 되었다.

"오늘의 아침은 두 분을 위해 가볍고 속을 따뜻하게 할 수 있을 음식으로 준비했습니다. 대구살을 갈아 만든 오믈렛과 익힌 서양배의 콤포트, 올리브를 넣어 만든 흰 빵, 그리고 으깬 호박에 크림을 넣어 부드럽게 만든 스프입니다. 스프 안엔 부러 고기류는 넣지 않았어요."

아벨라가 자신도 모르게 아쉬운 표정을 지었다. 넣었어도 좋았을 텐데. 어제 저녁때, 펠리체 덕에 본의 아니게 저녁을 부실하게 먹은 데다 밤에 있었던 활동(?) 때문에 배가 몹시 고팠기 때문이다.

"고마워."

하지만 베티 말고도 보는 눈이 몇 쌍이 더 있다. 이 이상 이미지가 망가질 수는 없지.

아벨라가 우아하게 말하며 의자를 향해 다가갔다. 베티가 의자를 빼 주기 위해 그녀의 뒤에 시립하려는 때였다. 펠리체가 베티의 앞을 막았다.

"내가 하지."

펠리체가 베티에게 씨익 웃어보이곤 의자를 빼 아벨라에게 눈짓했다. 아벨라가 발그레한 얼굴로 웃으며 자리에 앉았다.

둘만의 분위기를 감지한 베티의 한쪽 눈썹이 위로 올라갔다가 아까 복도의 다른 시종들과 마찬가지로 고개를 푹 숙였다.

"문가에 있을 테니 필요하시면 불러 주십시오."

곧 베티가 고개를 들고 정중하게 말하곤 성큼성큼 문가로 걸어갔다. 더없이 흐뭇한, 여한이 없는 자의 표정이었다.

베티의 표정을 본 아벨라가 의아한 표정을 지었지만, 곧 그녀는 제 앞에 차려진 정갈하고도 맛깔스러운 식사에 집중하기 시작했다. 앞서 말했지만 그녀는 배가 고팠다.

한창 식사가 진행되던 때였다.

"하나 모르겠는 게 있다면, 왜 그가 마법을 쓰지 못하는 건지는 모르겠어. 무슨 일이 있었던 건가?"

아벨라는 왈로인과 대치했을 때를 떠올렸다. 크게 다친 체하트를 품에 안은 채로 왈로인에게 악다구니 썼던 기억. 아벨라의 미간이 강하게 좁혀졌다.

"······나한테 나 때문에 마법을 쓰지 못한다고 말했었어. 그리고 그가 두르고 있는 로브나 칼, 그리고 귀 밑에 붙이고 다니는 폴리모프 아티팩트들은 카셀란이 준 거고."

"하지만 왜 그가 너 때문에 마법을 쓰지 못하는데?"

펠리체가 미간을 찌푸린 채로 되물었다. 순간, 아벨라의 눈동자가 모로 움직였다.

그걸 뭐라고 설명해야 할······ 까?

이걸 설명하자면, 8살 때 영혼이 바뀌어 다른 세계에서 살다 왔고, 그곳에서 기하를 배워 왔다는 이야기를 해야 한다.

하지만 이걸 굳이 말하기엔······ 타이밍이 좀 나쁘지 않나? 딱히 숨길 내용이 있는 건 아니다. 자신이 다른 세상에서 왔다는 것, 그리고 이 대륙과는 완전히 다른 세상이 있고 그곳은 마법이 없는 세상이며 한동안 다른 사람이 되어 살았다는 것도 말이다.

하지만 지금 나라를 없애네, 제롬을 찾네 하는 순간에 자신
에 대해 길게 설명할 자신이 없었다.

아벨라는 아랫입술을 잘근 깨물었다. 아벨라를 바라보는 펠
리체의 표정이 의아함, 그리고 걱정으로 물들었을 때였다.

이내 결심한 듯이 아벨라가 펠리체를 똑바로 바라보았다.

"이건 나중에 말해 줄게."

"뭐?"

"나중에 꼭 설명해 줄게. 어쨌든 왈로인은 마법을 쓰지 못한
다는 것만 알아 두자고. 제롬을 찾아내는 게 우선이잖아?"

화제를 돌리려는 의도가 너무나 명백한, 허술한 대답이었
다. 아벨라를 향한 펠리체의 눈이 순간 가늘게 좁혀졌다. 하지
만 펠리체는 곧 한쪽 눈썹을 들어올렸다. 무언가 이유가 있는
거겠지. 펠리체가 생각하는 아벨라는 자신을 곤란하게 만들기
위해 행동하는 사람이 아니었다.

'약속했으니 나중에 이야기해 주겠지.'

펠리체는 잠자코 입을 다물곤 차를 한 모금 들이켰다.

"형님 말씀이 맞아요. 제롬 형님은 살아 계세요. 제가 확인
했어요."

체하트가 야무지게 말했다.

해가 가장 높은 시간, 아벨라와 펠리체는 체하트, 그리고 아
이타와 함께 티타임을 가졌다. 하지만 이는 모양일 뿐, 사실은

그간 있었던 일을 다시 한번 맞춰 보고 앞으로의 일을 대비하기 위한 회의였다.

오늘의 티타임 장소는 펠리체가 아벨라를 위해 만들어 둔 유리 온실이었다. 뒤뜰에서 이야기하고 싶었지만 보통 이런 겨울에 야외 티타임을 벌이는 사람은 없다.

"그게 무슨 소리니, 체하트?"

아이타가 찻잔을 들며 물었다. 오늘의 아이타는 흑자색의 목까지 올라오는 드레스만을 갖춰 입은 간소한 복장이었다.

체하트는 아이타를 바라보며 품속에서 무언가를 꺼냈다. 조그마한 나무 상자였는데, 이내 체하트가 그를 밀어 테이블 위에 엎어 놓았다.

아벨라의 눈동자가 동그래졌다. 상자 안에서 나온 것은 바로 흑진주였다. 엄지손톱만 한 크기였다.

"이건 제가 아카데미에서 만든 아티팩트예요."

"아티팩트라고?"

펠리체의 물음에, 체하트가 쑥스러운 듯이 고개를 끄덕이며 설명을 늘어놓기 시작했다.

"이번 학기 고급마법연구 과목 기말 과제였어요. 아티팩트 만들긴데요. 그냥 보석 하나를 구해서 그 안에 마법 하나를 심는 거예요. 통용되는 아티팩트에 비하면 정말 부끄러운 수준이에요. 코끼리와 개미의 차이라고 해야 하나…… 학생들이 만드는 아티팩트니 쓰는 것도 흑요석이나 진주 같은 준보석들이고요. 어쨌든 황궁으로 돌아오면서 같이 가져왔나 봐요. 참 다행이죠."

"아니, 알았어. 알았으니까 그게 무슨 아티팩트인데?"

자꾸 딴 길로 새려는 체하트의 설명을 가로막으며 아이타가 다시 한번 물었다. 체하트가 '아' 소리를 내며 다시 후다닥 설명을 시작했다.

"아 그게! 지정추적 마법이라고, 지정된 한 명을 대상으로 삼아서 그 한 명을 추적하는 건데요. 이번 수업에서는 이렇다 할 대상을 찾지 못해서 그냥 '교수님'이 자원하셨어요. 그러니까…… 교수님이 누군지 아시겠어요?"

순간 체하트를 제외한 모두의 눈이 휘둥그레졌다. 이미 그들도 알고 있었다. 아카데미에서 교수직을 맡아 상위 고급마법을 가르치고 있는 사람.

"……제롬?"

"네, 이번 고급마법연구 과목 교수님은 제롬 형님이셨거든요."

"그렇다면 그 아티팩트가 9황자가 어디 있는지 알려 준다고?"

아이타가 외치며 그 자리에서 벌떡 일어났다. 얼마나 거칠게 일어났던지, 그녀가 앉아 있던 의자가 뒤로 넘어지기까지 했다. 뒤에서 지켜보고 있던 시녀들이 황급히 달려와 의자를 세워 주었다.

그러나 체하트는 당황한 듯한 표정으로 고개를 저었다.

"아뇨, 그게 제가 만든 아티팩트가 그…… 저, 실패해서, 위치를 추적해야 하는데, 간신히 지정한 사람만을 감지할 수 있었어요. 그래서 좋은 점수도 못 받고…… 말씀드리지도 않았던 건데."

순간 아벨라는 펠리체의 눈꼬리가 상냥하게 휘어지는 것을 보았다. 상황이 상황이라 말은 못하겠지만, 제 동생이 퍽 마음에 차고 귀여운 모양이었다. 동생 바보 같으니. 아벨라가 눈썹 한쪽을 까닥이며 다시 아티팩트를 바라보았다.

"그게 어디에요. 그래서 이건 어떻게 다뤄야 하는 거죠?"

아벨라가 눈앞에 보이는 아티팩트를 뚫어져라 바라보며 물었다. 체하트가 조심스럽게 고개를 끄덕였다.

"네, 그러니까…… 살아 있는지 아닌지만."

"원하는 사람의 이동 여부까진 탐지하지 못하는 거군요."

아벨라가 깨달은 듯한 표정으로 말했다. 체하트는 무척 부끄러워하며 고개를 끄덕이곤 진주를 집어 들어 아벨라에게 가져갔다. 아벨라가 얼결에 손바닥을 내밀자, 그 위에 진주를 올려 준다.

"작동은 간단해요. 그냥 두드리면 돼요."

체하트가 진주를 툭툭 두드리자, 진주의 안쪽에서 푸른빛이 빛나기 시작했다.

"이것 보세요. 푸르게 빛나죠? 아직 추적 대상을 감지할 수 있다는 거예요. 제롬 형님은 살아 계시다는 거죠."

모두의 얼굴이 밝아졌다. 하지만 그때였다. 아이타가 굳은 얼굴로 손을 들었다.

"하지만 펠리체의 말대로라면 그가 살아 있다는 건 알아도 어디에 있는지는 모른다는 거잖아?"

"왜 몰라요, 제가 있는데."

아벨라가 그녀의 말을 넙죽 받았다. 체하트야 미숙해서 실패했다고 하더라도, 아벨라라면 이야기가 달라진다. 체하트가 설명만 해 준다면 아벨라는 그 탐지마법으로 제롬을 찾아낼 자신이 있었다.

하지만 그런 아벨라의 말에도, 아이타의 좁혀진 미간은 좀처럼 펴질 생각을 하지 않았다.

"8황자비께서 있는 게…… 무슨 상관이에요?"

아이타가 무척 조심스럽게 되물었다. 그에 눈만 깜박이던 아벨라가 순간 "아!" 하고 깨달은 표정을 지었다. 아, 그래. 그랬지. 아이타는 아벨라가 마법을 쓸 수 있다는 사실 자체를 모르고 있었다.

"아, 그렇죠! 아직 3황녀님은 모르시네요."

"무얼요?"

"그러니까, 그게."

아벨라는 당혹스러운 표정으로 펠리체와 체하트의 눈을 차례로 마주쳤다. 말해야 하나? 그녀를 믿어도 되는 걸까?

그 순간, 아벨라는 펠리체의 고개가 미세하게 끄덕이는 것을 보았다. 그녀는 믿을 수 있다는 펠리체의 사인.

아벨라는 이내 한숨을 쉬곤 아이타의 눈을 똑바로 바라보았다.

"저는 마법을 쓸 수 있어요. 아마 체하트보단 괜찮은 실력일 거예요."

툭 튀어나온 아벨라의 말에, 아이타가 입을 벌렸다.

"뭐라고요?"

"그리고 원래 백치도 아니었고요."

아벨라는 그리 말하며 싱긋 웃었다. 여유롭지만 일견 부끄러워하는 듯한 미소였다.

그간의 이야기를 모두 들은 아이타는 얼이 빠진 듯한 표정을 지었다. 아벨라가 백치가 아니었던 데다, 마법을 쓸 수 있다니. 게다가 펠리체와 체하트의 말을 들어보면 그 수준 또한 무척 높은 것 같았다.

한참을 침묵하던 그녀가 곧 손을 뻗어 테이블 위의 파나코타 보울을 집었다. 그러고는 숟가락으로 파나코타를 크게 한 스푼 떠먹었다. 본능적으로 당을 섭취하려는 행동이었다. 파나코타를 꿀떡 넘기곤 이내 아벨라를 똑바로 바라보았다.

"……사실 8황자비께서 백치였던 시절, 백치인 척 하시는 게 아닌가 의심하고는 있었어요. 그런데 마법이라니. 그것도 제롬을 능가할 정도라니요."

아이타가 이마에 손을 얹으며 중얼거렸다. 그 짧은 사이에 눈에 거무튀튀한 그늘이 내려앉아 있었다. 퍽 많이 놀란 모양이었다.

그러나 놀란 것은 아벨라도 마찬가지였다. 지금 아이타가 한 말 때문이었다.

"백치인 척…… 이요?"

"허술하셨으니까요. 모두들 모여 있는 몇 안 되는 자리에서도 두 분이 대화하는 광경을 본 적이 있는걸요. 그것도 저 혼자만이 아니에요. 4황자비는 심지어 공국에서 8황자비를 직접 봤었다고 하셨거든요. 저희끼리 말을 맞춰 봤었어요. 결론은 백치였지만, 지금은 아니다였는데……. 이것도 꽤 옛날 일에, 천만다행으로 적대 관계의 인물들이 눈치채지 못한 듯해서 이야기를 꺼낼 일은 없었어요."

그럼 그렇지. 백치 흉내치곤 무척 엉성했으니, 언젠가는 누군가에게 들키리라 생각은 했었다. 하지만 이렇게 직접 대놓고 들을 줄이야.

부끄러웠다. 이야기를 듣는 아벨라의 얼굴이 홧홧하게 달아올랐다. 여기에 무사히 앉아 있을 수 있던게 기적이었던 것이다.

그런 아벨라를 바라보던 아이타는 다시 파나코타 그릇을 들어 크게 두어 스푼 떠먹은 뒤 그릇을 내려 두었다. 테이블 매너에 어긋났지만 그를 지적할 사람 따윈 없었다.

탱글하게 부스러지는 파나코타의 식감을 느끼며, 아이타가 생각했다. 그래, 그녀에게도 곤란한 사정이란 게 있었겠지. 아이타가 아벨라를 바라보다가 이내 천천히 한숨을 쉬었다.

더 추궁하고, 더 캐낼 수도 있겠지만 아이타는 너무 깊게 파고들지 않는 게 좋겠다고 생각했다. 어찌 됐든 그녀는 지금 아군이었으니까. 물론 그녀가 공국의 편에서 제국에 위해를 가하는 짓을 한다면 어떻게 될지 모르지만…….

아이타는 그럴 일이 없을 거라고 생각했다. 왜냐면 아이타의 안에선 이미 펠리체가 차기 황제로 낙점되어 있었으므로.

펠리체는 아벨라에게 그 힘을 제국을 위해 써 주도록 설득할 것이다. 아벨라도 제국을 위해 힘쓰기로 했으니 이렇게 자신에게 밝히는 거겠지.

물론, 이는 그녀가 펠리체의 '계획'을 전혀 모르고 있기에 가능한 생각이었다.

"그래도 이제는 이해가 가네요. 이런 힘을 갖고 계시니, 조금 허술하게 행동해 빌미를 만들려고 하셨던 걸까? 그렇지요?"

"……네."

아이타의 말에 아벨라는 잠자코 고개를 끄덕였다. 그녀의 의도를 깨달았기 때문이다. 그녀는 지금 너그럽게 아벨라의 지난 일을 넘어가겠다고 돌려 말하고 있었다.

사실 아벨라도 알고 있었다. 아이타 공주가 스스로 댄 빌미라는 핑계로도, 지금 아벨라의 행적과는 앞뒤가 맞지 않았다.

아벨라는 백치인 척, 강력한 마법사임을 숨기고 있었다. 그 자체만으로도 황실엔 크나큰 위협이었다.

하지만 아이타는 이를 덮어 주려 하고 있었다. 아벨라는 어쩐지 그 이유를 알 것 같았다. 단순히 같은 편이라서가 아닐 것이다.

아벨라의 곁에 펠리체도 있고, 이렇게 혼란스러운 상황에서 남아 있으니, 그녀가 아예 제국으로 전향했다고 생각하는 거겠지.

그녀는 펠리체의 계획을 모르고 있는 게 분명했다. 둘은 서로 돕는 우방이라고 알고 있었지만……. 아벨라가 펠리체를 흘끔 바라보았다.

펠리체는 예의 그 '선량하기 짝이 없는' 미소를 지으며 아벨라를 바라보고 있었다. 하지만 아벨라는 그 눈빛을 쉽게 읽을 수 있었다.

펠리체는 아이타에게도 제가 품은 뜻을 말할 생각이 없었다. 아벨라의 사정까지는 믿고 이야기해도 되지만…… 이 계획만큼은 말할 수 없다는 건가.

아벨라는 아무렇지도 않게 표정을 마무리하면서도 신중히 생각을 이어 나갔다. 결국 언젠가는 아이타와도 의견을 같이할 수 없는 날이 온다는 것이다.

순간 이들이 앉은 테이블 사이에 이상한 정적이 흘렀다.

"……지난 이야기는 그쯤 해 두고. 앞으로 해야 할 일들에 대해서 의논해 보자."

그때였다. 펠리체가 주위를 환기하려는 듯 입을 열었다.

"일단 아이타는 황제…… 폐하의 동향을 알려 줘."

"알겠어. 폐하께 왈로인에 대해 알리지 않아도 될까?"

"아직은 위험해. 왈로인이 황제 폐하의 눈을 가리고 있어. 게다가 애초에 폐하는 우리보단 왈로인을 더 믿으셨으니, 우리 설득이 실패할 수도 있어."

아이타의 얼굴에 순간 씁쓸함이 번졌다.

"하기야 우리는 사랑받는 자식이 아니었지."

"사랑받는 자식은 아무도 없었어."

펠리체는 짤막하게 받아치곤 아벨라와 체하트를 바라보았다.

"그리고 너희가 돌아왔다는 건 제롬을 찾을 때까지 계속 숨길 생각이야."

"그럼 우리가 진짜 제롬을 찾아야겠네."

아벨라가 대답하자, 옆에서 체하트도 열렬히 고개를 끄덕였다.

"부탁할게. 나는 자리를 비울 수 없어. 너희가 사라진 사이 내가 전면에 나서서 장례를 미루고 일선 상황을 지휘하고 있었거든. 게다가 왈로인의 행동을 폭로하려면 우선 살아 있는 제롬을 먼저 찾아 그의 안전을 확보해야 해."

"살아 있다는 걸 알았으니, 나머지는 어떻게든 해 볼게."

"위험할지도 몰라요. 둘이서만 움직이기엔 무리가 아닐까요?"

아이타가 일순 만류할 때였다. 아벨라의 눈이 반짝였다.

"저도 그렇게 생각하고 있었어요. 아무리 마법을 두르고 있다 해도 사실 위험하긴 하니까요. 힘으로는 아무래도 왈로인에게 당할 수밖에 없으니까요. ……하지만 3황녀님, 걱정 마세요. 이번엔 믿는 구석이 있답니다."

아벨라가 빙그레 웃으며 한쪽 눈을 찡긋했다.

마티나는 도무지 믿어지지 않는 표정으로 자신의 앞을 바라보았다.

"8황자비 저하……."

"너무 늦게 알려서 미안해요, 경."

아벨라의 다정한 사과에 한쪽 무릎을 땅에 댄 마티나가 눈물을 글썽거리면서 그녀를 물끄러미 바라보았다.

마티나는 선홍색의 머리칼을 단정히 하나로 묶은, 더없이 수수한 차림새였다. 입고 있는 옷 또한 간소한 투피스로 이루어진 드레스였다.

마티나는 아벨라가 보낸 시종의 초대를 무려 다섯 번이나 거절한 뒤에야 이 8황자 궁에 왔다.

시종이 전한 바로는, 마티나는 아벨라의 실종을 모두 자신의 탓이라고 생각하며 차마 이곳에 나타날 면목이 없다고 말했다고 했다. 참나, 그렇다고 다른 기사들이 버젓이 있는 곳에서 아벨라가 살아 있다고 말할 수도 없었다.

결국 아벨라는 마티나에게 '황자궁에서 아벨라의 유품 정리를 하는데, 아벨라가 마티나에게 남긴 것이 있으니 이를 수령하라.'고 거짓말을 칠 수밖에 없었다. 이렇게라도 꾀어내야지 뭐 어쩌겠어.

예상대로 마티나는 '아벨라의 유품'이라는 말을 듣자마자 한달음에 달려왔다. 그리고 바로 지금, 아벨라를 마주하게 된 것이다.

"많이 놀라셨나요?"

아벨라가 다정하게 미소 지으며 묻자, 마티나가 눈물 한 방울을 뚝 떨구며 고개를 끄덕였다.

"'유품'이라고 하셔서…… 저는 그저 꼼짝없이 '아, 저하의 시신이 발견되었구나.' 생각했습니다…… ."

마티나는 입술을 꾹 누른 뒤 다시 아벨라를 바라보았다.

"원래라면 주군을 모시지 못한 죄인의 몸, 어찌 편하게 하늘 아래 두 발을 딛고 살 수 있겠단 말입니까? 소식을 받았을 땐 그냥 이 황궁을 떠날까도 진심으로 고민했습니다. 그래도 이곳에 온 건, 죄인의 몸이지만 저하께서 남기셨다는 유품이라도 갖고 싶어서…… 그래서……."

마티나의 절절하게 읍소하는 목소리에, 아벨라의 눈동자가 사정없이 흔들렸다. 그저 반가워해 줄 거라고 생각했던 자신의 착각이었다.

고지식하고 정석대로만 움직이며 어떤 일에서도 자신의 의무와 책임을 다하는 여성, 그게 마티나였다. 그리고 그녀가 처음으로 충성서약을 맺은 게 아벨라였으니, 그녀가 얼마나 큰 충격을 받았을지는 미루어 짐작이 가고도 남았다.

아벨라가 마티나를 좀 더 챙겼어야 했다. 아벨라는 스스로를 자책하며 마티나를 끌어안았다.

"정말 진심으로 미안해요."

초대를 다섯 번이나 거절했더라도, '유품'라는 말을 써서 그녀를 부르지는 말걸.

아벨라는 내심 찔리는 양심으로 자그맣게 한숨을 내쉬었다. 그냥 자신이 변장을 하고 찾아가는 게 맞았던 것일지도 모른다.

"그래도 이렇게 와 주어서 고마워요. 내가 살아 있다는 것을 꼭 극비로 해야 했기 때문에, 부득이하게 궁 밖에 있던 경께 이렇게 뒤늦게 이야기를 전하게 되었어요. 많이 놀랐나요? 그러니까⋯⋯."

"당장 처소를 옮기겠습니다."

"아, 아니 그게 아니라."

"아니오. 진작에 옮겼어야 했습니다. 제가 시간을 끈 거나 마찬가지였어요. 지금 당장 옮기겠어요."

"아니, 그게 아니⋯⋯ 그래요. 그래 그럼 옮긴다 치고요."

아벨라는 순간, 강경하게 이야기하는 마티나의 손을 두 손으로 덥석 부여잡았다. 마티나가 한순간 입을 다물었다. 무척 당황한 표정이었다.

"저하?"

"일단, 일단 내 얘기부터 먼저 들어 주세요, 경. 그대에게 지금까지의 상황을 알려 줄 테니까."

그 순간 아벨라의 곱슬진 머리칼 한 올이 그녀의 이마에 드리웠다. 그리고 그 아래에서 사파이어처럼 고요하게 일렁이고 있는 푸른 눈동자.

마티나는 순간 입을 완전히 다물었다. 비록 그녀의 견식은 짧았지만, 마티나는 아벨라가 결심했을 때 내뿜는 이 기백이 그 어떤 세상의 영웅들과도 견주어 봄 직하다고 생각했다. 그녀가 눈을 빛내는 순간, 모든 사람들이 고개를 돌려 그녀를 바라볼 것이다. 마티나는 확신할 수 있었다.

"언제까지고 따르겠습니다."

감정에 북받친 듯한 목소리로 말하며, 마티나가 고개를 깊숙이 숙였다. 다시 주군을 되찾은 그녀의 등이 이글이글 불타고 있었다.

그리고 잠시 뒤.

모든 이야기를 들은 뒤, 마티나는 날카롭게 눈을 빛내며 아벨라를 바라보았다. 그녀는 지금 왈로인에 대해 혐오와 분노라는 복합적인 감정으로 뭉쳐 있었다.

"……저하, 제게 원하시는 바를 말씀하십시오. 즉시 따르겠습니다. 그의 목을 베라면 베겠습니다."

"완튼 경, 말만으로도 고마워요. 하지만 그의 목은 반드시 내가 벨 거예요."

아벨라가 눈을 빛냈다.

"일단 아주 모자라지 않게 작신작신 밟아 줄 거라고요. 물론, 9황자부터 찾고."

"그럼 제게 어디 그놈의 뼈 세 곳 정도는 부러뜨릴 수 있는 기회를 주십시오."

"좋아요."

우아하게 대답한 아벨라는 빙그레 웃으며 마티나를 바라보았다. 그녀는 곧 치마를 뒤적거려 주머니를 꺼냈다.

"그게 뭔가요?"

마티나의 물음에, 아벨라는 주머니를 열어 자신의 손바닥 위로 쏟았다. 엄지손톱만 한 흑진주가 툭 떨어졌다.

"이건 10황자가 만든 위치 추적기예요. 이걸로 제롬을 찾으려고요. 그가 지정한 상대의 상태만 보이게끔 잘못 마법을 건 것을, 내가 좀 더 보태 만든 아티팩트지요."

"이걸 대체 어떻게 만드셨어요?"

"체하트가 빌려준 마법책을 보고 독학해서 만들어 봤어요. 잘될지는 미지수지만, 내가 테스트할 땐 어쨌든 장소가 뜨긴 떴어요. 마치 좌표처럼 보일 뿐이지만. 펠리체가 준 황궁지도로 계산해 가면서 움직이면 찾을 수 있을 거예요."

아벨라는 설명하면서, 자신이 아티팩트를 개조한 순간을 떠올렸다.

체하트는 아카데미에서도 배우는 위치 추적 마법이고, 쉽게 접근할 수 있다고 아벨라에게 설명했지만, 애초에 아벨라는 체하트가 설명한 그대로 마법을 만들 생각은 없었다.

굳이 설명하자면, 아벨라는 여기에 몇 가지의 옵션을 더 추가해 아티팩트를 업그레이드해 볼 생각이었다.

예를 들어, 추적하는 장소와 황궁의 지도를 합쳐 황궁 안에서의 위치를 명확하게 파악한다든지 하는 식으로 말이다.

물론 쉽지만은 않았다. 제롬과 체하트에게 마법들을 배우면서 생각한 건데, 복잡하고 정교한 마법일수록 문제의 수준은 꽤 어려웠다.

골자는 위치추적이지만, 난이도는 하늘과 땅 차이다. 지금까지는 책에 있는 문제들을 풀어 마법을 깨쳤을 뿐이라면, 지금부터는 있는 마법들을 조합해 아벨라 나름으로 맞춤식 마법을 만드는 것에 가까웠다.

하여간 더럽게 어려웠다 이거다. 아벨라는 자신도 모르게 입술을 뾰로통하게 내밀었다. 수치도 딱 떨어지는 숫자가 아니라서, 혹시 자신이 틀린 것은 아닐까 매우 걱정했다.

만일 자신이 경시대회 문제를 내는 출제 위원이라면 이런 문제는 절대로 내지 않을 것이다. 풀면서도 '이게 맞나' 같은 생각을 수도 없이 했으니까.

자신이 풀었던 문제들을 떠올리며 몸을 부르르 떨었다. 아니지, 아니지. 경시대회 문제 같은 걸 생각할 때가 아니지.

아벨라는 제 손 위에 올려진 진주를 검지로 톡 건드렸다. 진주의 한쪽이 바늘구멍처럼 빛나더니, 곧 아벨라와 마티나 사이에 자그마한 화면을 만들어 냈다. 황실의 지도였다. 그리고 본궁의 구석에 푸른 점이 간신히 반짝이고 있었다.

"세상에, 이런 대단한."

마티나가 혼잣말로 감탄사를 중얼거릴 때였다. 아벨라가 손가락으로 지도를 가리켰다.

"9황자는 이곳에 있는 것 같아요. ……아마도?"

마티나는 아벨라가 가리키는 곳을 자세히 살폈다. 마티나의 눈이 조금 커졌다. 그녀는 아벨라가 가리키는 곳을 알아 볼 수 있었다. 본 궁의 이 위치라면, 분명히…….

"도서관?"

"네, 제롬은 도서관에 있어요."

아벨라가 고개를 끄덕였다. 너무 뻔한 장소가 아닐까 생각했다. 왜냐면 왈로인이 진볼드 남작으로 분해 숨어 있던 곳도 도서관이었고, 제롬이 자주 가는 곳 또한 도서관이었기 때문이다.

하지만 왈로인은 보란 듯이 도서관에 제롬을 두었다. 간단한 탐색마법으로도 걸릴 정도였다. 아마 이제 황궁에 마법을 쓰는 사람은 전무하다고 생각하고 있는 모양이었다.

아벨라의 주먹이 꽉 쥐어졌다. 어떻게든 반드시 제롬을 구하고 말겠다. 오늘 꼭 제롬을 구해서, 가장 빠른 시간 내에 이

망할 놈의 왈로인을 도륙내고 말리라.

홀로 굳건히 다짐하던 아벨라가 순간 마티나를 바라보았다. 그녀는 더없이 충직한 기사의 표정으로 아벨라를 바라보고 있었다. '무얼 명하시든 그대로 따르겠습니다.' 같은 표정이었다.

"그리고 경. 경은 저를 에스코트해 줘야 하고 말이야."

"이번엔 절대로 실수하지 않겠습니다."

마티나의 비장할 정도의 대꾸에, 아벨라가 당황한 채 손을 휘휘 내저었다.

"아니야! 마티나, 이전에도 실수한 적 없었어. 저번은 단지 내가 그냥 사라졌을 뿐이야. 제롬의 모습을 한 왈로인에게 속아서 말이야. 네 잘못이 아니야."

마티나를 달래던 아벨라의 이가 부득 갈렸다. 아무리 생각해도 왈로인이 가장 나쁜 놈이다.

찾아내기만 하면 야무지게 면상에 주먹을 날리고 싶은데, 막상 주먹을 날려 봐야 어쩐지 자신의 손만 아플 것 같다.

"아, 그런데 오늘도 변장하실 건가요?"

아벨라가 마음껏 다른 생각을 하고 있는 동안, 마티나가 고개를 기울이며 물어왔다. 아벨라는 당연하다는 듯이 고개를 끄덕였다.

"당연하지요."

"그렇군요."

"그리고 이번엔 경도 해야 해요."

"그렇군…… 예?"

마티나가 깜짝 놀라 다시 되물었을 때였다. 아벨라는 단지 '헤헤' 하고 웃을 뿐이었다.

"보나마나 뻔하죠."

아벨라에게 검은색의 짧은 단발을 씌워 주며 베티가 투덜거렸다.

"기사님까지 하녀로 변장해야 한다는 그 혼자만 만족할 만한 아이디어는 분명 아씨께서 냈을 거예요. 맞죠?"

"아니야."

"아니긴 뭐가 아니에요? 아씨, 솔직히 말해 보세요. 변장하는 데 맛들리신 거지요?"

"그게 아니야. 왈로인에게 저번에 변장한 모습이랑 마티나까지 모두 다 들켰단 말이야. 이제 다른 모습으로 바뀔 때도 됐잖아?"

"핑계가 참으로 좋으세요."

쉽게 속아 넘어가지 않고 대번에 반박하자 아벨라의 아랫입술이 쭉 나왔다. 토라진 표정이었다.

베티의 말 그대로, 아벨라와 마티나는 사이좋게 내실에 나란히 앉아 변장을 하고 있었다.

저번처럼 가발과 화장을 바꾼 것으로는 어림도 없을 것 같아서였다. 이번엔 코끝에 촛농을 단단히 뭉쳐 매부리코를 만들고, 광대를 만들었다. 그리고 그 위에 얼굴색과 비슷한 물감을 바르고 파우더를 덧칠하니, 완전히 다른 사람 같아 보였다. 화장으로 눈속임한 것과는 완전히 다른 얼굴이었다.

"그래도 저는 부럽기만 한걸요."

뒤에서 체하트가 조그맣게 중얼거렸다. 퍽 부러워 보이는 표정이었다.

그랬다. 이곳엔 체하트도 있었다. 아직 어리다는 이유로, 그리고 이곳에 10황자에게 우호적인 인물이 많은 관계로 그녀들이 옷을 다 갈아입은 뒤 화장하는 모습을 특별히 구경할 기회를 얻게 되었다.

"저는 아직 키가 작아서 변장도 못하고, 그리고 이곳에 얼굴이 적잖이 알려져 있는 편이기도 한데다 연기는 더더욱 자신 없고요. 두 분은 저보다 훨씬 나은 거잖아요? 저도 돕고 싶어요. 제롬 형님을 찾고 싶어요. 부러워요."

"10황자 저하, 놀러 가는 게 아닙니다. 8황자비 저하께서는 9황자님을 찾기 위해서……."

"완튼 경, 눈을 감아 주세요. 이마에 촛농을 붙일 거랍니다!"

"……예."

앓는 소리를 내며 마티나가 시시녀들이 시키는 대로 눈을 감았다. 아벨라는 거울 안의 자신을 가만히 바라보았다. 몰골은 이전보다 훨씬 더 자연스러워져 있었다.

시녀 옷을 입은 검은 머리의 괴팍해 보이는 여성. 곁눈질로 마티나를 바라보니, 그녀 또한 꽤 그럴듯한 타인으로 변해 있었다. 어두운 금발에 눈꼬리가 아주 삐죽하게 치켜 올라간 못되어 보이는 여성이다.

그녀와 마티나를 지켜보던 체하트가 아쉬운 표정으로 입을 열었다.

"폴리모프 마법이 붙은 아티팩트라도 찾아볼 걸 그랬죠? 감쪽같게 변장된 건 좋지만, 사실 분장에 들인 시간을 생각하면 너무 고생스러워 보이셔서요. 황궁에서 왈로인이 활개 친 이야기를 들어보면, 왈로인도 분명히 폴리모프 아티팩트를 가지고 있을 것 같고요. 그것도 용에게서 받았겠죠?"

"그랬겠죠. 훔치지 말라고 누가 자꾸 설득하는 바람에 찾아볼 여유가 없었어요."

장난스럽게 대꾸하는 아벨라의 말에 체하트의 얼굴이 벌게졌다.

"그, 그건……."

"하, 이거 참. 폴리모프는 인세에서 쓸 수 없다는 걸 진작에 알았다면, 그 보물 창고에서 폴리모프 아티팩트 먼저 찾아볼 걸 그랬죠."

나중에 알았는데, 폴리모프 마법은 이미 인간세계에선 존재하지 않는 마법이었다. 그 흔적조차 남지 않아 복원 시도조차 못했다고 한다.

그녀가 과장되게 아쉬워하는 표정을 짓자, 체하트의 얼굴이 좀 더 붉어졌다.

"죄, 죄송해요……."

체하트가 부끄러운 표정을 지으며 사과했다. 그 모습에, 아벨라가 다시 빙그레 웃었다.

"뭘 또 그렇게까지 미안해하고 그래요? 괜찮아요. 왈로인에게 다시 빼앗아 오면 되죠."

아벨라가 장난스러운 어조로 대꾸하고는, 다시 거울 안의 제 모습을 쳐다보았다. 덕분에 이런 경험도 하고, 나쁘지 않은걸.

"게다가 곁에 이렇게 열심히 애써 주는 사람들이 있으니 든

든하고요."

아벨라의 말에, 옆에서 이야기를 듣고 있던 베티가 씨익 웃으며 대꾸했다.

"감사합니다. 치장 시녀들과 노력한 보람이 있네요."

"정말 고마워."

아벨라가 해사하게 웃었다. 하지만 변장을 한 채로 웃으니 '해사'는커녕 무척이나 수상하게 보였다. 뭐, 어쩔 수 없지, 이젠 정말 출발해야 할 때였으니까.

마티나는 다리에 검집을 차는 하네스를 맨 뒤 시녀가 두르는 앞치마와 치마의 재봉선을 뜯어 놓고 그 사이로 검의 손잡이를 교묘하게 빼 놓았다. 이러면 치마 주머니에 손을 넣는 척하면서 얼마든지 검을 뽑을 수 있다고 마티나가 설명했다.

"하지만 이렇게까지 했는데 걸리면 어쩌죠?"

그때였다. 둘 모두 일어나려는데, 걱정스러운 어조로 베티가 아벨라에게 소곤거렸다.

"하지만 저번보단 훨씬 더 그럴듯한걸. 게다가 이번 변장은 펠리체도 협력해 주었고."

그 말대로였다. 펠리체가 이 계획에 참여하니, 마치 날개 돋친 듯 모든 일들이 일사천리로 진행되었다.

정말로 황실에서 일하고 있는 듯한 가짜 신분을 만들어 주고, 펠리체가 보증인이 되어 주기까지 했던 것이다.

이번에 이들은 8황자가 요청한 책을 찾기 위해 도서관으로 간다고 꾸미고 있었다. 찾아오라고 요청하는 책의 제목도 가관이었다. '황실의 장례 요람.'

"하지만 만일 갔는데 그곳에 진볼드라도 앉아 있으면 어떡해요?"

베티가 걱정할 때였다. 아닌 척 대화를 듣고 있던 체하트가 빙그레 웃으며 끼어들었다.

"그럴 리 없어."

"저하."

"그곳은 지금 공석이야. 진볼드는 행방불명으로 처리되어 있다고 들었어요. 원래도 없는 작위였는데, 제롬 형님이 스승님을 위해 만든 자리였던 것 같아요."

"그렇군요."

베티를 바라보던 체하트가 아벨라에게로 고개를 돌렸다.

"하지만 아예 가능성 없는 생각도 아니에요. 제롬 형님을 그곳에 숨겼으니, 왈로인이 꽤 빈번하게 나타날 수도 있어요."

체하트의 설명을 듣던 아벨라가 고개를 끄덕이며 일어섰다.

"그러니까 빨리 가서 찾아와야 해. 왈로인이 나타나기 전에. ……그럼 출발해 보자."

아벨라가 빙그레 웃으면서 마티나에게 코끝을 찡그려 보였다.

❈⊰❖⊱❈

이후의 일은 마티나에게 놀라움의 연속이었다.

도서관으로 출발할 때였다. 당연히 현관의 마차로 갈 줄 알았는데, 도리어 아벨라는 궁 안쪽, 아벨라와 체하트의 내실 쪽으로 들어섰다.

그리고는 이내 내실의 한쪽으로 다가가더니 벽을 더듬대며 무언가를 건드렸다. 그리고 펼쳐지는 놀라운 광경.

벽이 열렸다.

마티나의 입이 쩍 벌어졌다. 8황자궁에 비밀 통로가 있었던 것이다. 이는 마티나로서는 상상도 못한 것이다.

"여, 여기는……."

"마티나."

"네."

"지금부터 경이 보는 모든 것은 비밀이에요. 나도 직접 가 보는 건 처음이라서요."

아벨라가 경쾌하게 말하며 그녀보다 먼저 앞서 걸었다.

"위험한 건 아닌가요? 저하께서 아실지 모르겠지만 며칠 전 길라 황귀비 저하께서 처벌받은 이유엔 궁 안에 마음대로 통로를 만들었다는 죄 또한 포함되어 있는 것으로 알고 있습니다."

"아뇨, 이건 아주 오래전부터 황제 폐하가 만드신 통로래요. 저도 몰랐지만 펠리체가 가르쳐 주었답니다."

"……뭐라고요?"

마티나가 다시 놀라 중얼거렸다. 이 8황자궁에 본궁과 직접 닿을 수 있는 비밀 통로가 있고, 이 통로를 '아주 오래전' 황제가 만든 거라고 한다.

그러니까 펠리체 제8황자는 이미 이 황궁을 자유롭게 돌아다닐 수 있게 허락받았다는 것이다.

이 말이 사실이라면, 8황자는 이미 그 어떤 황자들보다도 확고한 위치를 차지하고 있었다.

'괴물 황자'라고 불렸던, 모두의 비웃음만을 사기 바빴던 그 붕대를 온몸에 감았을 때부터 그는 그 누구보다도 황제의 자리에 가까운 자였던 것이다.

아벨라의 설명을 모두 믿어도 될까 저어될 만큼이나 비현실적인 이야기였다.

하지만 한편으로는 납득이 되기도 했다. 마티나는 기사단에서 오고 가는 펠리체에 대한 이야기를 떠올렸다.

기사단엔 평민부터 고위 귀족가의 자제까지 여러 인물들이 포함되어 있었으므로, 떠도는 이야기들이나 소문들을 의외로 빠르게 접할 수 있는 편이었다.

일간지나 잡지에서 마주하는 정체를 알 수 없는 루머들보다 훨씬 더 빨랐다. 이런 일에 직접적으로 관심 없는 마티나 또한 알고 있을 정도였다.

소문에 의하면, 펠리체는 연회에서 그 원래 모습을 드러내고 나서부턴 무서울 정도로 모든 면에서 두각을 나타냈다.

귀족원을 정리했고, 쉽게 모습을 드러내지 않는 팔레온가와도 왕래를 시작했다.

그의 훤칠한 외모와 사냥 대회 행차에서 보여 준 모습은 저잣거리의 잡지에서 한창 회자될 정도였다.

괴소문이 돌기도 했지만, 수도의 백성들은 그에게 확고한 호감을 품고 있었다.

기사단의 누군가는 8황자에 관한 소문이 과대포장이라고 했지만, 이제 알겠다.

그는 붕대를 감았던 때부터 철저하게 준비하고 있었다. 소문은 단순한 헛소문이 아니었던 것이다.

게다가 대단한 것은 제 주군도 마찬가지였다.

사실 아벨라가 마법을 부릴 수 있다는 것은 진작 알고 있었다. 처음 만났을 때에도 그녀의 마법에 도움받았으니까.

하지만 그녀가 직접 독학으로 아티팩트를 만들 정도로 재능이 탁월한 줄은 몰랐다.

하기야 그녀는 용의 레어에서도 살아 나올 정도였다. 저번에 짤막하게 이야기해 주었을 뿐이지만 그사이에도 자신이 얼마나 놀랐었던가.

사실 그녀가 아벨라를 주군으로 정했다는 이야기가 퍼지자마자, 기사단에서는 그녀를 맹렬하게 비웃었었다. 백치에서 갓 헤어 나와 그저 여자가 검을 휘두르는 것이 신기해 선택한 것이라며, 권력 한 점 없을 8황자비와 잘해 보라며 비꼬았었지.

하지만 보라.

마티나는 조용히 아벨라를 바라보았다. 아벨라는 마티나의 침묵에도 아랑곳 않고, 입구 쪽에 걸려 있던 등불을 집어 들었다.

등불 안엔 염소의 기름을 굳혀 만들었다던 아주 오래된 초가 있었다. 펠리체는 이곳이 익숙해 불 하나 켜지 않고 걸을 수 있었지만, 아벨라는 이야기가 다르다.

아벨라는 자연스럽게 그 등불을 바라보았다. 그러자 바라보는 것만으로도 등불 안의 초에 불이 붙었다.

그를 지켜보던 마티나의 눈썹이 다시 들렸다. 언제나 봐도 경이로웠다. 자신이 마법을 하나도 모르기에 신기하게 느껴지는 걸까?

하지만 마티나의 놀라움을 눈치채지 못한 아벨라는 태연히 등불을 든 채 마티나를 돌아보았다. 가만히 있는 마티나가 의아하다는 표정이었다.

"뭐 해요? 경?"

그 순간, 마티나는 다시 한번 확신했다. 어쩌면 자신이 택한 주군과 주군의 주변은 이 황궁의 어느 누구보다도 월등하다고.

"아, 아닙니다."

마티나가 황급히 대꾸하고는 아벨라에게로 다가갔다. 그러곤 그녀의 손에 들린 등불을 자신이 대신 들었다.

"이리 주세요. 제가 앞서 걷겠습니다."

"하지만 길은 제가 아는데요."

"제게 명해 주시면 됩니다."

마티나의 말에 아벨라가 사르르 웃었다.

"참으로 든든하네요."

그 순간, 마티나가 아벨라에게 어색하게나마 웃음을 돌려주었다.

"어?"

그 웃음을 발견한 아벨라가 눈을 동그랗게 뜨는 순간, 마티나가 재빨리 등을 돌려 걸었다.

그렇지만 이상하게 억울하기도 했다. 애초에 자신이 그녀를 선택한 이유는 그녀가 뛰어나기 때문이 아니라, 직접 만나 보니 그녀가 인간적으로 존경할 만한 사람이었기 때문이다.

자신의 가문에서조차 부정당했던 검을, 아벨라는 대단하다고 말해 주었다. 그녀를 만나고, 그녀가 자신을 똑바로 바라보며 '기회를 주겠다'고 말했을 때 정말 진심으로 감동했었다.

그러니 그녀를 위해 목숨을 바치겠다 맹세한 것이다. 능력이 뛰어나든, 뛰어나지 않든 그녀는 제 주군이다. 마티나는 다시 한번 마음을 다잡았다.

하지만 혹시라도 누군가가 자신을 가리켜 '일찍이 권력 구도를 알아보고 운 좋게 막차를 탔다.'고 수군대면 어쩌지.

쓸데없는 루머들은 정말 싫은데. 마티나가 앞서 걸으며 한숨을 작게 쉬었다. 사실 철벽같이 강성하고, 고귀한 기사도를 가진 그녀의 결점은 바로 쓸데없는 걱정이 많다는 것이었다.

"아마 여기일 거예요."

왼쪽, 오른쪽, 다시 오른쪽, 세 번째 길로, 쇠사슬이 없는 쪽으로…….

비밀 통로는 꽤나 복잡했다. 아벨라는 자신이 제대로 기억하는지 모르겠다고 퍽 걱정스러워했지만 걸을수록 어두컴컴한 석조 복도는 본궁 특유의 크림색과 적색이 뒤섞인 아름다운 복도의 모양으로 변했다. 정말로 황궁과 이어진 비밀통로였던 것이다.

그리고 완전히 본궁의 복도가 시작되는 지점에서, 아벨라는 램프를 내려놓도록 지시했다. 이미 빛이 충분한 복도에선 필요 없는 물건이었다. 돌아갈 때나 쓸 수 있을 것이다.

그리고 이후로도 그들은 또 한참을 걸었다. 마티나는 아벨라의 지시에 따라 그 길을 걸어가기 시작했다. 궁의 벽과 벽 사이에 이런 곳이 있었던가.

그들이 걸어가는 동안 본궁의 통로는 점점 좁아졌다. 나란히 걸을 수 없을 정도였다.

마티나는 아벨라가 걱정되어 그때마다 그녀를 살폈지만, 아벨라는 태연했다. 군데군데 서서 아티팩트를 켜, 황궁의 위치를 확인하며 걸을 뿐이었다.

어느 순간 아벨라가 "잠깐만요." 하고 마티나를 불러 세웠다. 마티나는 즉시 멈추곤 아벨라를 돌아보았다.

"여기가 도서관 쪽 통로인 것 같아요."

"그렇다면."

"네, 이 앞으로 가면 바로 도서관의 정문이네요."

마티나가 고개를 끄덕였다. 아벨라는 다시 한번 아티팩트를 건드려 좌표를 확인하곤 입을 열었다.

"다시 한번 계획을 점검할게요. 우리는 도서관에 되도록 몰래 들어가서, 책을 찾는 척하면서 제룸을 찾을 거예요."

"숨겨져 있을 거라고 하셨죠?"

마티나의 물음에, 아벨라가 고개를 끄덕였다.

"환각 마법 같은 걸 사용하지 않았을까 싶어요. 하지만 왈로인은 마법을 쓰지 못하니, 숨겨진 장소 주변에 혹시 수상한 돌이나 보석이 있다면 움직여 보거나 떼어 보세요."

"알겠습니다. 그럼 가실까요?"

마티나가 다시 등을 돌려 복도로 나갈 준비를 할 때였다. 아벨라가 다시 "아!" 하고 탄성을 지르곤 마티나를 불렀다.

"잠깐만요."

"네에?"

"경, 이거요."

아벨라가 치마폭 사이 가려진 주머니를 뒤지더니, 무늬 없는 흰 장갑을 꺼내 마티나에게 건넨다. 갑자기 뜬금없는 장갑 선물에 마티나가 어리둥절한 표정을 지었다.

"이게 무언가요?"

"기념품이죠."

"예?"

"이래 봬도 이 나라 수호룡이라는 카셀란이 만든 마법 의류라고요? 제가 잘 살펴보고 갖고 왔어요. 경께도 드리지 않을 수 없지요."

아벨라는 뿌듯한 표정으로 말하며 다시 한번 장갑을 내밀었다.

멍하니 장갑을 바라보던 마티나가 '아.' 하고 소리를 냈다. 그랬다. 일전에 설명을 들었었지. 자신의 주군은 왈로인과 용감히 싸우다 곤란에 빠져 용의 레어에 다녀왔다고 말했다.

어떻게 빠져나왔는지는 시간이 없다며 간략하게 줄였던 것 같다. 아니, 사실 자세히 기억이 안 난다. 설명을 들을 때 마티나는 아벨라가 돌아왔다는 사실 자체에만 집중하고 있었기 때문이다.

"……정말 용의 레어에 다녀오셨던 건가요?"

마티나가 흔들리는 눈동자로 물었다. 아벨라가 미간을 찌푸리며 설핏 미소 지었다.

"어머, 제가 지금까지 그럼 경께 거짓을 말했다 생각하신 거예요?"

"안, 아니 그게 아니라…… 이렇게 귀한 것을."

마티나는 손에 든 장갑을 살폈다. 무척 가벼운 장갑은 마법과 관련 있어 보이지 않았다. 그런데 마법 의류라고?

"마법진은 안에 그려져 있어요. 마정석을 실처럼 정제해 옷감처럼 만든 장갑이기에, 전체가 하나의 아티팩트라고 봐도 무방해요. 속도 마법과 무게 마법이 걸려 있지요. 아마 끼고 검을 휘두른다면 아무리 무거운 검이라도 누구보다 빠르게 휘두를 수 있을 거예요. 멋지죠?"

마티나가 입을 떡 벌렸다. 멋지지 않냐고? 단순히 그런 수준이 아니었다.

"그런 게 있다고요? 혁명 아닌가요?"

"저도 그렇게 생각해요. 역시 지고의 종족이기에 그런 걸까? 몇 단계 앞선 느낌이 들었어요. 우리는 그런 단계 따윈 꿈도 못 꾸고, 아직까지 용에게 동냥을 얻은 기술들을 간신히 보전만 하며 살고 있는 거고요."

아벨라는 열띤 어투로 그녀에게 답했다. 아벨라의 주먹이 절로 불끈 쥐어져 있었다. 그런 점이 퍽 아쉬웠던 모양이었다.

"참, 이 옷들과 비슷한 걸 왈로인도 입고 있었어요."

"이런 진귀한 보물을 왈로인 또한 갖고 있단 말입니까?"

"그야말로 전설로 내려오던 인물들과 직접 교류한 자인걸요."

"오래 살았다는 소리가 거짓말인 줄 알았어요."

"푸흡, 아니에요. 어쨌든 그 왈로인을 막기 위해선 그 의류를 자를 수 있는 검도 있어야겠더라고요."

마티나의 눈이 서늘하게 빛났다. 순간 분하다는 감정이 그녀의 눈을 스치고 지나갔다.

"보통 검으로는 되지 않겠군요. 저는 검에서 강기를 내뿜을 수 있는 경지는 되지 못합니다. 저는 그를 이길 수 없는 걸까요?"

"설마요. 그래서 경께는 마법검을 선물하고 싶었어요. 몇 자루 쟁여 왔거든요."

마티나의 눈이 반짝였다.

"네? 검도 있다고요?"

아벨라가 빙그레 웃으며 고개를 끄덕였다.

"저, 알차게 털어 왔거든요."

용의 레어를 탈탈 털어 왔다고 자랑스럽게 이야기하며, 어깨를 으쓱였다.

"원래라면 마법검을 선물하고 싶었는데, 펠리체가 그건 길들이는 데 시간이 필요할 거라고 귀띔해 주었거든요. 나중에 다시 숙소로 돌아가게 되면 검을 보여 줄 테니까 그중 쓸 만한 걸 골라 봐요. 썩 괜찮은 게 없다면 체하트 탓이고요. 그가 골랐거든요."

어마어마한 이야기를 태연하게 하고 있다. 마티나는 언젠가부터 아벨라의 말에 마른침만 꼴깍꼴깍 넘기는 반응밖에 하질 못하고 있었다. 용의 레어, 그 레어에서 몰래 가져온 보물들, 그리고 새로운 검. 8황자와 10황자……

"저하의 마음에 감사드려요."

마티나가 조용히 중얼거렸다. 짧지만 모든 감정이 한 번에 담긴 복합적인 인사였다.

그녀의 인사에, 아벨라가 놀란 눈을 하더니 다시 활짝 웃었다. 마티나의 말에서 넘실대는 감정을 눈치챈 게 분명했다.

"일단, 9황자를 꼭 구한 뒤에 이야기해 보자고요. 갈까요?"

아벨라가 소곤대자 마티나 또한 굳게 고개를 끄덕였다.

자, 이제 정말로 나설 때였다.

도서관은 오랜만이다. 아벨라가 처음으로 힘을 기를 수 있을 거라는 희망을 품은 장소. 한국에선 이를 득득 갈면서 배웠던 지식이 이렇게 돌아오리라고는 생각도 못했다. 뭐, 물론 카셀란의 말에 의하면 그 또한 그렇게 예정되어 있었던 바라지만…….

이때만 해도 자신이 아벨라와 같은 영혼일 거라고는 생각조차 하질 못했지.

잠시 상념에 잠기는 듯하던 아벨라가 고개를 좌우로 저었다. 아니, 이런 생각에 빠져 있을 틈이 없었다.

"정신 차리자. 찾아봐야지."

홀로 중얼거린 아벨라는 팔을 단단히 걷어붙였다. 도서관을 한번 빠르게 훑어본 마티나가 다시 아벨라의 곁으로 돌아왔다.

"동쪽의 이 구역부터 저 구역까지는 저하께서, 저는 서쪽부터 찾아보겠습니다. 책장 틈이나 책 사이에 충분히 작은 보석을 숨겨 둘 만한 공간이 되는 것 같아서, 생각보다 시간이 오래 걸릴까 걱정이 되네요. 유념하면서 찾아보겠습니다."

확실히 전문가는 전문가다. 막상 찾아야 된다는 임무가 주어지자마자, 마티나의 눈빛이 단단히 벼려진 채로 빛나고 있었다.

아벨라 또한 비장한 표정으로 고개를 끄덕였다. 그렇게 단둘이서 이 도서관을 이 잡듯 뒤지는 수색이 시작되었다.

체감상으로는 한 서너 시간쯤 지났을까? 아벨라와 마티나는 그동안 도서관을 이 잡듯이 뒤졌다. 책장 한 칸 한 칸 사이사이 놓치는 일 없이 매의 눈으로 살폈다. 심지어 책장과 책장의 딱 달라붙어 있는 틈바구니까지 어떻게든 벌려 살피려 들었다.

그런데 이상했다. 아티팩트처럼 보이는 수상한 물건들이 보이지 않았다. 아니, 수상한 돌멩이는커녕 쓰레기 한 점 조차도 없다.

결국 세 번이나 되풀이한 수색이 끝난 뒤, 중간 지점에서 만난 아벨라와 마티나는 사이좋게 그 자리에 주저앉았다. 아벨라는 숨을 거칠게 고르면서 마티나에게 한탄했다.

"틀렸어요. 보이질 않아요."

"이쪽도 그렇습니다."

마티나 또한 굳은 얼굴로 대답했다. 하지만 헥헥대는 아벨라에 비해 숨소리 하나 커지지 않은 채였다. 아벨라는 마티나를 흘끔대곤 자신의 체력을 원망하는 시간을 가졌다. 이놈의 빌어먹을 저질 체력.

"진짜…… 이다음부턴 운동할거야." 아벨라가 이를 악물며 혼자 중얼거리곤 책장에 등을 기대며 주머니에 넣어 두었던 아티팩트를 꺼내 다시 작동시켰다.

여전히 제롬을 가리키는 푸른 점은 도서관에 서 빛나고 있었다. 마티나가 그 좌표를 바라보며 걱정스러운 표정을 지었다.

"우리의 접근이 틀렸던 걸까요? 9황자 저하께서 계신 곳이 도서관이 아닐지도 몰라요."

"아니면 제 답이 틀린 것일지도 모르고요."

아벨라가 우울하게 뇌까렸다. 숫자가 어쩐지 괴상하게 떨어지더라. 사실은 답이 아니었던 것일지도 모른다. 그렇다고 여기서 다시 종이 펜을 꺼내 검산해 볼 수도 없고…….

"아, 망했다."

시야가 절로 깜깜해진다. 아벨라는 한숨을 내쉬며 고개마저 책장에 기댔다. 그대로 멍하니 마티나가 앉아 있는 편의 책장만을 보고 있을 때였다.

"어."

순간 아벨라의 얼굴이 이상하게 변했다. 마티나가 놀라 그 녀를 마주 보았다.

"저하, 무슨 일이십니까?"

"아니, 그게."

아벨라는 자신의 체통도 잊은 채로 엉금엉금 기어 마티나의 옆 책장으로 다가갔다.

소설 전집인 것 같았다. 붉은색의 양장으로 쭈욱 가지런히 꽂혀 있었다. 그런데 그 한가운데 완전히 다른 크기와 다른 색의 책이 버젓이 꽂혀 있었다.

"여기 책이 다른 게 한 권 꽂혀 있어서요."

그냥 무시하면 될 일이다. 책을 잘못 꽂아 놓았겠지. 아벨라도 이곳에 청소하겠다는 핑계로 몰래 들어왔을 때, 나중에 가지러 오겠답시고 마법 서를 골라서 이리저리 섞어 놓고 나오기도 했었다. 그런 일들이 여기도 벌어졌다고 생각하면 될 뿐이다.

그런데 이상하게 마음에 걸린다.

주저앉아야 볼 수 있는 낮은 시야의 책장에 꽂혀 있는 이질적인 책. 위치 또한 아벨라와 마티나가 끝과 끝에서 조사를 하다 만난 책장이니 한가운데였다. 딱 무언가를 숨기기 좋은 위치였다. 숨기려고 하는 사람들은 보통 눈에 띄지 않는 평범한 곳을 찾아 한 가운데에 숨기기 마련이니까.

게다가 저 책의 제목을 보라. '용의 생애'였다. 용의 생애라고. 소설 전집들 사이에 꽂혀 있는 용의 생애. 아벨라가 군침을 꿀꺽 삼켰다. 설마 아닐 수도 있지만.

그녀가 천천히 손을 뻗어 전집들 사이에 꽂힌 그 책을 꺼냈다.

책이 뽑혀 나오는 순간, 소설 전집이 가지런히 꽂혀 있던 책장이 순식간에 사라졌다. 책장 네 칸 분량이 순식간에 사라지고, 그 빈 공간엔…….

"악!"

"저하!"

아벨라가 눈앞에 드러난 광경을 보고 자신도 모르게 까무러칠 듯이 소리쳤다. 그녀가 소리를 지르자마자 마티나가 아벨라의 앞을 끼어들 듯이 가로막았다. 하지만 그녀 또한 눈앞의 광경에 말문을 잃기는 마찬가지였다.

"……맙소사."

마티나는 아벨라를 뒤로 물리며 신음처럼 중얼거렸다. 책을 꺼냈던 아벨라는 아무 말도 못한 채 마티나의 뒤에서 제 앞에 드러난 참상을 바라보았다.

제롬이었다. 무척이나 야위고 마른 제롬의 팔엔 기괴한 모양의 링거 주사 같은 무언가가 꽂혀 있었다. 노란색의 약물이 제롬의 팔로 주사되고 있었다.

아벨라가 재빨리 주사와 주사에 이어진 호스를 따라갔다. 구석에 달려 있는 노란빛의 큰 약물 병이 보였다. 저 약물이 뭐지? 아벨라가 팔다리를 다시 확인하다가 대경했다. 제롬의 팔다리에 매인 건 쇠사슬이었다.

"왈로인, 이 개자식!"

아벨라가 짓씹듯이 말하며 제롬에게로 와락 달려들었다. 제롬은 이 책장에 갇힌 채로 이상한 약물을 투여받는 내내 정신을 차리지 못하고 있었다. 죽느니만 못할 정도로 비참한 몰골이었다.

아벨라가 잔뜩 분개해 그의 손발을 살폈다. 당장 이 쇠사슬부터 풀어 그를 옮겨야 했다. 다급히 쇠사슬을 살피던 아벨라의 얼굴이 곤혹으로 물들었다.

"아, 이런."

아벨라가 작게 중얼거렸다. 의아해진 마티나가 아벨라에게 허리를 숙여 물어왔다.

"저하? 무슨 문제입니까?"

"아, 마티나. 어쩌면 좋아요."

아벨라가 당황한 기색으로 입술을 달싹였다.

"이 쇠사슬…… 마법진이 새겨져 있어요. 해체하려면 마법진을 파훼하던가, 마법이 새겨진 검으로 잘라 내는 수밖에 없을 것 같아요. 하지만 지금 우리에겐 마법검도 없고, 이 마법진은 제가 알지 못하는 류예요. 배운 적이 없어요……."

말을 잇는 아벨라가 점차 자신 없는 어조로 중얼거렸다. 창백한 표정이 곤혹으로 물들었다.

8황자궁으로 빨리 가서 마법검을 갖고 와야 하나? 아니, 그렇게 하기엔 시간이 걸리는 데다 언제 왈로인이 다시 들이닥칠지 알 수가 없었다.

그렇다면 지금 그를 두고 다시 돌아가는 방법뿐이다. 하지만 다시 왔을 때 제롬이 이곳에 여전히 있으리란 보장이 없다.

왈로인이 아벨라와 마티나가 왔었음을 눈치채고 위치를 옮길 수도 있지 않은가. 게다가 지금 그의 상태도 심각해 보이는데 그에게 더한 해코지라도 한다면…….

생각에 잠긴 아벨라는 크게 당황한 채로 눈동자를 이리저리 굴렸다. 막상 제롬의 모습을 보고 나니, 너무 당황해 생각이 제대로 잡히질 않았다.

차라리 이곳에 갇힌 게 자신이었으면 이런 기분이 들지 않았을 것이다.

하지만 이 쇠사슬에 묶여 있는 것은 자신과 친근한 사이였던 제롬이다. 마음을 터놓고 나눴던 상대에게 자신이 아무 도움도 될 수 없다는 현실이 상상을 초월할 정도로 힘들었다.

어쩌지. 아벨라는 이제 급기야 눈물을 글썽거리기 시작했다.

그런데 그때였다.

"아니오, 저하."

마티나가 중얼거렸다. 그 소리에 아벨라가 그녀를 돌아보았다. 마티나는 더없이 냉정하고 이지적인 눈빛을 띠고 있었다.

"쇠사슬을 해체하지도, 잘라 내지도 못하지만."

마티나가 손으로 한 곳을 가리키며 중얼거렸다. 아벨라의 시선이 손가락을 따라갔다.

"적어도 책장에서 뽑아낼 수는 있어요."

아벨라의 눈이 커졌다. 마티나가 가리킨 곳은 쇠사슬이 못박혀 있는 책장이었다. 마티나는 지금 문에서 경첩을 뽑듯이, 저 못을 제거해 쇠사슬이 매어진 채로 그를 옮기자고 제안하고 있는 것이다.

마티나의 말대로였다. 쇠사슬이 매달려 있는 부분은 상대적으로 허술했다. 쇠사슬을 해체하거나 자르는 과정에 비해 아예 뽑아내는 편이 쉬웠다. 마티나는 그대로 손을 놀려 수월하게 쇠사슬을 해체했다.

남은 것은 이대로 그를 옮겨 가는 일뿐이었다. 아벨라는 재빠르게 주변을 살펴보곤 마티나를 돌아보았다. 마티나가 제롬을 업고 있었다.

"업을 수 있겠어요?"

"문제없습니다. 아까 장갑도 주셨으니까요."

마티나가 고개를 끄덕이곤 보란 듯이 제롬을 추슬러 다시 업었다. 그러곤 눈썹을 까닥였다. 돌아가자는 듯한 표정이었다. 아벨라 또한 고개를 끄덕였다.

"슬슬 제롬인 척하는 그 영감이 돌아올 때가 됐어요."

아벨라는 미리 아이타와 펠리체를 통해 들었던 일정을 떠올리며 속삭였다.

아이타와 펠리체는 대략적인 구조 계획을 확정 짓자마자 왈로인이 변장한 제롬의 측근들을 포섭했다. 그러곤 그의 일정부터 체크해 가장 바쁜 날을 아벨라와 체하트에게 알려 줬다.

지금 와서 생각해 보니, 대단한 사람들이다. 이렇게나 빨리 궁의 사람을 포섭할 수 있는지도 몰랐고, 빨리 정보를 얻을 수 있을 거라고도 생각조차 못했다.

어쨌든 제롬인 척하고 있는 왈로인의 오늘 일정은 아카데미의 교수들을 궁으로 초빙해 앞으로 아카데미 학사 일정에 대한 논의를 갖는 것이라고 들었다.

제롬이 체하트와 황궁에 남기로 결정했을 당시 잡혔던 일정이었던 듯했다. 아니, 아니지. 이렇게 태평하게 생각할 때가 아니잖아!

아벨라가 고개를 돌려 다급하게 속삭였다.

"얼른 나가야 해요. 아이타와 펠리체도 왈로인의 다음 스케줄은 알 수가 없댔어요. 일정이 있긴 하다지만 누굴 만나는지, 무슨 용건인지는 왈로인이 말을 아끼기에 알아내기가 힘들다고 하셨어요."

꾸물댈 시간이 없었다. 당장 왈로인이 이곳에 들이닥칠 수도 있으니까.

아벨라는 왈로인에게 이렇게 쉽게 들키고 싶지 않았다. 모든 것을 계획한 대로 철저히 이뤄서, 왈로인의 뒤통수를 거하게 때려야 한다.

그녀들이 일어나려고 할 때였다. 그 순간, 도서관의 묵직한 문이 여닫히는 소리가 났다.

순간 아벨라와 마티나가 사색이 된 채 서로 눈을 마주쳤다. 서로의 놀란 표정이 지금 이 소리가 실제로 들린 소리임을 확실하게 알려 주고 있었다.

아벨라가 낭패한 표정을 지었다. 누군가 도서관에 들어왔다. 왈로인인가?

안 돼. 이렇게 마주칠 순 없다. 이렇게 되면 지금까지 펠리체가 나중을 위해 생각해 둔 다른 계획들마저 틀어진단 말이야.

극도의 긴장감에 아벨라가 눈을 꽉 감았을 때였다. 문득 익숙한 목소리가 아벨라의 귓가에 닿았다.

"도서관엔 개미 새끼 한 마리도 없군. 여봐라, 데려온 녀석들을 적어도 네 명 이상 입구에 세워 두고 오가는 자들을 감시해. 나 혼자 독대하지만, 내게 무슨 일이 있거든 바로 다보프 오라버니께 알리도록."

……응?

어디서 많이 들어봤는데. 심호흡을 한 뒤, 아벨라가 살금살금 깨금발을 들곤 도서관의 입구 쪽 책장으로 다갔다. 책장 밖으로 고개를 빼는 순간, 아벨라의 눈이 화등잔만 하게 커졌다.

4황녀 렌티아였다.

오랜만에 보는 얼굴에 아벨라가 당황할 때였다. 그때였다. 다시 도서관의 문이 열리는 소리가 났다. 문쪽을 바라본 아벨라의 눈이 아까보다 훨씬 더 크게 뜨여졌다. 왈로인이 유유하게 들어오고 있었다.

렌티아가 왈로인을 만난다고? 이게 그 펠리체와 아이타가 알아내지 못한 '다음 일정'인가?

아벨라의 눈이 빛났다. 이들이 대체 왜 이곳에서 이런 만남을 갖는단 말인가? 그나저나 우선적으로 걱정해야 할 부분은 이게 아니다. 지금 아벨라와 마티나는 독 안에 든 쥐나 마찬가지였다.

이렇게까지 꼬였으니 이곳에선 어떻게 나가야 되는 거지? 아벨라는 자신도 모르게 머리를 쥐어뜯었다.

⁕⁘✦❈✦⁘⁕

도서관에 들어선 왈로인은 렌티아가 앉은 테이블로 다가가기 전 도서관의 주위를 둘러보았다. 그러곤 무의식적으로 눈을 감아 마력을 고르다…… 가 떴다.

그는 마법을 쓰지 못한다. 금기시된 마법을 아벨라에게 썼다는 이유로 자연스레 제 몸 안에서 마력이 사라졌다. 마치 천형처럼.

이제는 마력을 잃었다는 것을 알면서도 왈로인은 아직 번번이 이런 실수를 하는군. 다시 아무렇지도 않은 척 고개를 돌리며, 왈로인이 렌티아가 앉아 있는 테이블을 바라보았다.

렌티아의 주변엔 두 명의 시종들이 서 있었다. 하지만 말이 시종이지 기도는 여느 장정들보다 훨씬 더 굵직한 자들이었다.

입구에만 해도 벌써 세 명의 시종이 서 있었다. 렌티아의 옆을 살피던 왈로인의 눈이 가늘어졌다. 그들 모두 반지를 하나씩 끼고 있었다. 아티팩트였다.

이렇게 대비를 하고 왔다는 것은 이미 왈로인 자신의 정체를 알고 있을 가능성이 높다는 뜻이겠지. 그리고 하나 더 추측하자면, 아직 왈로인이 마법을 잃었다는 사실은 모르고 있는 것이겠고.

그들을 빤히 바라보던 왈로인이 천천히 렌티아에게로 다가갔다.

"왜 이곳에서 보자고 했습니까, 4황녀?"

"요전에는 분명히 '렌티아'라고 불러 주셨던 것 같은데, 이상하네요?"

렌티아는 제롬의 얼굴을 빤히 바라보다가 자연스럽게 웃으며 턱을 들었다.

"할 이야기가 있어서 왔습니다, 9황자님."

"할 이야기라고요."

"남들의 이목을 피해야 했는데, 다행스럽게도 9황자께서는 항상 남의 이목을 피하는 장소를 좋아하시더군요. 가령 이제는 아무도 오지 않는 이런 도서관 같은 곳 말이에요."

"남의 이목을 피해서 해야 하는 이야기란 말입니까? 이 도서관에 우리 말고 다른 이들이 있을 거라곤 생각하지 못하시는 겁니까? 황궁 벽엔 언제나 눈과 귀가 붙어 있다고 배웠는데요."

"제가 이미 오늘 오전부터 확인해 두었습니다. 그리고 그 뒤로 다른 이들을 시켜 도서관 복도를 수시로 살펴보고 아무도 지나다니지 못하게 했습니다. 생각 같아선 아예 폐쇄하고 싶었지만 또 너무 요란한 건 좋지 않으니까요."

그녀가 자신만만하게 말했다. 도서관 정문이 아닌 비밀 통로를 통해 온 두 명이 이 이야기를 듣고 있다는 사실은 꿈에도 모르는 표정이었다.

"믿어도 되겠습니까?"

평온한 표정으로 왈로인이 되물었다. 하지만 자신의 마력이 조금이라도 남아 있었다면 이렇게 되묻는 사이 이 도서관에 촘촘히 결계를 치고 진작 오가는 자들을 체크하고도 남았을 것이다.

"걱정 마세요. 두 번 체크할 필요도 없이 이곳엔 아무도 없습니다."

렌티아는 다시 한번 자신만만하게 말하곤 상냥하게 웃었다. 결국 왈로인은 이내 마지못해 천천히 테이블로 다가가 그녀의 앞에 앉았다.

"대체 무슨 일이길래 출입이 자유로운 도서관까지 봉쇄하신 겁니까?"

"제가 최근 아주 중요한 비밀을 알았기에 몸이 달아서 참을 수가 있어야지요."

"하시고 싶은 말만 하길 바랍니다, 4황녀."

왈로인이 말할 때였다. 렌티아는 그런 그를 가만히 바라보다가 잠시 "하!" 하는 신경질적인 소리를 내었다.

"여기까지 온 마당에 끝까지 잡아떼시려고 하다니 정말 대단하십니다, 왈로인."

왈로인은 표정 관리를 하고자 했지만 이미 렌티아는 보고 말았다. 예상하지 못한 순간에 튀어나온 이름에 왈로인의 눈썹이 흔들리는 순간을. 렌티아가 입꼬리를 비죽이 올렸다. 그녀 특유의 야살스러운 표정이었다.

"하지만 저는 다 알고 있지요. 당신은 사실 제롬 오라버니가 아니라는 것을. ……그리고 길라 황귀비 또한 당신이 죽였을 거라는 것도."

"……지금 본인이 무슨 말을 하는지 알고 있습니까?"

"왜 모를 거라고 생각하시나요?"

렌티아는 과장되게 눈까지 깜박거리기 시작했다.

"지금 제가 온 것은, 당신의 목적을 완벽하게 이해하고 있기 때문이에요."

"제 목적이라고요."

"네. 당신은 이 황궁을 갖고 싶은 거지요? 그렇기 때문에 길라 황귀비도, 발리엇도, 황후도, 당신이 뒤집어쓰고 있는 제롬 또한 죽인 게 아닌가요? 그 허접한 분장에 당하는 것은 멍청한 길라 황귀비 측이나 황후뿐이죠. 저와 제 오라버니까지 속였을 거라 생각하셨다면 오산입니다."

렌티아가 '제롬'을 이르자, 왈로인의 눈동자가 힐끔 도서관의 책장 쪽을 향해 돌아갔다. 하지만 렌티아는 이를 눈치채지 못한 듯 턱을 든 채 말을 끝맺었다.

"―그러니 애써 나와 내 오라버니 앞에서 숨길 필요는 없습니다, 왈로인."

왈로인은 언제 자신이 옆을 보았냐는 듯 렌티아를 바라보고 있었다. 렌티아의 눈이 오만하게 빛나고 있었다. 그런 렌티아를 바라보던 왈로인은 이내 한숨과 함께 입을 열었다.

"본인과 본인의 형제를 똑똑하다고 말하고 싶어 하시는 건 알겠습니다. 하지만 한 가지 명확하게 하지요. 그 멍청한 길라 황귀비보다 샬롯 황비께서 일찍 돌아가시지 않았습니까? 그렇다면 샬롯 황비는 길라 황귀비보다 얼마나 더 멍청한 겁니까?"

렌티아의 표정이 일순 확 굳었다. 왈로인은 웃음을 삼키며 다시 유들거리며 말을 이어 나갔다.

"뭐, 그래도 좋군요. 권력 싸움에서 져서 뒷방에 틀어박혀 목숨 보전을 애걸해야 할 처지치고는 씩씩하신 것 같으니까 말입니다. 제 정체를 알아내는 게 본인들의 기분을 환기한 데에 도움이 되었다면야 저야 기쁘지요."

비꼬는 듯한 말투에 렌티아의 표정이 일순간 일그러졌다.

"네 이놈, 본색을 드러내는군!"

"뭐, 이렇게 된 마당에 제가 뭘 숨기겠습니까? 그리고 제겐 힘이 있습니다. 이미 알고 계시지 않습니까?"

왈로인은 그렇게 대답하면서 보란 듯이 주먹을 쥐었다가 폈다. 렌티아의 주변에 있는 장정들이 몸을 들썩이는 게 보였다.

역시, 이들은 자신이 아직 마법을 쓸 수 있을 거라고 착각하고 있었다. 우습기도 하지.

사실 자신 또한 저들과 똑같이 아티팩트 몇 개만 두르고 있는 처지라는 것이 알려진다면 저들이 어떻게 나올까.

"제가 하고 싶은 말은, 렌티아 4황녀. 본인이 내 정체를 안다고 해서 결코 나보다 우위에 서 있을 거라는 생각은 버리고 이야기에 임하셨음 좋겠다는 겁니다."

왈로인은 여유로운 표정을 가장하곤 신중하게 말을 이어 나갔다. 렌티아의 표정은 이미 굴욕으로 희게 질려 있는 상태였다.

이미 그녀도 알고 있으리라. 둘 사이의 기 싸움의 승패는 정해진 지 오래였다.

얼마나 지났을까. 왈로인을 노려보던 렌티아가 마른침을 꿀꺽 삼키곤 다시 입을 열었다.

"……내가 여기 온 이유는, 당신이 하려는 목적에 내가 도울 수 있음을 알리고 협조를 요청하기 위해서예요."

"협조라고요?"

"왈로인 당신이 황제가 되고 싶어 한다는 걸 알고 있으니까. 황궁 자체를 전복시키고 이 황조를 무너뜨리려는 걸 돕겠단 소리예요. 나도 당신의 힘과 위세를 빌려 나와 오라버니의 사적인 복수를 이루고 싶어요."

왈로인의 눈썹이 다시 들렸다.

"이 황국의 황녀에게 들을 소리는 아니라고 생각했는데."

"이렇게 된 이상 무엇을 당신에게 숨기겠단 말입니까? 더 이상 황녀만도 못한 존재가 되게 생겼어요."

렌티아는 샬롯이 죽은 뒤, 자신과 3황자에게 벌어진 일들을 떠올렸다.

샬롯이 그렇게 비명횡사한 뒤, 렌티아의 혼담은 박살이 났다. 샬롯이 죽고 난 뒤의 렌티아는 끈 떨어진 마리오네트에 불과했다. 이미 축출된 지 오래인, 무늬뿐인 황족과 연을 맺고 싶어 하는 귀족은 없었다.

게다가 샬롯과 함께했던 귀족원의 귀족들이 모두 실각했다.

경제적인 파탄이 원인이었다. 충격을 이기지 못해 그 자리에서 쓰러져 절명한 귀족도 있을 정도였다.

세력은 눈에 띄게 위축되었다. 그 와중 렌티아와 다보프의 재산도 삼분의 일로 줄었다. 샬롯에게 줄을 대기 위해 그녀를 지지하던 귀족들의 사업에 섣부르게 투자했던 귀족들의 사업 또한 줄줄이 망했기 때문이다.

게다가 플로바 백작. 렌티아는 이를 악물었다. 그 사기꾼 같은 놈과 그놈의 딸을 생각하면 자다가도 벌떡 일어날 정도다.

그녀가 죽기 바로 전날, 셰이라 3황자비가 갑자기 내실에서 쓰러져 급병을 앓기 시작했다.

그런데 그녀가 쓰러지자마자 플로바 백작이 진상품을 바리바리 싸갖고 입궁했다. 그러곤 다보프에게 '미력한 딸이 3황자의 심기를 건드리게 해 죄송하다. 병세가 심하니 그녀를 백작의 영지에서 요양시키고 싶다'고 간청했다.

아무것도 모르던 다보프는 그를 허락했다. 그리고 그 망할 놈의 플로바 백작은 그 뒤로 다보프와 렌티아와의 연락을 차단했다. 셰이라마저 온갖 핑계를 대며 벌써 몇 달째 황궁으로 돌려보내지 않고 있었다. 이게 무엇을 뜻하는지는 황궁의 개까지도 알 것이다. 귀족 출신이 아닌 플로바마저도 그들을 저버렸다.

바로 몇 달 전의 그들과는 확연히 대비되는 처지였다. 황좌가 코앞이라며 잔뜩 들떠 있었던 그때와는.

이대로는 궁을 나와 죽은 듯이 사는 방법밖에는 없었다. 아니, 조용히 살 수 있을지도 지금으로선 명확하지 않았다. 8황자 때문이었다.

8황자와 그의 처, 아벨라.

그래, 생각해 보면 모두 그들 때문이었다. 그들이 렌티아와 다보프가 마땅히 가져야 하는 것을 빼앗아 갔다.

자신의 어머니였던 샬롯이 죽은 것도, 샬롯을 도왔던 귀족들이 패퇴한 것 또한 모두 그들 때문이었다.

그리고 그들을 편든 황제.

렌티아와 다보프는 어떻게든 그들에게 갚아 주고 싶었다. 남은 재산을 다 털어도 말이다. 아벨라는 이미 죽었다지만 아직 펠리체, 무엇보다도 황제가 남아 있다.

다보프와 렌티아가 둘의 거취를 의논하고 있을 그 시기였을까? 왈로인이 돌연 제롬임을 가장하고 나타났다.

처음엔 제대로 알아보지도 못했지만, 다보프와 렌티아는 곧 그의 정체가 제롬이 아님을 확신할 수 있었다. 왜냐하면 그가 샬롯의 자식들인 다보프와 렌티아에게 꽤나 거리낌 없이 말을 걸었기 때문이다.

분명히 예전의 제롬은 두 사람을 본 척 만 척할 정도로 냉랭하게 대했는데 말이다.

그 뒤, 제롬의 행세를 하고 있는 게 왈로인이 아닐까 하고 추측하는 순간, 둘은 그대로 서로를 마주 보았다.

그들의 복수와 안위를 동시에 챙길 수 있는 길이 보였기 때문이다.

렌티아의 말을 듣던 왈로인이 입꼬리를 올려 비웃었다.

"결국 권력 때문에 나라를 팔아넘기겠다는 게 아닌가. 얄팍하구려."

"얄팍하지만 그대를 눈치채지 못할 만큼 아둔한 것은 아니지요. 그렇게 허접한 수로 황궁을 마음대로 들쑤시고 다녀도 8황자도, 황제도 눈치채지 못하니 퍽 안심하셨겠습니다."

"안심?"

왈로인은 자신도 모르게 조소하며 되물었다. 렌티아는 순간 당혹스러운 표정을 지었다. 분명히 그의 속내를 지적했음에도 왈로인은 전혀 타격받은 기색이 아니었다.

렌티아는 자신도 모르게 그런 그의 시선을 피해 무릎 위에 곱게 포개진 제 두 손을 내려다보았다. 왈로인은 킬킬대며 웃음을 터뜨렸다.

"한평생 탑과 학교를 오가며 마법에 전념하기만 한 늙은이외다. 내가 벌인 짓은 수 싸움이라기엔 너무 얕아 마치 허름한 공터에서 고양이들이 서로 할퀴며 다투는 것보다도 박진감이 떨어질걸. 4황녀, 나는 당신들에게 내 수를 숨기려는 시도조차도 한 적이 없소. 그저 조용히 한 명 한 명 없앤다, 들키면 궁 전체를 불태울 셈이었지."

태연하게 이어지는 반론에 렌티아는 미간을 좁힌 채 입을 다물었다.

"솔직히 말하자면 나는 이곳에 들어온 지 일주일도 지나지 않아 들킬 줄 알았지 뭐요! 그런데 일주일은 무슨, 이곳에 온 지 한 달이 넘었소! 그런데 이제와 눈치챈 주제에 뭐라고? 아둔하지 않다고?"

'크하핫' 하고 왈로인이 광소했다.

"아둔을 넘어 그대는 백치 수준이오, 4황녀. 그리고 아직까지도 눈치채지 못하고 이런 나를 불러 국정을 논하려 드는 황제는 천둥벌거숭이 수준이고! 의심 많은 척하면서도, 능력이 그만큼 안 되니 결국 버릇대로 주변의 작자들을 의지하려 들더군."

무릎 위로 포갠 두 손이 어느새 주먹을 꽉 쥔 채로 부들부들 떨리고 있었다. 상상을 초월할 정도로 엄청난 모멸감이 그녀를 덮쳤다. 웃음소리 하나하나가 렌티아의 전신을 때리는 것 같았다. 대놓고 조롱하고 있는데, 반박조차 할 수 없다.

"……아, 정말 웃겼군. 이것 보시오, 황녀. 나는 내 계획에 걸리적거리는 자들부터 죽여 나가고 있소. 지나치게 총명한 자들부터 말이오. 9황자도, 8황자비도, 10황자도, 그리고 8황자는……."

겨우 웃음을 그치고 말하는 때였다. 그 순간 머릿속을 스치는 생각이 있었다. 왈로인이 말을 멈췄다. ……그러고 보니.

8황자가 지나치게 조용했다.

원래 자신이 가장 견제하고 우선순위로 제거했어야 하는 상대는 8황자였다. 하지만 8황자는 그저 별다른 말 없이 자신의 궁 안에 칩거하고 있었다. 마지막으로 그를 봤던 황족 회의 때에도 그는 별다르게 자신을 알아보거나 적대시하는 느낌이 없었다.

그래서 왈로인은 8황자가 자신이 제롬으로 가장한 것을 아직까지도 모르고 있다고 생각했다.

하지만 정말로 모르고 있을까? 왈로인이 다시 제 눈앞의 렌티아를 바라보았다. 렌티아가 안다. 다보프도 안다. 이 쭉정이들도 알고 제게 으스대는데, 8황자가 정말로 자신이 왈로인임을 모르고 있다고?

그럴 리가.

순간 드는 불길한 예감에 왈로인이 한쪽 눈썹을 들었다. 물론 지금은 마저 이야기부터 끝내야지.

왈로인이 다시 표정을 관리하며 렌티아를 바라보았다. 이젠 퍽 온화한 표정이었다. 여유가 넘쳐, 일견 다정하게까지 보이는 얼굴.

"……이야기를 이어서, 당신이 살아 있는 이유는 당신이 멍청해서란 말이오. 모른다면 지금부터라도 배워 두는 게 어떻소? 하기야 이렇게 멍청하니 제 발로 걸어와 도움을 요청하는 와중에도 자존심을 버리지 못하고 협조 운운하고 있는 거겠지만."

렌티아의 눈을 똑바로 마주 보며, 쐐기를 박았다. 렌티아의 아랫입술이 모욕감으로 파르르 떨렸다. 자신은 한 번도 면전에서 이런 대접을 받아 본 적이 없었다.

이제야 후회가 들었다. 혼자 이곳에 찾아온 게 얼마나 무모한 객기였던가. 차라리 다보프 오라버니를 앞세워 찾아오는 게 좋았을지도 모른다. 그도 아니라면 허세 따윈 버리고 좀 더 공손하게 말했어야 했을까? 이대로 왈로인이 손을 휘둘러 제 목을 벨까 무서웠다. 무섭고, 또 두려웠다.

"하지만 예까지 찾아온 것만으로도 사실 기특하기 짝이 없으니, 내 여기서 관대한 제안을 할까 하오."

왈로인은 눈썹을 까닥이곤 지금 제롬의 얼굴엔 없는 수염을 매만지듯이 손으로 턱을 쓰다듬었다.

"내 계획에 당신들을 끼워 주지."

"……!"

"당신들의 목숨도 보장해 주겠소이다. 아마 원래도 그를 요청하기 위해 내게 찾아온 거였겠지. 항상 하던 대로 윽박지르고, 얄팍하게 비꼬고, 사람의 머리 위에 있는 양 오만하게 굴면서."

순간 렌티아의 눈이 반짝 빛났다. 그녀의 눈에 비친 감정은 잠시지만 분명한 희망이었다.

그 눈을 바라보며, 왈로인이 느릿하게 웃었다.

"―단."

"……단이라고?"

"여기서 '무릎을 꿇고' 정중하게 다시 한번 요구하시오."

"뭐라고……."

"마치 황제에게 하듯이 엎드려서 이마를 대고, 목숨을 구걸하고 본인들의 적을 대신 없애 달라 요청하라는 거요."

"그런……!"

"내가 당신들을 수단으로 고른 거요. 그러니 누가 아래인지는 확실히 정해야지."

"……왈로인!"

"그렇게 하면 살려는 드리겠소이다. 어떻소?"

그녀를 보는 왈로인의 입술이 다시 비열한 호선을 그렸다. 그리고 얼마만큼의 시간이 지났을까, 렌티아가 조용히 그 자리에서 일어났다.

형언할 수 없을 정도로 강렬한 악의가 샘솟았다. 자신에게 힘이 있다면, 그렇다면 적어도 이렇게까지 구차해지지는 않을 것인데……. 렌티아는 주먹을 꽉 쥐었다.

그녀가 천천히 드레스 자락을 움켜쥔 채 무릎을 굽혔다. 왈로인의 눈가가 사악하게 휘어졌다.

그리고 이 모든 장면을 아벨라와 마티나가 지켜보고 있었다. 혹시나 숨소리라도 들릴까, 잔뜩 숨을 죽인 채였다. 제롬은 그들의 바로 뒤편, 채광이 잘되는 큰 창가에 누워 있었다. 어디다 뉘일 곳이 없어, 마티나가 그곳에 올려 두었다.

아벨라는 렌티아가 바닥에 무릎을 대는 것까지 확인하곤 고개를 거둬 책장에 머리를 기댔다. 아, 심장이야……. 아벨라가 지긋이 제 가슴 위에 손을 대었다. 심장 박동이 마치 100m 전력 질주라도 한 양 요란했다.

"……."

지금 자신이 뭘 들었단 말인가? 아벨라는 눈을 질끈 감았다가 떴다. 혹시 환청이 아닐까 하고 의심하고 싶지만 그럴 리 없다.

그들의 자세한 표정까지는 보이지 않아도 이 도서관은 워낙 작고 조용해, 멀리 떨어져 있어도 그들의 말소리가 모두 자세하게 들렸다.

렌티아는 왈로인에게 펠리체와 황제를 죽여 달라고 부탁했다. 자신들의 목숨만 보전하면 제국은 어떻게 되든 좋다고 말하면서.

정말 소인배가 따로 없다. 적어도 나라를 위해서 용맹하게 싸우는 모습을 보여 줄 줄 알았다.

아벨라는 한숨을 삼킨 채로 생각했다. 하긴, 펠리체도 이 나라를 없애고 싶다고 말하는 판국에.

대체 어떻게 돼먹은 나라란 말인가? 나라에 애착을 가진 황족을 찾아보기가 힘들었다. 보통 어릴 때부터 계속 국가와 황실에 대한 교육은 하기 마련이고 그 교육의 강도는 황족이 제일 강할 텐데도.

왈로인은 갈아 버려도 시원찮지만 그의 말에도 일리는 있었다. 아벨라의 눈동자가 어둡게 가라앉았다. 나라의 안위를 살피는 총명한 자들은 황궁에 없거나 한직으로 밀려나 있었다.

황궁 안에서 저들끼리만 우물에 갇힌 채 싸우고 있었다. 그래 봐야 우물이거늘. 제국은 다른 나라들을 압도하는 패자로서의 역할을 잃은 지 오래였다.

그리고 이는 모두 이런 황족들 때문이겠고. 이쯤 되면 아벨라는 황제에게 한번 물어보고 싶었다. 국정 운영을 대체 어떻게 하고 있느냐고.

아니지. 지금 중요한 건 그게 아니다. 생각을 이어 나가던 아벨라가 후다닥 고개를 저었다. 일단 이곳에서 무사히 나가야 했다. 이 책장 밖, 스무 발자국 남짓한 거리에서 말이다.

그때였다. 마티나가 아벨라의 시야에 걸리도록 손을 휘휘 저어 보였다. 아벨라가 마티나를 바라보았을 때였다. 마티나가 창문 쪽을 가볍게 눈짓했다. 그녀의 시선을 따라 창문 쪽으로 눈을 돌린 아벨라는 입을 쩍 벌렸다. 놀람과 기쁨이 뒤섞인 표정.

펠리체였다.

펠리체가 창밖에서 아벨라를 향해 손을 흔들고 있었다. 옅게 미소 짓는 얼굴, 더없이 여유로운 모습이었다.

아니 대체 어떻게 이곳에 왔단 말인가? 믿어지지가 않았다!

아벨라가 뒤를 돌아보곤 성큼성큼 창문을 향해 다가갔다. 반가워서 눈물이 다 날 것 같았다.

다가오는 아벨라를 바라보던 펠리체가 입꼬리를 올리며 입을 크게 벙긋거렸다.

'안에 왈로인이랑 렌티아 있지?'

알고 왔구나! 상황을 정확히 파악하고 있는 펠리체의 말에 아벨라가 열렬히 고개를 끄덕였다.

가까이 가 보니, 펠리체의 허리에 밧줄이 감겨 있었다. 대체 어떻게 여기 매달려 있는 거야?

'위에 리시안과 체하트 있어. 위층이 체하트의 처소야.'

아.

아벨라가 고개를 크게 끄덕였다. 그랬던 거였구나. 어쨌든 곤란하기 그지없었던 이 상황에서 펠리체는 마치 구세주나 다름없었다. 펠리체가 아벨라에게 창문을 열어 달라는 시늉을 했다. 뒤에서 지켜보고 있던 마티나가 조심스럽게 창문을 열었다. 아벨라가 잔뜩 긴장한 채 마티나가 창문을 여는 장면을 지켜보았다.

소리라도 날까 봐 겁이 났다. 보통 영화나 만화라면 여기서 분명히 경첩 소리가 나지 않던가. 끼이이익 소리 나고, 정체를 들키고……

하지만 아벨라의 상상과는 다르게, 마티나는 조용히 창문을 여는 데 성공했다. 나이스, 마티나! 아벨라가 주먹을 불끈 쥘 때였다.

아벨라가 그에게로 다가갔다. 창문이 열리자, 조용했던 공간에 미풍이 불었다.

시간이 없었다. 저기 있는 사람 중 예민한 사람이라도 있어서 바람이 부는 광경을 수상하게 여긴다면…….

그때였다. 펠리체가 아벨라의 손을 당겨 꽉 끌어안았다. 펠리체가 아벨라의 귀에 대고 소곤거렸다. 들릴 듯 말 듯한 수준이었다.

"겨우 찾았네. 이렇게 매달려서 도서관 벽을 걸었어. 체하트는 바람을 부유마법처럼 응용할 줄 모른다는 거야."

"내가 셋 모두 다 띄워 올릴게."

"이 위층, 왼쪽으로 다섯 번째 창문이 열려 있지? 거기가 체하트의 처소야."

한 번에 바로 올라가야 한다. 아벨라는 비장한 얼굴로 고개를 끄덕였다. 지금 펠리체가 이곳에 대롱대롱 매달려 있는 것부터가 위험했다. 분명히 누군가가 보고 있을 거라고.

"도서관 복도를 제외한 이쪽은 괜찮아."

아벨라가 뭘 걱정하는지 안다는 듯한 목소리였다. 아벨라는 그 말에 놀라기보단 고개를 끄덕이곤 펠리체와 떨어져 마티나에게 손짓했다. 어차피 자세한 이야기는 이따가 묻는 게 나으니까.

이내 마티나가 고개를 끄덕이곤 제롬을 들어 펠리체에게 건넸다. 펠리체는 제롬의 처참한 몰골을 바라보며 얼굴을 굳혔다가 곧 단단히 제롬을 안아 들었다.

이대로 그냥 날아가 버리자. 아벨라가 마티나를 향해 고개를 돌리고 입을 크게 벙긋거렸다.

'경, 우리 셋이 함께 가요. 일단 완튼 경이 허리에 줄을 매고, 제롬, 그다음이 저예요.'

아벨라가 허우적대며 큰 동작까지 곁들이자, 마티나가 우려스러운 표정을 지었다.

'하지만 셋이 동시에 매달리기엔 너무 무겁습…… 아 참.'

마티나가 속삭이다, 아벨라의 표정을 마주치곤 말을 멈췄다. 아벨라가 마법을 부릴 수 있다는 걸 뒤늦게 깨달은 표정이었다.

마티나가 머쓱한 표정으로 다시 작게 사과하곤 나서서 줄을 쥐었다. 아벨라는 씨익 웃으며 마티나를 향해 단지 고개만 끄덕여 보였을 뿐이었다.

열린 창문으로 내려온 줄에 제롬을 묶고, 마티나와 사이좋게 매달린 채 아벨라가 손으로 레줄을 쥐었다. 이제 뛰어내리기만 하면 된다. 아벨라가 줄을 꼭 잡은 채로 심호흡을 할 때였다.

철그럭, 철컹!

순간 아벨라와 펠리체, 마티나가 서로를 마주 보았다. 등골을 찬물로 얻어맞은 것처럼 서늘해지고, 목에 식은땀이 솟았다. 황급히 소리 난 쪽으로 모두의 고개가 돌아갔다. 아벨라의 눈이 크게 떠졌다. 서로가 낸 소리가 아니었다.

제롬이었다. 마티나의 뒤에 업혀 있던 제롬이, 의식을 차리면서 자신도 모르게 다리를 움직인 것이다. 소리의 정체는 다리에 매달린 쇠사슬끼리 부딪히며 난 소리였다.

저편에서 "누구냐!" 하는 소리가 들렸다. 이쪽을 향해 즉시 렌티아의 장정들이 달려오고 있었다.

그 순간 너 나 할 것 없이 모두 창가로 뛰어들었다. 펠리체가 제롬을 안은 팔에 힘을 주고 아벨라 역시 레줄을 쥔 채 힘을 주었다.

줄이 아직 당겨지지도 않았는데, 아벨라와 마티나가 빠르게 위로 붕 떠오르기 시작했다. 아래에서 솟구치는 바람이 세 사람의 머리칼과 옷을 부드럽게 부풀렸다.

스스로 거울을 보지 않아도, 아벨라는 자신이 무슨 표정을 짓는지 알 것 같았다. 엄청 크게 웃고 있겠지.

모 소설에나 나오는 투명망토나 시간을 멈추는 마법도 없었다. 하지만 나는 마법 정도라면 얼마든지 할 수 있었다.

성공했다는 만족감, 그리고 계획대로 저곳을 떠났다는 기쁨으로 아벨라의 얼굴이 빛났다. 펠리체가 말한 열린 창문이 바로 코앞이었다.

한편, 도서관은 일순 시끄러워졌다. 렌티아의 장정들이 열려 있는 책장으로 달려가 창밖을 살피고, 렌티아는 책장 사이를 두리번거렸다. 모두의 안색이 급변했다.

"당장 찾아라. 조용히 찾아야 해. 창문으로 뛰어내린 모양이니 멀리 가진 못했을 거야!"

렌티아가 장정들에게 명령하는 때였다. 왈로인이 고개를 가로저었다.

"틀렸습니다. 이미 도망갔을 거요."

"뭐라고요?"

"……당연한 거 아니오? 그리고 아마 내 짐작이 맞는다면 그자는 마법을 썼을 거요."

왈로인이 창밖 허공을 바라보았다. 이미 그들의 눈을 속이고 도서관으로 들어온 자들이었다. 아마 따라잡을 수 없으리라.

하지만 중요한 건 그것뿐만이 아니다. 왈로인은 다른 이들이 부산해진 사이, 책장 한가운데에 이르러 가운데의 검은 책을 꺼냈다. 아까 아벨라가 꺼냈던 '용의 생애'였다.

책을 꺼내자 아까처럼 책장 전체가 비워진 비밀 공간이 드러났다. 하지만 그 드러난 비밀 공간엔 아무것도 없었다.

왈로인은 그곳을 내려다본 채로 묵묵히 서 있었다.

"……사라졌군."

텅 빈 공간을 보며 제롬의 얼굴을 한 왈로인이 짧게 혀를 찼다. 원래라면 이곳에 제롬이 있었을 것이다. 왈로인은 제롬을 살려 두고 이곳에 숨겨 놓고 있었다.

그를 잠재운 채, 깨어나지 못하게 수면제와 생명 유지가 가능한 영약을 섞은 약물을 주입하고 있었다. 이유는 간단했다. 폴리모프 아티팩트 때문이었다.

이미 인계에선 실전된 지 오래인 마법이라 잘 알려져 있지 않았지만, 이 마법은 다른 사람의 흉내를 낼 수 있는 마법인 만큼 카셀란이 정해 놓은 금제가 있었다. 그리고 이는 이 아티팩트에서도 해당이 되었다.

이 아티팩트 폴리모프 마법은 오직 살아 있는 사람에게만 발현이 되었다.

때문에 죽은 사람을 흉내 낼 수는 없었다. 고인을 신경 쓴 과도하게 자비로운 배려라고, 왈로인은 비틀린 생각을 했다.

그래서 제롬을 살려 둔 것이다. 입으로는 자비롭게 자신의 제자였던 이니 최대한 마지막에 죽이고 싶다 했지만, 사실은 그뿐이었다.

그러나 지금은 그를 살려 둔 게 무척 후회가 된다. 이럴 줄 알았다면 제일 먼저 죽이는 게 좋았을 텐데. 그래, 죽이고 먼저 불태웠어야 했다. 아니면 그 계집과 애송이처럼 호수에 담 궈 버리든지.

아니, 애초에 렌티아의 말을 믿는 게 아니었다. 진작 확인했 어야 했다. 이곳에 누가 있는지부터 봤어야 하는데, 렌티아와 대화하는 사이 자신도 평정을 잃었기 때문에 그녀와 대화를 길게 이어 나간 게 잘못이었다.

아니…… 왈로인은 아까 그들이 이야기하는 사이, 공간에 부는 듯했던 미풍을 떠올렸다. 닫혀 있는 공간에서 부는 미세 한 바람을 느꼈을 때 진작 확인했어야 했다. 그때 책장을 달려 가 이 창문에 다다랐다면 그들을 막을 수 있었을까.

왈로인은 평온한 얼굴로 다시 책을 책장에 꽂았다. 비어 있 던 공간이 원래 책이 가득한 책장으로 변했다.

이리저리 서성대는 렌티아의 수하들을 짜증스럽게 힐긋거 리며 생각했다.

제롬을 데려간 것이 누구인지는 짐작이 가고도 남았다. 한 명뿐이다. 펠리체겠지. 그뿐이지 않은가. 이렇게 나설 위인은.

드디어 펠리체가 행동을 시작한 것이다. 어쩐지 너무 지나 치게 조용하다 싶었다. 물밑으로 조용히 준비하며 기다리고 있었던 것이다. 표면으로는 정례식을 거부한다는 시답잖은 변 명을 곁들이면서.

"……그래 봐야."

왈로인이 피식 비웃었다. 그래 봐야 소용없다. 모친도 아내 도, 동생도 잃어버린 불행한 남자의 발악일 뿐이다.

그래도 빨리 움직여야겠다. 그가 움직였으니, 자신의 계획이 언제 어그러질지 모른다. 왈로인의 눈동자가 서늘하게 빛났다.

운이 좋았다. 이들이 창문을 넘어 체하트의 처소로 사라지는 순간 렌티아의 시종들이 도서관의 열린 창문으로 고개를 내밀고 주변을 두리번거렸다. 하지만 모두들 창문의 아래만을 바라볼 뿐 위쪽, 그것도 몇 층이나 위인 창문 쪽은 쳐다보지 않았다.

한참 뒤, 마지못해 도서관의 창문이 닫혔다. 밀담을 나누는 처지이기에 켕길 게 많은 탓인 듯했다.

"와, 죽는 줄 알았네."

바닥에 내려서자마자 아벨라가 그 자리에 주저앉았다. 다리가 후들거렸다. 물론 날아오르는 순간엔 아드레날린이 엄청나게 쏟아지는 기분이었지만, 그래도 하마터면 들킬 뻔했다는 생각에 돋은 소름이 가라앉지를 않았다.

"형님, 여기에."

체하트는 제롬을 안은 펠리체를 자신의 침대 쪽으로 안내했다. 펠리체가 능숙하게 제롬을 침대로 뉘였다.

"많이 쇠약해져 있는 것 같아. 당장 의사를 불러야겠다."

"제가 불러오겠습니다."

리시안이 말하곤 성큼성큼 공간을 벗어났다. 마티나가 아벨라를 부축하기 위해 팔을 내밀자, 아벨라가 그 팔을 붙잡으며 펠리체를 향해 말했다.

"발견했을 때 무슨 약물을 맞고 있었어."

"무슨 색이었나요?"

듣고 있던 체하트가 물었다.

"샛노란색이요. ……경, 이 의자에다가 앉혀 주세요. 미안해요, 다리에 힘이 들어가지 않아서."

"무척 놀라셨을 겁니다. 그래도 잘하셨어요. 저하 덕분에 도서관에서 무사히 빠져나올 수 있었습니다."

"뭘요……."

아벨라가 '하아' 하고 한숨을 쉬며 테이블에 엎드렸다. 힘이 정말로 하나도 들어가질 않았다.

"몸이 적잖이 놀란 모양인데. 괜찮아?"

침대에 있던 펠리체가 테이블에 마주 앉아, 아벨라의 손을 잡았다. 마주 닿은 온기에, 아벨라가 저도 모르게 어리광 가득한 울상을 지으며 펠리체를 바라봤다.

"아니, 안 괜찮아. 안 괜찮은데, 아마 네가 오지 않았다면 더 힘들었을 거야. 완전 백마 탄 왕자님 같았어."

"줄에 매달린 몰골이긴 했지만 황자니까 내가 더 낫다고 해 줘."

"푸하하, 그게 뭐야."

우스갯소리를 하면서도, 둘은 서로의 손가락 사이를 단단히 얽었다. 서로를 향한 곧은 신뢰와 애정이 담긴 눈빛이 둘 사이를 오간다.

황자 내외의 대화에 마티나의 얼굴이 자동으로 침대를 향해 돌아갔다. 볼이 이상하게 화끈했다. 이상했다. 그냥 농담을 주고받고 있을 뿐이다. 하지만 왠지 주군의 보면 안 되는 장면을 보는 것 같았다.

그때였다. 문이 열리고, 리시안이 누군가와 함께 들어왔다.

"어."

아벨라가 그쪽을 보곤 알은체를 했다. 그도 그렇게, 꽤 낯익은 사람이었다.

"저번에 뵀었던."

용병단의 단장이라고 했던, 진료소의 그 늙은 치료사였다.

"황자 저하와 황자비 저하를 뵙습니다."

무릎을 굽히며 인사하는 그에게, 펠리체와 아벨라 또한 일어서면서 가볍게 목례했다.

"이렇게 다시 뵙게 되어 반갑습니다."

하지만 인사하는 아벨라의 시선엔 의심 한 조각이 걸려 있었다. 수상하다. 그가 진료를 볼 줄 안다고 했던가?

아벨라는 지난 기억을 떠올렸다. 진료소에서 만났던 펠리체의 친구, 사리베는 단장을 소개하며 그냥 위장용으로 진료소를 차렸을 뿐, 실은 그저 레인저 출신이라고 했었는데.

단장이 제롬이 누워 있는 침대 쪽으로 다가갔다. 그 뒤에 서 있던 펠리체에게 아벨라가 조그맣게 입을 벙긋거렸다.

'정말 진료 보실 줄 아는 거야?'

'당연하지. 진짜 진료도 보셔. 지금 우리가 수배할 수 있는 가장 믿음직한 의사야.'

펠리체가 마주 소곤거렸다. 아벨라가 고개를 끄덕였다.

하긴, 펠리체가 정말 의사가 아닌 사람을 데려왔을 리가 없지. 게다가 정말로 궁의를 데려오자면 너무 위험이 크니까…….

"이런."

단장은 도착한 현장을 보곤 나직하게 안타까운 신음을 터뜨렸다. 그리고 당장 제롬이 덮은 이불을 들추었다. 그리고 드러나는 참혹할 정도의 쇠사슬에 단장이 다시 얼굴을 일그러뜨렸다. 단장은 결국 제롬의 턱 아래, 경동맥이 지나는 부분으로 맥을 짚었다.

"사람 꼴이 많이 아니군요. 전체적으로 아주 쇠약해져 있으십니다. 이대로면 언제 넘어가도 이상하지 않을 상태였습니다, 저하."

"구하실 수 있겠습니까?"

걱정스러운 펠리체의 얼굴을 보며 단장이 고개를 끄덕였다.

"시일의 문제지, 아예 구하지 못하는 게 아니니 괜찮습니다. 이럴 줄 알고 다른 대륙에서 구해 온 환을 갖고 왔습니다. 이대로 먹이고, 추이를 지켜보면 될 겁니다. 혹시, 그동안 팔다리를 움직이거나 한 적은 없습니까?"

"움직였었어요, 아까."

아벨라는 그리 대답하곤 아까를 떠올렸다. 덕분에 아주 큰일 날 뻔했지. 아까 제롬이 낸 쇠사슬 소리만 생각하면 머리카락이 비쭉 선다.

"좋습니다. 저하의 의식이 얕게나마 남아 있다는 거니까요. 이 약은 그런 분들에게 잘 듣습니다."

단장은 그렇게 말하곤 환을 손으로 쪼개어 제롬에게 먹였다. 그러곤 제롬의 고개를 받친 채로 물을 조금 먹여 그가 약을 삼키는 걸 확인했다.

"당분간은 제가 지켜보면서 살피겠습니다. 저하께선 걱정하지 마십시오."

"부탁드립니다, 스승님."

펠리체가 그에게 정중하게 허리를 숙였다. 아벨라도 덩달아 그에게 꾸벅거렸다. 펠리체와 함께 돌아선 아벨라가 그에게 바짝 붙어 소곤거렸다.

"제롬의 팔다리에 매여 있는 쇠사슬, 마법이 새겨져 있더라고. 카셀란의 레어에서 가져온 마법검으로만 자를 수 있어."

"마법검이라고? 그럼 나도 자를 수 있을 거야."

"뭐라고?"

아벨라가 놀란 얼굴로 되묻자, 펠리체가 어리둥절한 얼굴로 아벨라를 바라보았다. 대체 왜 놀라는지 모르겠다는 표정이었다.

"나 검강 쓰잖아."

검강, 소드 오러라고도 부르는 기술. 검의 극한에 다다른 자만이 부릴 수 있는 경지. 아벨라의 눈썹이 들렸다. 아니, 펠리체가 검강을 쓰는 건 알지만…….

"검강이 마법이 새겨진 쇠사슬을 자를 만큼 강한 거야?"

"검 쓰는 사람들에게 물어보면 강하다고 하지 않을까?"

펠리체가 아벨라를 흉내 내듯이 장난스럽게 눈썹을 까닥였다. 그러고는 다시 제롬에게로 다가갔다.

"잠시, 죄송합니다."

펠리체가 옆에 있던 단장에게 양해를 구한 뒤, 다시 몸을 돌려 제 허리춤에 걸려 있던 브로드 소드를 꺼냈다.

펠리체가 가만히 호흡을 다듬고는, 검을 꽉 다시 쥐었다. 일순 검에 파르스름한 빛이 도는 것 같았다.

이내 그 검을 들어 제롬의 팔다리에 걸린 족쇄에 대었다. 철과 철이 부딪히는 특유의 '깡' 하는 금속 마찰음이 곧 나겠지. 아벨라가 조마조마하게 지켜보는 때였다.

하지만 그 순간 놀랍게도, 검이 아무 소리 없이 족쇄와 쇠사슬을 잘라 내기 시작했다. 마치 묵을 써는 것처럼, 아무렇지도 않게 제롬의 팔과 다리에서 쇠사슬을 떼어 낸다.

아벨라는 다시 눈을 크게 떴다. 놀라운 광경이었다. 저 사슬을 자를 수 있는 건 더 강력한 마법, 혹은 마법을 쓸 수 있는 마법검뿐이라고 생각했다.

"와."

아벨라가 놀란 듯한 탄성을 지르며 펠리체를 바라봤다. 옆에서 그를 지켜보던 체하트가 웃으면서 아벨라에게 설명해 주었다.

"아카데미에서도 연구하고 있어요. 오러를 낼 수 있는 익스퍼트들이 몇 명 되지 않아서 그렇지. 결국 검강이라는 것도 마력의 운용과 비슷한 점이 있나 봐요. 형님은 마법 이해도 곧잘 하시더라고요."

펠리체가 씨익 웃으면서 제롬의 팔다리에 묶여 있던 사슬들을 치웠다.

"그렇지. 제롬이 전에 나한테 다시 마법을 공부해 보는 건 어떻겠냐고 진지하게 제안해 본 적도 있었다니까."

스스로 자랑하는 말투에, 아벨라가 '피이-' 하는 소리를 내며 야유했다.

"자랑은."

"해도 되잖아, 이 정도는."

펠리체가 어깨를 으쓱이며 제롬에게로 시선을 두었다. 동시에 아벨라와 체하트의 시선 또한 제롬에게 머물렀다.

무척 수척해진 상태였다. 팔과 다리엔 쇠사슬에 매여 있던

자국이 검붉게 남아 있었다. 이전, 책을 껴안은 채로 서글서글
하고 상냥하게 웃던 미남은 온데간데없다.

"살아 있어서 정말로 다행이야."

펠리체가 중얼거리자, 옆의 체하트가 고개를 끄덕였다.

"회복하시고 나서 후유증 같은 게 없었으면 좋겠어요."

그때였다. 옆에서 그들을 지켜보던 단장이 '흘흘' 하는 웃음
을 내며 불쑥 끼어들었다.

"그렇게 하려면 가장 필요한 게 뭔 줄 아십니까, 저하?"

"뭔가요?"

체하트가 눈을 반짝이며 물었다. 그런 그를 단장이 귀엽다
는 얼굴로 내려다보았다. 다정한 위로의 말이 나올 것 같은 순
간이었다.

"절대 안정입니다."

"네?"

"여기서 떠들지 말고, 다들 나가세요. 언제까지 여기 이렇게
계실 겁니까? 제가 왔으니 건강해지실 겁니다. 그러니까 나가
요."

이젠 얼굴까지 굳히며 말한다. 어쩐지 혼나는 느낌이었다.
셋은 단장의 불호령에 거북목을 한 채로 체하트의 침실에서
멀어졌다. 셋은 나란히 내실을 나와, 그와 이어지는 다른 내실
의 소파에 앉았다.

아벨라가 새롭게 앉은 주변을 두리번 거렸다. 아무래도 이
곳은 체하트가 공부하는 곳인가 보다. 창가가 있는 쪽에 아주
길고 넓은 마호가니 테이블과 푹신한 등받이 의자가 있었다.

소파를 마주 보는 벽 한쪽은 완전히 책장으로 되어 있었는

데, 책으로 가득 차 있는 모습이 인상적이었다. 아카데미를 다니고 있는 현역 학생답다.

그러고 보니 체하트의 처소에 온 것은 처음인 것 같은데. 아벨라가 소파에 앉아 새삼스러운 눈으로 주변을 둘러보았다.

학교에서 가져온 듯한 연구 과제물, 귀해 보이는 수집품들이 군데군데 주변을 장식하고 있었다. 모두 취향대로 꾸며 놓았겠지. 아벨라가 자신이 앉아 있는 이 보랏빛의 비로드 소파를 쓸어 보고 있을 때였다.

"차라도 드시겠어요?"

체하트의 물음에, 아벨라가 고개를 번쩍 들었다. 따뜻한 차! 생각만 해도 몸이 따뜻해지는 것 같다. 그리고 막상 생각하니, 정말로 차가 절실했다. 아벨라가 열렬히 고개를 끄덕이다가 '아!' 하고 깨달은 듯한 소리를 냈다.

"……그런데 차는 좋지만요, 이곳에 있어도 되는지 모르겠네요."

뒤늦은 깨달음이었다. 지금 체하트는 이곳에 있으면 안 되는 게 아닌가. 아벨라와 체하트의 생존은 아직까지 비밀이었고, 그렇기에 체하트는 8황자궁에서 머무르고 있지 않았던가.

"저도 그렇게 생각하지만, 어쩔 수 없었어요. 펠리체 형님이 급하게 형수님을 구하러 가야 한다고 해서요. 걱정이 되니 따라왔지요."

체하트의 의젓한 말에, 아벨라가 빙그레 웃었다. 체하트도 아벨라에게 마주 웃음을 되돌리며 다시 말을 이었다.

"또 그렇게 눈에 띄진 않았을 거예요. 올 땐 형님을 따라 형수님과 완튼 경이 왔던 비밀 통로로 왔거든요. 형님께서 제 숙소를 빌려야 한다고 하시더라고요. 도서관 바로 아래층이라, 제가 먼저 선점한 곳이거든요."

"아하."

아벨라가 고개를 끄덕일 때였다. 체하트가 종종 접객실 쪽을 걸어가더니 서랍장을 열었다. 고개를 뻗어 체하트가 하는 모양새를 바라보던 아벨라가 자신도 모르게 탄성을 질렀다.

서랍장을 여니, 안엔 간단히 물을 받을 수 있는 식수대와 물을 끓이는 공간이 있었다. 그리고 서랍장은 꽤 아름답고 호화로운 다기들로 빼곡했다.

"차를 체하트가 직접 우리는 거였어요? 대단한걸."

"네, 차는 제가 직접 우릴 거예요. 조예가 깊은 편은 아니지만 차를 자주 마시거든요. 제가 늦은 밤까지 공부하는 일이 잦아서."

머쓱하게 웃으며 능숙하게 다기를 꺼냈다.

"그래서 제가 요청드려서 폐하께서 특별히 제 숙소에만 물을 받아서 바로 조리할 수 있게끔 따로 간이 식수대를 설치해 주셨어요."

"영광이네요."

"아니, 아니에요. 원래라면 시종이나 시녀에게 말해 부탁했을 테지만…… 이 궁엔 지금 아무도 없거든요."

"아무도 없어요?"

되물으며 아벨라가 체하트와 제 옆에 앉은 펠리체를 돌아보았다. 체하트가 고개를 끄덕였다.

"제가 실종된 동안 펠리체 형님이 제 처소의 문을 잠그고 시종과 시녀를 8황자궁으로 거두셨대요."

"아예 이곳을 닫는 수밖에 도리가 없었어. 장례를 치르려고 황제께서 이곳의 시종과 시녀들을 강제로 다른 곳으로 배속시키려고 했거든. 물론 왈로인의 바람 때문이었지만. 그래서 내가 미친 척 다 거둘 수밖에 없었지. 혹시라도 무슨 일이 있을까 봐, 숙소에 있는 동안 심혈을 기울여 이곳 동관의 사람들을 모두 파악해 놓았고. 내 통제로 움직이고 있지."

아벨라가 다시 나지막하게 탄성을 질렀다.

"아, 그래서 네가 렌티아가 도서관으로 갔다는 걸 안 거구나."

"맞아. 제롬과 렌티아를 감시하던 자들에게서 동시에 보고를 받았고. 렌티아의 수하들이 도서관의 복도를 경계하고 있단 걸 알고 움직이려는 찰나, 왈로인의 비밀이었던 오후 일정이 사실은 렌티아라는 걸 알고는 그 뒤로 널 찾으러 온 거야."

모두 이해한 아벨라가 고개를 끄덕였다.

"정말 고마워. 하마터면 내가 다 망칠 뻔했다고."

"설마 그럴 리가. 넌 뭘 해도 완벽한걸."

"완벽하다고?"

"긍정적으로 생각해. 네가 도서관에 완튼 경과 둘이 간 건 무모하기 짝이 없었지만 그래도 결국 무사히 살아 나왔잖아."

펠리체의 말에 고개를 끄덕이던 아벨라가 시선을 돌려 체하트가 포트에 차를 우리는 과정을 지켜보았다. 체하트는 이내 주섬주섬 군것질거리를 접시에 담고 있었다.

"당밀로 만든 견과류 타르트와 쿠키가 있는데, 뭘로 드실래요? 보존 마법을 걸어 둬서 맛은 그대로일 거예요."

"둘 다 주시면 감사하겠어요."

체하트가 옅게 웃곤 고개를 끄덕이며 차 쟁반을 세팅했다.

체하트가 곧 이쪽으로 다가오는 것을 바라보고 있을 때였다. 펠리체가 아벨라에게 입을 열어 물었다.

"도서관 안에선 별다른 문제 없었고?"

"별다른 문제?"

체하트가 달그락거리면서 제게 찻잔을 놔주었다. 별다른 문제라…… 딱히 없었던 것 같은데. 고개를 설레설레 젓던 아벨라의 동작이 딱 멎었다.

아니지, 있지.

완전 중요한 문제가 있었다. 그것도 아직 말하지 않은!

"헉."

아벨라는 순간 두 손으로 제 얼굴을 감쌌다. 정신 좀 봐! 왈로인과 렌티아가 동업관계가 되었고 동맹으로서 8황자와 황제를 없애기로 했다는 이야기를 아직까지 펠리체에게 전달하지 않고 있었다!

아니, 아니지. 아벨라가 손을 내리며 제 옆에 둘러앉은 펠리체와 체하트를 바라보았다. 지금부터 이야기해야지. 게다가 지금 딱 말하기 좋은 환경이 아닌가.

아벨라는 그 뒤로 자신이 들었던 이야기들을 최대한 자세하게 설명하기 시작했다. 펠리체와 체하트는 모두 아벨라의 이야기를 유의 깊게 들었다.

얼마가 지났을까. 펠리체가 끄는 음을 내면서 입을 열었다.

"왈로인과 렌티아의 결탁을 예상하고 있던 건 아니었어. 렌티아는 다보프와 함께 외국으로 나갈 예정이라고 예상하고 있었거든. 하지만."

펠리체가 씨익 웃었다.

"그렇다고 대비하지 못할 것도 없지."

"대비책을 갖고 계시다는 말인가요, 형님?"

체하트가 차를 마시다 말고 똘망하게 물었다. 펠리체는 그런 체하트를 보면서 고개를 끄덕여 보였다.

"왈로인과 렌티아 둘 다에게 계속해서 지켜보는 눈을 붙여 두었다. 둘이 결탁한다 한들 지금 나에겐 위협될 게 없어. 심지어 너와 아벨라, 그리고 제롬도 되찾았으니까."

그때였다. 체하트가 펠리체에게 환하게 웃어 보였다. 아벨라의 눈이 동그래졌다. 언제나 조심스러운 표정으로 신중하게 행동하던 체하트와는 다른 모습이었기 때문이다.

서로 사랑하는 형제가 있다는 건 좋구나. 아벨라가 턱을 괸 채 그 광경을 감상하고 있을 때였다. 펠리체가 체하트에게 장난스러운 기색으로 이야기했다.

"그나저나, 이왕 네 처소에 이렇게 다시 오게 되었으니, 8황자 궁으로 다시 돌아가기 전에 네게 필요한 물품들을 챙겨 두는 건 어떻겠니."

"아, 그럴까요? 마침 필요하다고 생각하던 책들이 몇 권 있었어요. 그리고 형수님께도 보여 드리고 싶은 책들도요. 열심히 배워 두면 곧 써먹을 수 있겠죠?"

펠리체의 말에 밝은 표정으로 끄덕인 체하트가 벌떡 일어났다. 눈빛 역시 반짝이고 있었다.

"그럼 잠시 저쪽 책장이 있는 방에 다녀올게요. 좀 늦어져도 너무 걱정하지 말아 주세요!"

"그래요. 다녀와요."

"혹시라도 그사이 제롬이 깨어난다면 부르마."

"예!"

체하트가 밝게 소리치며 방문을 향해 빠르게 걸어갔다. 펠리체와 아벨라는 그런 체하트를 향해 부드럽게 손을 저었다. 체하트가 완전히 문밖으로 사라졌을 때였다.

"일부러 보낸 거지?"

아벨라가 펠리체를 향해 작게 소곤거렸다.

"음, 너무 티 났어? 걱정시키고 싶지 않았을 뿐이었는데."

펠리체가 마주 소곤거렸다. 아벨라는 펠리체에게 고개를 절레절레 저었다.

"아니, 오히려 나은 선택일 수도 있어. 레어에서 체하트에게 계획을 설명할 때마다 많이 불안해했거든."

"바로 그것 때문이었어. 아직 내 동생은 어리니까. 너무 걱정하지 않게 해 주고 싶어서."

펠리체가 고개를 끄덕이자, 아벨라가 눈썹을 까닥였다.

"걱정할 만한 일이 있다는 거로구나."

펠리체가 아벨라에게 고개를 끄덕이며 속삭였다.

"렌티아와 다보프의 세력이 걱정돼."

예상하지 못한 말에, 아벨라의 얼굴이 굳었다. 렌티아와 다보프의 세력이라면 이미 죽은 샬롯의 세력이 아닌가.

"하지만 그들은 경제적으로 많이 잃었기 때문에 예전보다 훨씬 약해졌다고 했잖아."

"상대적으로 약해졌다는 뜻이지. 아예 마음을 놓을 정도는 아니야. 그들은 이 나라가 세워진 이래로 권력을 놓은 적이 없었던 자들이야. 나조차 짐작하지 못할 만큼의 비자금을 갖고 있는 자들도 있을 거야. 실제로 그들 중 경제 사정이 위험해졌다곤 하지만 저택을 팔거나 작위를 매매하거나 제 딸을 부유한 평민에게 시집보낸 귀족은 소수에 불과해. 영지가 없어진 귀족들도 없고. 일일이 다 캐내고 싶지만, 시간도 없고 황제도 허가해 줄 리가 없지."

펠리체는 평이한 어조로 다시 말을 이었다. 안색도 변함없었다. 혹시라도 체하트가 다시 나타날 것을 대비하는 듯한 얼굴이었다.

"내 세력을 그들만큼 불리는 건 가능하지만 시간이 걸려. 지금처럼 갑자기 일이 급박하게 돌아가기 시작한 때라면 더더욱. 그래서 나는 샬롯이 죽은 뒤 그들을 설득해 보려고 했지. 그들 중 쓸 만한 자들을 이쪽으로 끌어들인다면 일은 꽤 쉬워지니까."

펠리체가 천천히 찻잔을 들어 마셨다. 시선은 여전히 체하트가 사라졌던 방향에 고정된 채였다.

"하지만 샬롯 측이었던 귀족원의 기존 세력들 중 내게 설득된 사람은 40퍼센트에 불과해."

"그럼 나머지 60퍼센트는?"

"계속해서 렌티아와 다보프에게 남아 있단 소리지."

펠리체가 차로 입술을 축인 뒤 계속 말을 이어 나갔다.

"거기까진 괜찮아. 우리 측도 대응할 힘이 없는 건 아니니까. 아니, 오히려 우리 측이 훨씬 더 강하지. 하지만 예측이 불가능한 변수가 생기는 게 불안해. 왜 그들이 아직도 렌티아와 다보프에게 남아 있는지를 모르겠어."

펠리체가 입가를 다문 채로 이마를 문질렀다. 아벨라 또한 천천히 생각에 잠겼다.

왜일까? 그동안 아벨라가 봐 온 귀족들은 극히 일부를 제외하고는 아주 탐욕스러웠다. 자신의 잇속을 챙기기 위해서라면 편을 바꾸는 일도 서슴지 않을 작자들이었다.

특히나 샬롯의 세력들은 훨씬 더 노골적으로 권력을 추구하는 자들이었다. 그런데 그들이 왜 아직도 렌티아와 다보프의 곁에 남아 있단 말인가?

샬롯은 황비의 칭호도 박탈당했고, 샬롯이 죽고 난 뒤 샬롯의 가문은 풍비박산 났다. 다보프가 황제가 될 가능성도 지금은 전무에 가깝다. 그런데 왜?

아벨라 또한 생각에 잠기자 그녀의 심란한 표정을 본 펠리체가 다시 입을 열었다.

"괜찮아."

분위기를 환기하려는 듯, 아까보다 밝은 어조였다. 펠리체는 앞에 놓여 있던 쿠키를 집어 들곤 와작 깨물었다.

"그사이에 나도, 내 세력도 전보다는 훨씬 더 성장했어. 결코 샬롯의 편이 될 수 없었던 다른 개국 공신들도 설득했고, 이미 귀족원은 물갈이된 지 오래니까. 이렇게 된 이상 어쩔 수 없지. 더 열심히 준비하는 수밖에."

펠리체가 쿠키를 씹으며 아벨라와 눈을 마주한 채 씨익 웃었다. 아벨라가 펠리체에게 미소를 되돌렸다. 마음 한켠이 다시 가벼워지는 기분이었다.

"그래, 하긴 고민해 봐야 뭘 하겠어. 네가 알아서 해. 나는 최대한 널 도울 테니까."

"말만 들어도 근사한걸. 부인이 그렇게 말해 주어 큰 힘이 됩니다."

짐짓 너스레를 떠는 펠리체에게 믿지 않게 눈을 흘기며, 아벨라가 쿠키를 집어 들었다. 쿠키 조각을 좀 떼어 펠리체에게 내밀자, 펠리체가 입으로 '아' 하고 받아먹었다.

어, 이거 좀 재미있는데. 아벨라가 배시시 웃으며 그에게 다시 쿠키를 쪼개 먹였다. 이번에도 펠리체는 넙죽 입으로 받아먹었다. 어쩐지 새에게 모이 주는 기분이라고 해야 할까?

아벨라는 그 자리에서 흐뭇한 얼굴로 쿠키를 먹는 펠리체를 관찰했다. 펠리체의 잘생긴 입술과 각진 턱이 천천히 움직이고 있었다. 모두 씹은 뒤에는 입가에 남아 있던 쿠키 부스러기까지 혀로 훑는다.

붉은 혀가 입술 사이로 나와 빠르게 입가를 스치곤 사라졌다.

······응?

어라. 아벨라는 순간 빠르게 눈만 깜박였다. 그냥 쿠키를 먹는 광경일 뿐인데 이상하게 분위기가 야릇해 지는 것 같기도 하고······. 왜 볼이 뜨거워지는 거 같지.

아벨라가 쿠키를 든 채로 잠시 멈칫대고 있자, 펠리체가 아벨라를 바라보면서 빙그레 웃었다.

"더 주지 않을 거야?"

"쿠키? 어? 어, 어. 줘야지."

아벨라가 '큼큼' 하고 헛기침을 하며 쿠키를 펠리체에게 내밀었다. 마지막 조각이었다.

순간, 펠리체가 아까와는 다르게 '합' 하고 쿠키 조각과 함께 아벨라의 손가락 끝까지 입에 넣었다. 아벨라가 소스라치게 놀라 손가락을 뒤로 뺄 때였다.

"뭐, 뭐 하는 거야!"

"뭐 하긴? 쿠키 먹지."

"……너어."

얼굴에 피가 몰리는 것을 느끼며, 아벨라가 간신히 한마디만을 뱉었다. 펠리체는 그런 아벨라가 귀엽다는 듯이 계속 빙글빙글 웃고 있다. 새한테 모이 주는 것 같단 기분 취소다, 취소. 새는 무슨, 호랑이였다. 호랑이한테 먹이 주는 아슬아슬한 기분이 아닌가. 이거 노린 거 아냐?

"아, 그리고."

그때였다. 펠리체가 생각났다는 듯이 화제를 돌렸다.

"간신히 공국과 연락이 닿았어. 딜루어 공작 전하 말이야."

"아버지?"

아벨라가 눈을 휘둥그레 뜨며 되묻자, 펠리체가 빙그레 웃었다.

"네가 무사한 걸 알려 드려야지. 그리고 '내 계획'도 실행해야 하니까."

"어떻게 연락했어?"

"리시안이 갖고 있는 통신 아티팩트로. 그런데 리시안이 떨어뜨려 깨뜨리는 바람에 요새 잘 연결이 안 됐었어."

"뭐?"

아벨라가 외치자, 펠리체가 씁쓸하게 웃으며 고개를 절레절레 저었다.

"고장 났구나 싶어서 전서구라도 훈련해야 하는가, 생각하고 있었는데 아까 해 보니 또 되더라고. 그래서 서로 용건만 간단히 주고받았지 뭐."

"다행이라고 해야 할지……. 아버지는 뭐라셔?"

공작이 '진짜' 아버지라는 걸 아니, 이제 마음속의 죄책감도 조금은 덜었다. 아벨라가 묻자 펠리체가 대답했다.

"아, 네게 말 좀 전해 달라고 하시더라고."

"내게? 말을?"

"응. 제발 '주머니'를 보라던데."

주머니?

갑자기 튀어나온 뜬금없는 단어에, 아벨라가 어리둥절한 표정을 지었다. 주머니라니……. 그 순간, 번개처럼 어떤 기억이 머릿속을 스치고 지나갔다.

아버지와 헤어지기 전이었다. 그가 제게 주머니를 내밀었다. 두 손바닥을 합친 크기의 주머니였다. 검은 비로드 재질에 금줄로 여며진, 척 봐도 귀해 보였던 주머니.

—네가 필요할 때 쓸 법한 것들로만 넣어 놓았다.

그렇게 말씀하시면서 웃으셨던 기억까지 모두 한 번에 떠올랐다.

"아아아아……!"

기억을 되짚던 아벨라가 탄성을 질렀다. 그 주머니를 자신이 어쨌었지? 필요할 때라면 딱 지금이 아닌가! 왜 그 주머니를 생각도 못하고 있었담?

"주머니가 뭔데?"

"아버지가 주셨었어. 로튼에서. 무슨 일이 있으면 열어 보라고……."

설명하면서도 아벨라는 흥분을 주체하지 못하고 벌떡 일어났다.

그 주머니를 정말 내가 어디다 뒀지? 침대 옆의 서랍에 두었던가? 갑자기 초조해져, 아벨라가 두 뺨 위로 손을 올렸다. 하지만 눈은 온통 반짝이고 있었다. 기쁨과 기대감이었다.

"아, 바보 같아. 왜 그걸 열어 보지 않았지?"

깨닫고 나니, 지금 당장 처소로 돌아가고 싶었다. 그걸 왜 까맣게 잊고 있었는지 자신조차 이해가 가지 않았다.

물론 주머니에 무엇이 들어 있는지는 모르겠다. 하지만 설마 대공이 제게 이상한 걸 줬겠어?

잔뜩 들뜬 듯한 아벨라를 사랑스럽게 바라보던 펠리체가 이내 입을 열었다.

"제롬이 깨어나고, 체하트가 짐을 챙기는 대로 바로 돌아가자."

"응. 그리고 아버지와 무슨 이야기를 나눴는지도 마저 알려 줘야 해."

아벨라가 빠르게 고개를 끄덕이며 대답할 때였다. 방문을 열고 체하트가 낑낑대며 걸어왔다. 두 손으로 잔뜩 제 몸집만 한 가방을 들고 왔다.

"형님, 저 왔어요!"

"이렇게 많이 갖고 올 필요는 없, 없지 않았니?"

펠리체가 웃음을 참으며 체하트와 아벨라를 번갈아 보았다. 그의 눈이 살갑게 빛났다. 퍽 행복해 보이는 낯빛이었다.

세 사람이 서로를 바라보며 웃고 있을 때였다.

이게 무슨 몰아치는 타이밍이란 말인가? 그 순간 단장이 침실과 이어지는 문으로 걸어 나왔다. 셋의 고개가 단장을 향해 돌아갔다.

"저하!"

단장이 짓고 있던 침착한 표정은 간데 없었다.

"9황자 저하께서 깨어나셨습니다."

"드디어……!"

셋 모두의 표정이 순식간에 밝아졌다.

셋은 모두 황급히 안으로 다시 들어갔다. 제롬은 침대 헤드에 기댄 채 앉아 있었다. 온통 희게 질린 얼굴이었다. 푸석한 갈색의 머리칼은 하나로 묶어, 어깨로 늘어뜨린 채였다. 그는 파리하게 눈을 감고 있다가, 인기척에 간신히 눈을 떴다.

"형…… 님."

"제롬."

제롬이 희미하게 웃으며 펠리체를 부르자, 그가 굳은 얼굴로 고개를 끄덕였다. 그러자 제롬이 희미하게 웃는 얼굴로 그 옆의 아벨라와 체하트를 바라보았다.

"형수님."

"제롬, 괜찮아요?"

"체하트."

"예, 형님, 저예요."

체하트는 제롬의 늘어진 손을 꼭 붙잡으며 눈물을 글썽거렸다. 제롬이 희미하게 웃었다.

"이게 꿈은 아니길 바랍니다. 사실, 이런 내용의 꿈을 수천 번은 꾼 것 같거든요."

힘을 아끼기 위해 무척이나 느릿하게 말을 잇고 있었지만, 목소리만큼은 또렷했다. 아벨라는 웃으려고 노력하면서도 천천히 고개를 가로저었다.

"꿈이 아니에요."

"형수님."

제롬은 그녀에게 미소를 되돌리다가, 문득 다시 눈을 감은 채 호흡을 가다듬으려 노력했다.

　"지금이 언제인지는 저를 봐주셨던 의사께 들었습니다. 벌써 두 달이나 지났더군요. 그 두 달 동안 저 골방보다도 좁은 곳에 갇혀 있었습니다."

　순간 제롬의 얼굴에서 웃음기가 사라졌다. 그를 바라보던 일행들 또한 덩달아 얼굴을 굳혔다.

　"……그동안 어떻게 된 건지 물어도 될까요?"

　아벨라의 조심스러운 물음에, 제롬이 고개를 끄덕였다.

　"간단하게 말하자면, 왈로인에게 상담할 것이 있어 갔다가 마취약을 넣은 차에 당해 쓰러졌습니다."

　"그게 언제죠?"

　"자세한 날짜는 기억이 나질 않지만……."

　생각하던 제롬이 아벨라와 똑바로 눈을 맞췄다.

　"형수님이 완튼 경과 함께 변장하고 도서관에 들르셨을 때였습니다."

　아벨라의 눈이 휘둥그레졌다.

　"그걸 보셨어요?"

　제롬이 다시 입꼬리를 올려 웃었다. 하지만 아까의 웃음보다는 훨씬 씁쓸해 보였다.

　"예. 똑똑히 기억합니다. 그때 형수님이 도서관을 나가시는 걸 확인한 뒤 들어갔었으니까요."

　"왈로인에겐 무엇을 상담했는지 물어봐도 되겠니?"

　순간 제롬이 입술을 굳게 다물었다. 퀭한 얼굴이었지만 눈빛만큼은 형형했다.

"돌아가신 아리하 형님께서 남긴 진짜 유지에 대해서입니다."

펠리체와 아벨라, 체하트의 눈이 커졌다.

"진짜 유지라고요?"

"그런 게 있었단 말이냐? 아리하 형님이 뭐라고 하셨고? 그를 만나지 못했는데 혹시 나에게도 당부의 말이 있었는지 알려 줄 수 있겠니, 제롬?"

"꼭 알려 주세요. 저도 마음에 걸려요. 연회 때 봤는데 안색이 정말 좋지 않으셨거든요. 혹시 그때 우리가 7황자께 일어났던 일을 막을 수 있었다면……."

세 사람이 앞다투어 말하려 드는 광경을, 제롬은 가만히 지켜보았다. 저들은 정말로 아리하 형님에게 일어났던 일을 모르고 있었다. 그저 눈빛만 봐도 알 수 있었다.

발리엇이 말했던 것은 모두 거짓이었다. 아. 자신은 대체 무슨 헛된 의심을 했었단 말인가. 아리하의 상자를 펠리체가 갖고 있었을 리도 만무하거니와, 만일 그가 갖고 있었다면 그 즉시 자신에게 말해 주었을 것이다.

그를 의심했기 때문에 모든 일이 꼬이고 말았다. 마음속에서 피어오르는 후회로, 제롬의 얼굴이 일그러졌다.

"형님, 용서하세요. 저는 아리하 형님을 죽인 게 펠리체 형님이라고 잠시 오해했습니다. 발리엇 형님이 이 상자를 전해 주며 펠리체 형님의 처소에서 가져온 거라고 이야기했기에……."

"뭐라고?"

펠리체의 얼굴이 차갑게 굳어졌다. 일이 꼬인 원인에 발리엇이 있을 거라는 건 익히 예상하고 있었지만, 제롬에게까지 이런 공작을 하고 있었을 줄은 몰랐다.

제롬은 그런 펠리체의 얼굴을 보곤 한 풀 더 풀 죽은 목소리로 말을 이었다.

"거짓말이야. 나는 그 상자에 대해서 알지도 못했다."

"……말씀하시지 않아도, 형님의 얼굴을 보는 순간 제가 크게 잘못 생각하고 있었음을 알았습니다. 하지만 그땐 혼란스러웠고, 그래서 왈로인을 찾아갔던 겁니다. 가서 상담하기 위해서요."

제롬이 말을 잇는 사이, 그의 뺨에서 눈물이 토르르 굴러 떨어졌다.

"그런데 왈로인은 그렇게 찾아온 제게 뜬금없이 자신이 금기를 어겨 마법을 쓸 수 없다고 털어놓았습니다. 어떤 탁월한 재능을 가진 소녀가 제국에 걸림돌이 될까 두려워, 그녀의 영혼을 알 수 없는 곳으로 보낸 대가라는 이야기였습니다. 그러면서 곧 자신은 떠날 것이고, 다시 돌아오지 않을 거라며 제게 인사를 전하더군요."

지금 제롬이 말하는 소녀는 바로 자신이다.

아벨라는 자신도 모르게 아랫입술을 꽉 깨물었다. 치미는 화를 억누르기 위해서였다. 비단 자신의 이야기를 했기 때문이 아니었다. 자신의 이야기를 푼 목적이 오로지 제롬을 속이기 위해서라는 게 화가 났다.

"저는 그런 스승을 이해할 수 없었지만, 그래도 받아들였습니다. 떠나겠다니, 모든 것은 비밀로 묻어 두는 게 좋겠다 싶었으니까요. 그리고 그의 제안으로, 제 속 얘기를 하게 된 겁니다. 그 상자와 아리하 형님과…… 펠리체 형님의 이야기까지도."

제롬은 말을 끝마치고는, 잠시 눈가를 손으로 가렸다. 어깨가 두어 번 들썩였다. 울고 있는 것일까.

"……그 상자엔 맹독이 들어 있습니다."

시간이 지난 뒤, 제롬이 울음 섞인 목소리로 속삭였다.

"형님의 친필 편지야 제 마음속에 묻는다 하더라도, 그 맹독만큼은 안 됩니다. 저희 집안 대대로 내려오는 비전 맹독입니다. 그 상자를 찾아야 해요."

절박하게까지 느껴지는 제롬의 말에, 셋은 더욱더 입을 무겁게 다물었다. 지금 제롬이 말하는 '맹독'은 그들이 알기로 이미 쓰인 지 오래였다. 바로 황후 시해 때였다. 하지만 이걸 어떻게 설명해야 한단 말인가?

"……설마."

하지만 제롬은 이미 셋의 침묵으로 일의 진상을 눈치챈 것 같았다. 그가 눈물범벅이 된 얼굴을 하곤 힘없이 뇌까렸다.

"이미 누군가 그 독에 희생된 건가요? 대체 어떻게? 어떻게 된 일입니까? 제가 갇혀 있던 두 달 동안, 대체 무슨 일이……!"

제롬이 소리 높여 소리치다, 순간 휘청거렸다.

"아! 제롬!"

옆에 있던 아벨라와 체하트가 그를 부축하는 때, 저만치서 시립해 있던 단장이 그들을 향해 성큼성큼 다가왔다. 제롬의 맥을 짚은 단장이 제롬을 똑바로 바라보았다.

"이 이상 충격받으면 좋지 않습니다. 오늘은 주무시고 내일 이야기하시지요, 9황자 저하."

단장의 말에 펠리체가 고개를 끄덕이며 말을 이었다.

"……제롬, 무리하지 않아도 좋아. 네가 의식을 차렸다는 것만 확인하면 된다. 자세한 이야기는 나중에 들려주마. 지금은……."

"아니오!"

펠리체가 걱정스러운 목소리로 그를 만류할 때였다. 제롬은 마른기침을 삼키며 고개를 거세게 가로저었다.

"……제롬."

"……아니오, 괜찮습니다, 형님. 꼭 이야기를 해야겠어요."

제롬의 목소리에는 단호함마저 실려 있었다. 펠리체가 다시 반박하기 위해 입을 열었을 때였다. 펠리체와 눈이 마주친 아벨라가 그에게 고개를 가로저어 보였다.

저렇게 단호한데, 그를 말릴 순 없었다. 본인의 의사가 그렇다면 차라리 최대한 빨리 이야기를 끝내고 그를 쉬게 하는 게 좋을 것 같았다.

아벨라의 눈을 바라보던 펠리체가 고개를 작게 끄덕이고는 진중한 목소리로 다시 입을 열었다.

"……그래, 알겠다. 지금 돌아가는 상황을 간략하게 얘기해 줄게."

펠리체는 제롬이 사라진 뒤에 일어났던 일들을 간략하게 풀어 놓았다. 사냥 대회 전후로 왈로인이 제롬 행세를 하기 시작해, 그 독약으로 황후를 죽이고 그 죄를 길라 황귀비에게 뒤집어씌웠다는 것까지도.

제롬은 아까보다 훨씬 침착한 얼굴로 그 모든 이야기를 들었다. 처음, 충격받아 흔들리던 얼굴은 온데간데없었다.

"……괜찮니?"

"예, 마음의 준비를 하니 한결 낫……."

대답하던 제롬의 말끝이 흐려지더니 그의 얼굴에서 다시 눈물이 툭툭 떨어지기 시작했다. 괜찮을 리가 없었다.

"용서할 수가 없습니다."

제롬이 차가운 얼굴로 뇌까렸다.

"제롬."

"도저히 용서할 수가……. 어떻게 인간의 탈을 쓰고 그럴 수 있단 말입니까? 대체 무엇을 위해서? 이 나라를 위해서란 말입니까?"

"제롬."

괴로워하는 제롬을 향해 아벨라가 작게 그의 이름을 불렀지만, 제롬에겐 들리지 않은 모양이었다. 그는 슬퍼하며 말을 이어 나갔다.

"스승님이 왜 절 살려 두셨는지 잘 모르겠습니다. 어쩌면 일말의 동정일지도 모르겠다고 생각했지만……."

제롬은 입을 다물었다가 천천히 다시 입을 열었다. 하지만 말을 하는 것만으로도 퍽 힘에 부쳐 보였다. 안색은 이제 백지장 같았고, 입술은 덜덜 떨리고 있었다.

"이제 확실히 알겠군요. 필요에 의해서 살려 두셨겠지요. 이제 저는 스승님…… 왈로인에 대해 알 것 같습니다. 애초에 사람에 대한 정이 없는 자였습니다. 그가 정을 붙이는 것은 오직 이 나라뿐……."

제롬은 쓸쓸한 표정으로 제 이불을 틀어쥐었다가 놓았다.

"두 달이 넘는 기간 동안 갇혀 있었던 그 미치도록 좁은 공간과, 제 팔다리를 얽매었던 쇠사슬보다도 그 사실이 더욱더 아픕니다……. 제 미숙함이 모든 걸 망쳤을지도 모른다는 그 사실이요……."

"아니에요, 형님. 형님……."

제롬이 울음을 삼키자, 체하트도 눈물을 따라 글썽거리며 그의 손을 잡은 제 손에 힘을 주었다. 아벨라도, 펠리체도 쉽사리 입을 열 수 없었다. 제롬의 참혹한 마음이 누구보다도 더 이해되었기 때문이다.

✦

제롬은 지금 당장에라도 황제를 찾아가 자신의 상태와 왈로인의 만행을 고발하고 싶어 했지만, 현실적으로 그는 무리에 가까웠다. 제롬의 지금 상태는 간신히 정신을 차렸을 뿐으로, 절대적으로 안정하고 쉴 기간이 필요했다.

단장은 그들에게 제롬이 완전히 예전처럼 거동하기엔 이보다 더 많은 시간이 필요할 것 같다고까지 말했다.

그렇게까지 휴식이 필요한 제롬을 함부로 8황자궁까지 옮길 수도 없었다. 게다가 너무 일행이 많아진 것도 문제였다.

결국 오늘 8황자궁으로 귀궁하는 사람은 아벨라와 펠리체 둘뿐이었다. 체하트와 마티나, 단장은 이곳에 남기로 했다.

하지만 시종과 시녀는 지금처럼 없을 예정이었다. 이곳은 대외적으로는 여전히 폐쇄된 곳으로 보여야 하기 때문이다.

뭐, 그렇다 해도 모두 개의치 않아 하는 반응이었다. 원래 단장과 마티나, 체하트는 시종 없이 사는 데에 익숙한 자들이었다. '식료품만 충분히 준다면 가능하다'고, 모두가 입을 모아 말했다.

게다가 체하트의 처소의 특별한 구조도 이 결정을 내리는

데 한몫을 했다. 이 처소에만 간이 주방이 달려 있었다. 온전히 이곳에서만 생활이 가능하다는 소리였다.

"괜찮을까?"

하지만 그렇다고 걱정이 없을 리 없다. 아벨라는 한숨을 쉬며 통로를 걸었다.

"괜찮겠지. 리시안과 다른 이들을 시켜서 식료품과 기타 잡화도 준비했으니까."

"그 부분 말고. 그냥 안전 말이야."

"걱정 마. 한때 수도를 주름잡았던 용병단의 단장과 로열가드 중 실력이 가장 뛰어난 기사가 붙어 있다고. 거기서 이쪽으로 이동하는 게 더 위험해. 왈로인도 황궁의 비밀 통로는 알고 있으니까. 빠르게 대처할 수 없는 상황은 미연에 방지하는 게 나아."

논리적인 설명이었다. 하지만 아벨라는 한숨을 삼켰다. 그래도 마음이 놓이지 않는 걸 어떡하란 말인가.

펠리체는 아벨라의 손을 잡은 채로 비밀 통로를 걷고 있었다. 다른 손엔 등을 들었다. 아까 마티나가 통로에 걸어 두었던 그 등이었다.

"그래도 마음에 걸려."

"아까는 빨리 돌아가고 싶어 해 놓고선."

"그땐 우리 둘만 갈 줄 몰랐으니까 그렇지."

아벨라는 가볍게 한숨을 내쉬었다. 펠리체는 그녀를 위로라도 하려는 듯이 잡은 손의 엄지로 그녀의 손등을 문질렀다.

"너무 걱정하지 마. 그들에게 '거울'도 주고 오는 길이니까."

"거울?"

"통신할 수 있는 아티팩트야. 별로 궁금하진 않겠지만 아주 귀한 물건이지."

"그런 물건을 갖고 있었어?"

"응. 이 황궁에 돌아온 지 얼마 되지 않아 내 편이 거의 없을 때 아이타와 내가 나눠 가졌었어. 다시 돌려받았지만."

"다시 돌려받았다고?"

"응. 저번에 아이타가 내게 다시 가져왔었거든. 내가 모든 걸 포기하고 정말 8황자궁에 틀어박힌 줄 알고 무척 실망했다면서 쳐들어왔었어."

아벨라가 '푸핫' 웃음을 터뜨렸다. 씩씩대며 8황자궁으로 쳐들어온 아이타의 모습이 눈앞에 그려지는 것 같았기 때문이다.

"그럼 3황녀님에게 다시 돌려줬어야 하는 거 아냐?"

"됐어. 지금 더 필요한 사람에게 준다고 해서 아이타가 뭐라고 하진 않을 거야."

그렇구나. 아벨라는 고개를 끄덕였다. 본 적이 없어 거울이 어떻게 생겼는지는 모른다. 아벨라는 펠리체와 아이타가 조그마한 탁상 거울로 서로 대화를 나누는 모습을 생각했다. ……음, 좀 어색한데. 탁상 거울이 아니라면 전신 거울 같은 모양이려나? 아니면 벽거울?

그때였다. 아벨라의 생각을 읽은 듯이 펠리체가 품 안에서 은으로 세공된 손거울을 꺼내 보여 주었다.

"이렇게 생겼어."

"의외로 평범한걸."

"그래도 세상에 다시없는 물건이지요, 부인."

펠리체의 뽐내는 말에, 아벨라가 잠시 입을 뾰로통하게 내밀었다. 괜히 샘난다. 펠리체가 그런 아벨라를 다정한 눈길로 바라보고 있을 때였다. 아벨라가 다시 입을 열었다.

"그런데 대체 그런 아티팩트는 어디서 구했어? 파는 거야? 어디서 파는데? 가게?"

그러고 보니 궁금하긴 했다. 자신은 용의 레어에서 아티팩트를 집어 왔었다. 체하트는 아티팩트를 직접 만들었지. 하지만 마법을 쓰지 않는 사람들, 용의 레어에 갈 기회도 없고 아티팩트를 만들 재능도 없는 사람들은 대체 어디에서 이 아티팩트를 구하는 걸까?

아벨라의 물음에, 펠리체가 간단하게 대답했다.

"아티팩트는 만들기도 힘들고 상시로 유통할 수도 없으니 주로 경매를 통해 구해. 아티팩트를 유통하는 무역상들이 따로 고객들에게 연락을 돌려 자리를 만들지. 꽤 고가의 물건이니까, 취급하는 곳도 적고 사려는 사람들도 그렇게 많지 않아."

아벨라가 '아' 하고 고개를 끄덕였다. 아티팩트는 꽤 고가였다고 했던 것 같다. 그럼 이런 고가의 아티팩트를 사는 사람들은 주로 돈이 많은 작자들이겠군.

"대부분 귀족들이 구매할 수 있겠네."

"그렇지."

"그럼 그 거울도 돈을 주고 산 거야?"

"아니. 이 거울 아티팩트는 용병단에 속해 있을 때 운 좋게 공짜로 구한 거야. 아티팩트 경매장을 호위한 적이 있었거든."

펠리체의 용병단 시절 이야기가 나오자 아벨라의 눈동자가 호기심으로 빛났다. 처음 듣는 이야기였다. 펠리체의 과거는 지나가는 듯한 이야기로 잠시 들었던 게 전부였으니까.

"그래서?"

"외모가 괜찮고 예법 교육을 통과한 자들은 행사장 안쪽 경호를 맡거든."

"그럼 펠리체는 행사장 안쪽 경호했겠네."

"잘 아네."

아벨라의 말에 펠리체가 넙죽 맞장구를 치곤 다시 말을 이었다.

"그래서 경호하던 중 그 경매장을 털려고 했던 일당을 어쩌다 보니 내가 잡게 되어서, 주인이 감사의 의미로 그 경매장에 나온 매물 중 하나를 준 거야."

"어쩌다 보니?"

너무 많이 함축된 게 아닌가. 아벨라가 말꼬리를 늘이며 묻자, 펠리체가 머쓱하게 웃었다.

"그런 건 자세하게 이야기하기 좀 쑥스러워서."

"보통 사람들은 그런 부분을 더 자세히 이야기해."

"그런가."

펠리체는 가만히 웃으며 아벨라의 손을 잡은 손에 다시 힘을 주었다.

"경매 물품 중 가장 하품이었지만 나한텐 가장 필요했어."

"그 아티팩트가 가장 하품이래?"

"그날 나온 물건들 중에선 하품이라고 하더라. 비싼 축에 속하는 통신 아티팩트가 가장 하품이라면 그날 나온 물건들은 대체 어떤 물건들이었을까, 가끔 궁금해."

그때였다. 펠리체가 등불을 걸어 두었다. 그러곤 자연스럽게 벽돌의 한 곳을 눌렀다. 그러자 문이 열리고, 눈앞에 익숙한 방의 풍경이 펼쳐졌다.

"도착했네."

펠리체의 음성에, 아벨라가 고개를 끄덕였다.

⋯⋯❖⋯⋯

잘 채비를 모두 끝마치고, 아벨라는 침대 위에 앉아 자신의 앞에 놓인 주머니를 바라보았다.

드디어 열어 볼 시간이 온 것이다.

"후."

아벨라가 크게 심호흡을 하던 차였다. 펠리체가 대강 걸친 파자마 차림으로 단추를 잠그며 불쑥 들어왔다.

"아직도 열어 보지 않았어?"

"어, 아무래도 떨⋯⋯."

펠리체를 바라보며 대답하던 아벨라의 시선이 급작스럽게 다른 곳으로 돌아갔다.

"옷 좀 추슬러 주겠어?"

"새삼스럽다고 생각하는데요, 부인. 많이 보시지 않았습니까."

"장난쳐? 새삼스럽게 잘 빠진 몸매가 문제라고. 어서 입어. 가뜩이나 긴장되는데!"

아벨라가 미간을 팍 찌푸리며 다시 한번 펠리체를 강하게 노려봤다. 하지만 이미 귀와 볼이 잔뜩 달아오른 상태라, 전혀 화가 나 보이지 않았다.

아벨라의 얼굴을 본 펠리체가 장난스럽게 씨익 웃곤 단추를 천천히 잠그기 시작했다.

"불호령이 무섭습니다, 부인."

"앞으로는 제가 벗으랄 때만 벗으시길 바랍니다."

"……뭐?"

"—조용히 해. 이제부터는 정말로 주머니 열 거야."

아벨라가 새초롬하게 대답했다. 그와 동시에 펠리체가 그대로 고개를 숙인 채 킥킥대기 시작했다.

아벨라는 무시한 채로 다시 주머니를 향해 시선을 고정했다. 더 반응해 봐야 부끄럽기만 할 뿐이다.

그나저나 이제 진짜로 이 주머니를 열 차례였다. 아벨라가 천천히 주머니에 단단히 매어진 매듭을 풀기 시작했다.

여기에 대체 뭐가 들어 있기에 아버지는 펠리체에게 그렇게 채근한 걸까? 꼭 열라고 신신당부를 했다니, 더더욱 궁금해진다.

"여기 뭐가 들었을 것 같아?"

아벨라가 마지막 매듭을 풀며 물었다. 그가 아직 웃음기 어린 얼굴로 생각에 잠겼다.

"글쎄. 대공의 안배라면 아무래도 위기 상황에서 쓸 만한 도구라거나 앞으로 아벨라 네게 하고 싶은 말이 있지 않을까?"

"아, 뭔지 알 것 같아."

아벨라가 고개를 끄덕였다. 자신이 다른 세계에서 봤던 소설이나 영화에서도 지키고 싶은 사람을 위해서 큰 위기가 닥쳤을 때 편지나 쪽지를 남기기도 했었던 것 같다.

과연. 아벨라는 거의 쪽지라고 확신한 채로 주머니의 매듭을 완전히 풀어헤쳤다. 아버지가 자신에게 남긴 쪽지가 과연 뭘까?

아까 주머니를 먼저 건드려 봤을 때 손에 잡힌 것은 각지고 딱딱하고 두툼한 물건이었다.

그렇다면 액자와 쪽지 같은 걸까.

이런저런 물건들을 상상하던 아벨라가 마침내 주머니를 열었을 때였다.

"어?"

아벨라의 눈이 동그래졌다. 어라?

"왜?"

옆에서 펠리체가 고개를 기울이며 물었다.

"별거 없는데?"

"쪽지 없어?"

"응."

아벨라는 어리둥절하게 대답하곤 주머니를 거꾸로 세워 탈탈 털었다. 주머니에서 이내 내용물들이 모두 쏟아져 나왔다.

아벨라의 말대로였다. 별거 없었다. 아벨라와 펠리체가 침대 위로 굴러다니는 물건들을 보면서 눈을 깜박였다. 딱딱한 상자에 가까운 자주색의 뭔가와 사탕 몇 개. 그게 전부였다.

"……정말 별거 없네."

펠리체가 한쪽 눈썹을 치켜세우며 중얼거렸다.

아벨라가 의아한 표정으로 정체불명의 자주색 물건을 집어 들었다.

"이건 뭘까?"

액자라고 생각했는데, 앞도 뒤도 아무것도 없었다. 대신 보이는 것은 가운데에 그어져 있는 금과 그 사이를 열 수 있게끔 파인 홈뿐이다.

열어 볼까. 아벨라가 홈으로 손가락을 넣어 열었을 때였다. 덮여 있던 부분이 날개처럼 열렸다. 아벨라의 눈이 동그래졌다.

"거울?"

정확히는 접이식 경대였다. 처음 덮여 있던 뚜껑 부분의 안쪽까지 거울로 되어 있었다.

"총 여섯 장인가?"

아벨라가 거울을 펼친 채로 중얼거렸을 때였다. 펠리체가 반박했다.

"아니, 뒤에 더 있는 것 같아."

"뭐? ……어라, 정말이잖아?"

펠리체의 말대로였다. 아벨라가 펼친 채로 거울을 들자, 아래에서 꼬리가 펼쳐지듯 같은 크기의 거울이 두 장 더 펼쳐졌다.

아벨라는 거울을 다시 평평하게 침대 위에 내려놓았다. 그러다 펴진 꼬리 부분인 줄 알았던 거울의 아래쪽으로 또 홈이 파여 있는 걸 발견했다.

"또 있어?"

아벨라가 놀란 목소리로 중얼거리곤 홈으로 손을 넣어 펼쳤다. 심지어 펴면 펼수록 더 넓게 펴졌다.

"어디까지 펴지는 거야?"

아벨라가 거울을 펴면서 중얼거렸다. 그 뒤로 거울은 계속 끝도 없이 펼쳐졌다. 펼치면 그 사이에 홈이 있고, 또 그 홈에 다시 거울이 있는 식이었다.

다 펼쳐 보니 이 넓은 침대의 반 정도를 차지했다.

"이렇게 넓은 거울이 있던가."

펠리체가 턱을 짚으며 중얼거렸다.

"일단, 접이식 거울이 이렇게까지 넓게 펼쳐지는 건 처음 보는 것 같아."

아벨라가 팔을 툭툭 치면서 대답했다. 처음엔 그냥 휴대용 경대라고 생각했는데 이렇게까지 큰 거울이 될 줄은 몰랐다.

그런데 이걸 왜 주신 걸까.

아벨라가 생각에 잠겼다. 왜 대공이 거울만 들어 있는 주머니를 자신에게 준 걸까?

곤란하고 힘들 때 열어 볼 비책이 이 거울이란 말인가? 게다가 거기서 끝이 아니라 펠리체에게까지 말을 전하며 채근했다.

합리적으로 내릴 수 있는 결론은 이 거울이 단순한 거울이 아니라는 것. 그렇지 않고서야 단순히 휴대용으로 지니고 다니는 의미일 뿐인 거울을, 전후 사방으로 펼쳐지게끔 만들었을 이유가 없으니까.

그런데 그 '뭔가'가 뭔지 모르겠다. 아벨라는 팔짱을 끼며 생각에 잠겼다.

"'아버지'가 이걸 왜 주신 걸까?"

아벨라가 무의식적으로 중얼거린 때였다. 일순, 거울이 반짝하고 흰빛을 내는 것 같았다.

"어? 지금 방금 뭔가 빛난 것 같아."

펠리체가 말하자, 아벨라도 고개를 끄덕였다. 아벨라도 봤다. 아벨라가 놀란 눈으로 거울을 향해 다시 한번 손을 뻗었을 때였다.

그녀는 휘둥그레진 눈으로 입을 크게 벌리며 거울을 가리켰다.

대공이었다.

대공이 그 안에 있었다.

언제나처럼 깔끔하고 우아한 차림이었다. 깃펜을 든 채 정무를 보는 책상에 앉아서, 이쪽을 빤히 바라보고 있다.

"……!"

너무 놀라면 나오던 말도 나오지 않는다. 아벨라는 거울에 대고 계속 손가락질을 하며 제 옆에 선 펠리체의 옷깃을 잡아당겼다.

펠리체의 눈동자가 커졌다. 하지만 아벨라와 다르게, 놀라하는 표정은 아니었다. 오히려 무척이나 익숙하게 반겨하는 얼굴이었다.

"어쩐지."

펠리체가 감탄하는 어조로 말하곤 씨익 웃었다.

"통신 아티팩트였군요."

통신 아티팩트라고? 그제야 아벨라가 다시 '아' 하고 속으로 탄성을 삼켰다.

이 거울에 대공이 나타난 이유는 바로 이 거울이 아티팩트이기 때문이다.

펠리체가 아이타와 거울을 나누어 가졌었다고 말했듯이, 이 거울은 바로 아벨라와 대공을 잇는 아티팩트였던 것이다.

"세상에. 그럴 수가."

아벨라가 감탄하는 듯한 어조로 거울을 바라봤다. 그래, 거울을 봤을 때부터 단번에 떠올렸어야 했다. 심지어 아까 이곳으로 오면서 이에 대해 실컷 이야기하기까지 했는데.

그나저나 좀 허탈하기도 했다. 등잔 밑이 어둡다고 했던가. 펠리체의 거울을 부러워하고 있었는데 정작 이미 자신이 갖고 있었다니.

"진작 열어 봤어야 했는데, 죄송해요."

아벨라가 미안한 표정으로 사과할 때였다. 대공이 고개를 가로저었다.

[사과할 필요 없다. 그럴 수도 있지. 귀한 물건이 빛도 못 본 채로 주머니에 있을 뻔했지만, 나는 이 거울을 수시로 들여다보기 위해 벽에다 이 거울을 걸어 놓기까지 했지만 이는 전혀 사과할 일이 아니야.]

이야기만 들어보면 사과할 일이 맞는다는 것 같은데…….

특출 난 화법에 아벨라가 잠시 당황해할 때였다.

공작이 갑자기 자신이 앉아 있던 탁자에서 일어났다. 그러더니 제 탁자에서 보고 있던 서류 중 몇 장만을 꺼내어 봉투에 넣었다.

"……아버지?"

아벨라가 어색하게 다시 그를 부르자, 대공이 저편에서 한쪽 손을 들었다. 알고 있으니 잠깐 기다리라고 말하는 것 같다. 아벨라는 입을 다물고 좀 더 지켜보기로 했다.

이내 서랍에서 가방을 꺼낸 공작이 다시 거울 앞으로 다가왔다. 대체 뭘 하는 거지? 호기심 어린 표정으로 아벨라와 펠리체가 그를 바라보고 있을 때였다. 공작이 그들을 다시 바라보았다.

아벨라는 그 순간, 공작의 입가에 환한 미소가 짧게 비쳤다가 사라지는 것을 보았다.

어, 지금 방금 아버지가 웃은 게 맞나? 아벨라가 자신이 본 광경을 되새기는 사이였다. 다시 무표정으로 돌아온 공작이 아벨라와 펠리체를 향해 손을 휘저었다.

[잠깐, 너희, 떨어져.]

"예?"

펠리체가 얼떨떨하게 되묻자 대공이 한쪽 눈살을 찌푸렸다.

[기사도가 출중한 건 좋지만, 내 딸과 너무 붙어 있어. 좀 떨어지게.]

공작의 심술궂은 어투에, 펠리체가 더욱더 이를 보이며 웃었다.

"……혹시 잊으신 것 같아 말씀드리지만, 제가 결혼을 해서요."

[능청은. ……아벨라.]

차갑게 대꾸하던 공작이, 다시 그 옆의 아벨라를 불렀다. 펠리체에게 말할 때와는 다르게 부드러운 목소리였다.

"네, 네에."

[지금 나를 바라보고 있는 장소를 보아하니 바닥이나 책상 위인 것 같은데.]

"침대 위예요."

[되도록 세워 주었으면 좋겠구나. 너와 얼굴을 정면에서 마주 보는 각도여야 해. 물론 이 일은 네 옆의 저놈이 해야 할 거고.]

"……그렇잖아도 하려고 했습니다."

아벨라가 고개를 끄덕이려는 찰나 펠리체가 퉁명스럽게 대답했다.

일순 펠리체가 번개처럼 일어나 거울을 테이블 쪽으로 가져갔다. 그러고는 테이블의 넓은 면에 기대어 걸치게끔 거울을 세워 두었다.

대공은 거울을 통해 이 모든 광경을 지켜보고 있었다.

"옮겼습니다. 그나저나 전하, 단순히 통신 목적인 거울치고는 너무 큰 게 아닌가요? 더군다나 딜루어 공국의 물건치곤 너무 구식이 아닙니까?"

펠리체가 자신을 바라보고 있는 대공을 향해 짓궂게 농을 건넸다. 아벨라는 펠리체를 믿지 않게 흘겨보았다.

"까불래?"

[그러게, 정말로 까부는걸.]

"이럴 때 까불어야 하지 않을까요? 직접 못 오실 때."

펠리체가 엷게 웃으면서 능청스럽게 대답했다. 참 나. 아벨라도 곧 그를 따라 피식 웃으며 대공을 바라보았다. 순간, 아벨라의 얼굴에서 웃음이 사그라들었다.

대공이 거울 안에서 무척이나 사악한 얼굴로 웃고 있었다. 입꼬리만 올라간 게, 울던 아이도 놀라 울음을 그칠 만큼이나 섬뜩한 표정이었다.

[직접 못 간다고? 내가?]

그, 그렇지 않을까요? 아벨라는 물론이고 펠리체마저 그 표정에 놀라 눈을 깜박였다. 잠깐 어색한 공기가 흐르자 대공이 고개를 끄덕였다.

[뭐, 어쨌든 좋아. 내가 직접 보여 주면 되니까.]

"뭘 보여 주신다는 건가요?"

[아, 잠깐만. 이제 자네들이 해야 할 일은 딱 하나일세.]

"뭔가요?"

[내 앞에서 최대한 물러나는 거지.]

"네?"

물러나라고? 아벨라가 어리둥절해하며 되물으려 할 때였다. 펠리체가 아벨라를 감싼 채 거울로부터 두어 걸음 물러났다.

"뭐, 뭔데?"

"나도 모르겠는데, 일단 물러나야 할 것 같았어."

침대 기둥까지 물러난 아벨라와 펠리체가 서로 소곤거리고 있을 때였다.

[음. 그럼 해 볼까.]

마뜩찮아 하는 것 같으면서도 묘하게 즐거운 것처럼 들렸다. 그리고 그때였다.

거울에서 발이 불쑥 나왔다.

"허, 허억!"

"악!"

아벨라와 펠리체 모두 그 자리에서 뛰어오르려는 것을 간신히 눌러 참았다. 머리카락이 쭈뼛 서는 느낌이었다. 지금 자신이 보고 있는 게 맞나? 딜루어 대공이 거울에서 나오고 있었다.

"허억."

아벨라가 터져 나오는 소리를 막기 위해 스스로 제 입을 틀어막았다.

심장이 마구 뛰었다. 요새 왜 이렇게 놀랄 일만 생기는 거야. 이러다가 단명하겠다고!

"지, 지금."

놀란 것은 펠리체도 마찬가지인 듯했다. 입을 벌린 채 아예 다물지를 못하고 있었다.

하지만 그 와중에도 딜루어 대공은 태연하게 옷을 털고 있었다. 딸과 사위 둘이 침대 옆에서 식겁하고 있어도 아랑곳 않는 모양새였다.

옷매무새를 모두 매만진 뒤, 공작이 해쓱해진 아벨라와 펠리체를 보며 씨익 웃었다.

"내 사위가 까부는 모습은 아주 잘 보았네. '거울이 왜 그렇게 크냐'고, '구식'이냐고?"

묘하게 느껴지는 자랑스러운 어조에, 펠리체가 아차 하는 표정으로 입술을 꾹 눌렀다.

"제가 제 발등을 찍었습니다. 정말 전하가 맞으십니까?"

"아무렴 가짜라고 할까. 왜, 왈로인처럼 귀 밑에 보석이라도 달고 있을 것 같은가?"

그때, 티격태격하던 두 사람의 대화를 듣고만 있던 아벨라가 대공을 불렀다.

"아버, 아버지?"

아주 작은 목소리였지만, 두 남자 모두 그 목소리를 듣자마자 아벨라를 향해 바로 고개를 돌렸다.

캐노피의 한쪽 기둥을 잡은 채 아벨라가 불안과 기쁨, 의심이 섞인 표정으로 그를 바라보고 있었다. 공작은 이내 입꼬리를 들어 보이며 씨익 웃곤 두 팔을 벌렸다.

"이리 오렴, 아벨라."

아, 정말 대공이 맞구나. 제게 인자한 표정으로 팔을 벌리는 딜루어 대공을 보는 순간, 아벨라는 아무런 망설임 없이 앞으로 나아갔다.

왈로인과 카셀란을 만나 모든 진실을 알고 난 뒤, 처음 만나는 아버지였다. 저번에 만났을 땐 어색하고 남의 아버지를 속인다는 죄책감이 남아 있었는데.

"아버지."

그리 말하며 아벨라가 대공을 꼭 끌어안았다. 대공이 빙그레 웃으며 안겨 오는 제 딸을 마주 껴안았다.

"잘 있었니, 아벨라."

"……아버지."

가슴이 턱 막히는 고양감에, 아벨라가 어쩔 줄 모르고 대공의 가슴팍에 얼굴을 묻었다. 자신의 가족이었다. 자랑스럽게 말할 수 있게 된 것이다. 이자가 자신의 아버지라고. 살아서 이렇게 다시 무사하게 만나게 되어 정말 다행이다.

"아버지."

아벨라는 다시 한번 꽉 끌어안았다. 그녀의 어깨가 가느다랗게 떨리기 시작했다. 놀라움, 기쁨, 그리고 안도로 점철된 감정이 마치 해일처럼 그녀를 휩쓸었다.

이는 펠리체에게서 느끼는 감정과는 달랐다. 펠리체가 그녀가 서 있을 수 있게 지탱해 주는 단단한 대지라면, 이 순간 조우한 제 아버지는 푸른 창공이었다.

공작은 말없이 그런 그녀를 좀 더 단단히 마주 안아 줄 뿐이었다.

감동적인 재회는 잠시였다.

"진작 열어 보지 그랬니."

"제대로 알려 주셨어야죠."

찻주전자를 사이에 두고, 두 부녀는 티격태격하기 시작했다. 팽팽한 신경전이었다.

덕분에 내실에 그들과 같이 있는 펠리체와 베티, 리시안은 각자 모르는 척 딴청을 부렸다. 죽을 맛이었다. 특히나 쉬다가 새벽에 불려온 리시안과 베티, 둘의 표정은 더했다.

"아니, 하다못해 시동어라도 좀 가르쳐 주시든가. 그러면 좀 감을 잡고 '아, 여기에 뭐가 들어있겠구나.' 했을 거 아니에요?"

"깜짝 놀라게 해 주고 싶었지. 그리고 그 정도 시동어라면 쉽다고 생각했다. 도리어 내가 네게 묻고 싶구나. 대체 왜 일찍 열어 보지 않은 거니?"

대공이 억울하다는 어조로 말을 이어 나갔다.

"난 네가 지금보다 훨씬 더 일찍 열어 볼 줄 알았다. 황궁에 불이 나 황비가 죽었을 때라든가 펠리체에게 몹쓸 소문이 붙었을 때라든가."

'다 알고 계시긴 했네.'라고 생각하면서도, 아벨라의 입은 얌전히 다물렸다. 거기까지는 미처 생각지 못했다. 진작 꺼내서 사용법을 연구해 봤으면 확실히 대공과 더 일찍 만날 수 있었을 것이다. 진작 열어 보지 못한 건 잊고 있었던 자신의 탓이 맞다.

"진짜 최후의 최후에야 꺼내 봐야지 생각하다가 잊어버렸어요. 그건 죄송해요."

"그렇게 비장하게 말했다곤 생각하지 않지만, 괜찮다. 그래도 무사하게 만났으니까."

대공이 짐짓 말하는 때였다. 딴청을 부리고 있던 펠리체가 때를 알아채고 귀신같이 끼어들었다.

"정말 다행이죠. 그러니 이제 저도 입을 열어도 될까요? 인사드리고 싶은데요, 전하."

"대공 전하를 뵙습니다. 저도 인사드리고 싶습니다."

"대공 전하를 뵙습니다, 전하. 저도요."

펠리체와 옆의 리시안, 그리고 베티를 보는 대공의 눈에 반가움이 깃들었다.

"펠리체와 리시안은 그러려니 하더라도, 베티 자네는 정말로 오랜만이군."

베티의 얼굴이 밝아졌다. 방 안의 모두가 흐뭇해하며 그 광경을 바라보았다.

"전하, 영광입니다."

"……로톤에서 본 뒤로 정말 오랜만이군. 이 먼 타국까지 내 딸과 함께 와 주어 정말로 고맙네. 자네의 활약상은 익히 들어 알고 있네. 자네의 노력과 정성을 공국은 절대로 잊지 않을 거야. 내 직접 큰 보상을 약속하겠네."

공작의 말에 베티의 얼굴이 순식간에 붉어졌다. 그때, 옆에 있던 리시안이 앞으로 나섰다.

"저도 그렇습니다."

나선 리시안을 본 대공의 미간이 가볍게 찌푸려졌다.

"리시안, 직위 해제의 뜻은 대체로 발령 대기까지 포함되어 있네. 공국의 정보국 출신인 자네가 타국으로 넘어간다는 자체가 말도 안 되는 일인 것은 자네가 가장 잘 알고 있을 것 같은데."

리시안이 씩 웃었다.

"이미 제가 8황자 저하께 접근하는 과정을 다 알고 계셨으리라 봅니다. 그리고 월급 한 푼 주시지 않고 계속 부리시지 않았습니까? 억울합니다."

"그 정도는 감수해야지."

"큰 보상은요?"

리시안의 말에, 대공은 잠시 질렸다는 표정을 짓곤, 대답하지 않은 채 바로 펠리체를 향해 입을 열었다.

"이놈을 부릴 때, 좀 험하게 굴려도 되네. 나는 왜 내가 이 녀석에게만큼은 이렇게 약한지 모르겠어. 사지를 몇 번이고 함께했기 때문인가."

"받들겠습니다."

펠리체가 빙그레 웃으며 대답했다.

"금방 돌아가야 하지만 그래도 이 새벽 동안은 이야기할 짬이 날 게다."

공작의 말에, 펠리체와 아벨라가 잠자코 고개를 끄덕였다. 생각 같아선 좀 더 여기에 머물러도 된다 붙잡고 싶지만 그럴 수 없었다. 대공은 일국의 수장, 그런 그가 말 그대로 적국의 한복판에 와 있는 중이었다.

리시안에게서 빼앗은 고장 난 구슬 아티팩트를 테이블에 내려놓으며, 대공이 다시 찻잔을 들었다.

"그래서 '계획'을 아벨라에게도 말했다고."

"예."

아벨라와 펠리체가 고개를 끄덕였다. '계획'이라 함은, 당연히 제국을 무너뜨리겠다는 펠리체의 계획을 말하는 거겠지. 대공은 그들의 표정을 보곤 잠시간 말이 없었다.

그리고 차를 머금은 뒤, 대공이 다시 입을 열었다.

"……그래, 잘했다. 언젠간 이야기해야 했으니까. 이미 아벨라는 발을 담근 상태고, 상황을 빠르게 파악하게끔 돕는 게 최선이겠지."

대공은 그렇게 이야기하곤 다시 빙그레 미소 지으며 아벨라를 바라보았다.

"그렇지만 좀 아쉽구나. 내가 먼저 이야기할 수 있었다면 좋았을 텐데."

그의 말에, 아벨라가 다시 빙그레 웃었다. 공작이 마주 웃곤 다시 말을 이었다.

"공국은 펠리체의 제안을 마다할 이유가 없었다. 펠리체가 제국에서 신임을 얻는 동안, 나는 꾸준히 타국과의 관계를 우호적으로 지속하고 있었지. 그리고 동시에 제국의 눈을 피해 군사와 관련된 밀약을 맺었지. 최근에 얻은 수확은…… 글쎄, 사므텐 국의 최신식 공성전 무기를 무상으로 다섯 대 받아 낸 것일까."

펠리체의 눈이 커졌다. 아벨라가 펠리체의 표정을 확인하곤 대공을 바라보았다. 그는 펠리체의 표정을 바라보며 뿌듯한 표정을 짓고 있다.

아, 초심자 배려는 아무도 없구만. 아벨라는 잠시 미간을 좁혔다가 다시 입을 열어 물었다.

"사므텐 공국이요?"

"대륙의 북쪽에 위치한 국가인데, 막강한 군사력, 특히 공성전으로 유명하거든. '성벽을 부수는 자도 사므텐, 지켜 내는 자도 사므텐'이란 말이 있을 정도로. 그래서 공국과 더불어 제국이 유일하게 함부로 삼키지 못하는 국가이기도 해."

"우리의 훌륭한 우방이지. 오랫동안 친분을 나누었기도 했고."

펠리체와 공작이 이어 설명하자, 아벨라가 고개를 끄덕였다.

"그러고 보니 4황자의 비였던 코티아가 사므텐 출신이었던 것 같은데요…… 아."

말을 잇던 아벨라가 눈을 휘둥그레 뜨고 펠리체를 바라보았다. 그러고 보니, 4황자비는 4황자를 데리고 고국으로 돌아갔다고 했는데.

아벨라가 한 손으로 입술을 가렸다.

"설마."

"……그들이 제국을 떠난 것도 안배하신 거였군요."

아벨라와 눈을 마주친 펠리체가 공작에게 물었다. 공작이 고개를 끄덕였다.

"코티아를 이야기하는 거라면, 맞다. 아마 사므텐 측에서 이야기했을 거다."

"그럼 설마, 4황자도 알고 있나요?"

"그렇겠지."

4황자비는 알고 있었구나. 아벨라가 4황자비의 얼굴을 떠올렸다. 무표정한 얼굴이라 차갑고, 감정을 읽기 힘들어도 속내는 누구보다 깊은 여성이었다.

그녀가 택한 것은 조국이었지만, 부부의 연도 버리지 않은 것이다. 4황자가 그녀를 택한 이유 또한 단순히 제국이 쇠퇴했기 때문이 아닐 것이다. 그녀를 사랑하기 때문이겠지. 제가 나고 자란 나라를 저버릴 만큼이나.

"아, 그리고 펠리체."

그때였다. 잠시 다과를 즐기던 대공이 무언가 생각난 표정으로 펠리체를 불렀다.

"예."

"네게 아직 말을 못해서 미안하구나. 아직 그들에게서 '회수'하지 않았다."

펠리체와 아벨라의 눈이 동시에 빛났다. 무슨 이야기인지 단번에 알 수 있었다. 펠리체가 걱정하던, 그들의 세력에 대한 이야기일 것이다.

"아직 회수가 이루어지지 않았단 말입니까?"

대공이 고개를 끄덕이곤 미안한 기색을 표하며 말을 이었다.

"그들이 돈을 어디에 숨기는지 뒷구멍들을 파악하느라 시간이 좀 걸렸단다. 우리나라도 아니고 남의 나라다보니 조사하는 데도 시간이 좀 걸렸고."

"아, 그래서 그들이 아직까지 세력을 바꾸지 않고 필사적으로 렌티아의 곁에 있었던 건가요?"

"아마도 그렇겠지. 그들은 편을 바꿀 수 없어. 필사적으로 평정을 가장할 수는 있지만, 편을 바꾸기엔 능력도 없고 시간도 없다. 자신들이 차고 있는 뒷주머니만을 꽉 틀어쥔 채, 샬롯의 자식들에게 기대어서 불안해하고 있겠지. 이미 썩은 동아줄임에도."

대공이 마침내 찻잔을 내려놓았다. 찻잔은 이미 비어 있었다.

"조사는 그래서 모두 완료하셨습니까?"

"바로 어제 끝났다. 방금까지도 그 작업을 하고 있었지."

대공이 테이블에 올려져 있던 서류철들을 펠리체에게 내밀었다. 아까 자신의 집무실에서 가져온 서류들이었다.

"각 가문마다 비자금을 숨겨 둔 방식들이 모두 달랐다. 다른 사람에게 맡겨 둔 자들도 있었고, 제국 은행의 비밀 금고를 애용하는 자들도 있었지. 그렇지만 이쪽도 어떻게든 긁어 낼 준비가 끝났다. 제국 은행도 인수했지."

펠리체가 서류를 잠시 보다 놀란 듯이 한숨을 삼켰다.

"이 계획대로라면 작위 빼고 모두 털 수 있겠군요. 제가 팬

한 걱정을 했습니다."

아벨라도 펠리체의 어깨 너머로 몰래 서류를 지켜보았다. 자신이 옛날에 외워 두었던 귀족 일람에서 본 듯한, 낯익은 가문들의 현재 금융 현황이 세세하게 적혀 있었다.

그때였다. 아벨라의 눈썹이 들렸다. 그가 보고 있는 서류들 중 붉은 쪽지가 붙어 있는 가문이 있었다.

"이 붉은 쪽지가 붙어 있는 가문은 뭔가요?"

"아, 눈치가 빠른 초파리들이지."

"초파리들이요?"

"그 가문들은 우리가 곧 상환을 시작할 거라는 걸 깨닫곤 가진 모든 돈을 쏟아부어 사병들을 고용했다. 그게 아마 렌티아와 다보프의 핵심 전력들 중 일부가 되었겠지."

"아."

"눈치가 빠른 건 좋지만, 필사적으로 알을 까 봐야 이미 식초 물에 빠진 것을."

대공이 과장된 어조로 어깨를 들썩였다. 싱글벙글 웃는 얼굴이 아님에도, 아벨라는 그가 굉장히 즐거워한다고 생각했다.

"즐거워 보이시네요."

"물론. 즐겁다마다."

대공이 유쾌한 어조로 대답했다.

"모든 판을 숨죽여 짠 뒤, 생각한 대로 착착 맞아떨어질 때의 쾌감이라는 게 있지 않니? 물론, 숨구멍 정도는 틔워 주는 게 이 바닥의 예의라지만, 나는 그런 예의엔 관심 없다."

대공이 씨익 웃는데, 순간 그의 눈이 번뜩였다. 아벨라가 눈을 동그랗게 떴다. 그의 몸집이 집채만큼 커 보였다.

펠리체에게서 피어오르는 기운과는 조금 달랐다. 펠리체가 산을 타고 오르는 범이라면, 대공은 산 그 자체였다. 아니, 태산이다. 대공의 눈이 위험하게 빛나고 있었다.

"아주 잘근잘근 밟아 줄 거다. 갚아 줄 빚이 한둘이 아니지 않니."

여상스러운 어조였기에 더 무서웠다. 아벨라의 귀 밑에 소름이 오도독 돋았다. 반면 퍽 안심이 된다. 아벨라가 빙그레 웃었다.

"아버지."

순간, 날 서 있던 공작의 눈이 눈 녹듯 다정한 기색을 띤다.

"말하거라."

공작이 부드럽게 말하자, 아벨라가 자신도 모르게 수줍게 웃었다.

"전 아버지를 닮았나 봐요. 제가 셈을 좀 잘해서요."

"오, 그러냐? 그러고 보니 내 딸이 이런저런 재주가 많단 건 들었어도 정작 보질 못했으니 무척 아쉬웠다. 나중에 꼭 보여 다오."

대공이 대답하곤 여유로운 얼굴로 다시 우아하게 찻잔을 집어 들었다. 아까 비어 있던 찻잔엔 어느새 차가 가득 차 있었다. 아마 베티 솜씨일 것이다.

다음은 펠리체였다. 펠리체는 자신이 짜 놓은 계획들을 대략적으로 브리핑하기 시작했다.

계획은 단순했다. 중간 계층이 미리 안배해 놓은 사병들을 이끌고 온 수도를 들쑤시면 이에 귀족들이 가담, 펠리체가 황궁에서 일종의 혁명을 마무리한다.

"반드시 지켜야 할 대전제는 피를 흘리지 않는 것입니다."

"제일 어려운 전제로구나."

놀리듯 대공이 말하자, 펠리체가 멋쩍게 씨익 웃었다. 멋쩍어 하는 미남이라니, 이것도 보기 좋은걸. 아벨라가 흐뭇하게 따라 웃다가 재빨리 표정을 고쳤다.

"죄송합니다. 하지만 일전에도 말씀드렸다시피, 이것만큼은 양보할 수가 없어요. 그래서 이 계획에 참여하는 자들의 타이밍을 모두 계산했습니다. 모든 자들이 제때 뛰어들면 가능성이 낮은 것도 아닙니다."

대공이 심각한 얼굴로 펠리체가 가져온 서류를 넘겨 보았다.

"……중간에 뛰어드는 역할이 가장 중요하겠군. 귀족들을 규합하는 자는 누군가."

"팔레온 공작입니다."

그의 대답에, 공작이 반가워하는 얼굴로 대답했다.

"그놈이군. 팔레온은 내 오랜 친우지. 몇 년 전, 내가 권유했을 땐 제국과 같이 죽겠다고 하더니."

"예, 팔레온 공작께서도 그렇게 말씀하시더군요. 하지만 제가 설득했습니다."

"그런가. ……그러고 보니 그놈을 안 만난 지도 꽤 됐어. 아예 계획에서 배제할 생각이었으니까. 요새도 그렇게 풀을 뜯던가?"

"네."

아벨라가 대답했다. 다른 건 몰라도 팔레온이 정원을 좋아한단 건 잘 알지.

"저번에 절 도와주셨을 때도 정원에서 초목들을 구경하고 계셨대요."

"여전하군."

대공은 그렇게 말하곤 장난스럽게 웃었다.

"나보다 낫군."

대공의 칭찬에, 펠리체가 다시 눈을 휘어 웃었다.

"전하 덕분입니다."

황제를 대할 때의 표정과는 완전히 달랐다. 정말로 아버지
를 대하는 듯한 다정한 눈이다. 덩달아 아벨라가 미소 지을 때
였다. 펠리체가 마주 웃으며 아벨라의 손을 잡았다.

"아냐, 그 손은 떼."

"예."

펠리체가 얌전히 다시 손을 놓았다. 아벨라가 '흠흠' 헛기침
을 하자, 공작이 화제를 돌렸다.

"그러고 보니, 가장 중요한 걸 묻지 않았는데."

"가장 중요한 거요?"

"그 노망난 늙은이."

"아."

단번에 알아들은 아벨라의 눈꼬리가 사나워졌다. 왈로인의
이야기다. 표정이 굳어진 것은 펠리체와 공작도 마찬가지였
다. 순식간에 흉흉한 분위기가 감돌았다.

"그는 황실을 없애고 자신이 직접 제국을 차지하고자 합니
다. 제롬 행세를 하면서 황족들을 헤집어 놓고 황제의 눈을 가
렸지만, 이제 곧 황제도 제 뜻대로 하려고 하겠죠."

"황제는 어떤가?"

"왈로인의 뜻대로 움직이고 있는 듯합니다."

그때, 공작의 미간이 완전히 찡그려졌다.

"잠깐. 황제가 왈로인을 알아보질 못한다고?"

"예."

"그건 정말 이상한데."

"저도 그렇게 생각합니다. 하지만 황궁에 심어 놓은 자들은 모두 황제가 제롬을 가장한 왈로인에게 일방적으로 맞춰 주고 있다고…….."

말하던 펠리체가 갑자기 말을 멈추곤 생각에 잠겼다. 뭔가 떠오른 기색이었다.

"……그러고 보니, '제롬을 가장한' 왈로인에게 맞춰 주고 있다는 대목은 이상합니다. 황제의 제위 기간 동안 항상 곁에 머무른 자니까, 황제의 비위를 맞추는 데 능할 거라고만 생각했습니다만…… 그건 어디까지나 왈로인이 왈로인일 때의 이야기입니다. 왈로인이 제롬을 흉내 내고 있다면, 황제가 제롬을 왈로인처럼 대할 리가 없으니까요. 황제는 제롬을 그렇게 마음에 들어 하지도 않았을뿐더러, 그가 아카데미에 가게 된 배경도 그가 황제에게 반발하고 스스로 떠났……. 이런."

말하던 펠리체가 얼굴을 굳혔다.

"설마, 황제가 일부러 맞춰 주고 있는 걸까요?"

"나는 그렇게 생각하네."

대공이 마찬가지의 표정으로 대답했다.

그것참, 이상하기도 하지.

아벨라는 그들의 이야기 속에서 나오는 황제의 속내를 좀처럼 가늠할 수 없었다.

지금까지는 황제가 왈로인의 술수에 놀아나고 있다고 생각했다. 황실의 모두가 죽어 나가고 있는데, 황제 홀로 고고히 있는 게 말이 되지 않는다고 생각했으니까.

하지만 방금 대공과 펠리체는 황제가 일부러 왈로인을 방치하고 있는 것일지도 모른다고 말했다. 사실 황제는 왈로인이 제롬으로 가장한 것을 알고 있다고도.

아벨라가 황제에 대해서 아는 것이라고는 펠리체에게, 아니 사실은 모든 자식들에게 퍽 비정한 아버지라는 것뿐이다.

아니지. 지아비로서도 비정하기는 마찬가지였다. 황제는 직접적으로든 간접적으로든 그의 세 명의 아내 모두 죽게 두었다. 물론 개중 두 명은 인과응보라는 생각도 들지만.

"황제는 그럼 대체 무슨 생각인 건가요?"

아벨라가 물었다.

"황제가 왈로인의 계획에 동참하고 있는 건가요?"

"그건 아닐 거라고 본다. 황제는 그런 자가 아니야. 그렇다기보단 그도 내심 계획을 갖고 움직이고 있다고 보는 게 좋겠지."

대공이 잘라 말했다. 펠리체가 엄지로 턱을 문지르며 생각에 잠겼다.

"제가 뭔가를 잘못 생각했을지도 모릅니다. 저는 황제를 견제할 필요가 없다고 생각하고 있었어요. 이 전부터 제가 그를 넘어선 지 오래라고 생각해 왔기 때문입니다."

펠리체는 심각한 표정으로 말을 이었다.

"다시 한번 체크해 보겠습니다."

"정보원은?"

"황제의 비서관입니다."

대공의 표정이 덩달아 신중해졌다.

"정보의 신뢰도를 낮춰 생각하는 게 좋겠구나."

"……예, 송구합니다."

"아니, 네가 송구해할 필요가 없다. 우리가 상대하는 건 대륙의 과반을 틀어쥐고 있는 패자가 아니냐. 좀 더 다양한 변수를 대비해야 해. 그런 예감이 드는구나."

대공이 미간을 좁힌 채로 일어났다.

"일단, 이 나라 귀족들에게 빌려주었던 자금 회수부터 시도해 보마. 계획을 실행하게 되면 내게 연락을 다오."

"알겠습니다. 왈로인을 처리한 뒤, 황제에 대해서 파악하는 대로 이쪽에서 먼저 연락드리겠습니다."

"부탁한다."

공작이 고개를 끄덕였다.

어느새 먼동이 터 오고 있었다.

대공은 거울 앞에 서서 돌아갈 채비를 하고 있었다. 그러곤 아벨라와 펠리체에게 이 아티팩트에 대해 나머지 사항을 신신당부했다.

"알아 두거라. 반드시 양쪽이 열려 있을 때 오가야 해. 한쪽 거울이 닫히거나 깨진다면 그 공간에 영원히 갇히게 된다."

그리 말한 대공은 손을 내밀어 그녀의 뺨에 대었다.

"그리고 난 항상 이 거울을 펴 놓으마. 이 거울은 내 집무실 벽 한쪽에 항상 펼쳐진 채로 걸려 있단다."

"고맙습니다."

아벨라가 웃으며 대답했다. 그리고 문득 시선을 돌려 거울로 향했을 때였다.

어.

아벨라의 얼굴이 살짝 굳었다. 그러고는 미간을 좁힌 채, 그곳을 자세히 들여다보았다.

이상했다. 거울 구석에 수상한 게 있었다. 아까는 보지 못했었는데, 수없이 펴진 거울 면들 중 가장자리의 부분에 조그마한 글씨가 쓰여 있었다. 아니다. 글씨라기보단 문양 같았다.

그리고 어디서 본 적이 있는데. 이를테면 호수 아래에서…… 용의 레어나 옷 창고 같은 곳에서 스치듯 본 것 같기도 하고.

그 문양에 시선을 고정한 채, 아벨라가 입을 열었다.

"그나저나, 아버지."

"말하거라."

"……이 거울, 어떻게 갖게 되신 건지 여쭤 봐도 될까요?"

잠시 의아한 표정을 짓던 대공이 이내 알겠다는 듯이 눈썹을 까닥였다.

"이건 우리 집안에 대대로 내려오는 가보란다. 초대 딜루어 대공이 공국의 독립을 위해 담판을 지으러 제국에 발을 들인 적이 있는데, 사실 그건 제국의 함정이었고 하마터면 그곳에서 목숨을 잃을 뻔한 적이 있었단다. 그때 이 아티팩트를 이용해 나오셨다고 전해지지."

"그럼, 초대 딜루어 대공께서는 이 아티팩트를 어떻게 갖게 되셨는데요?"

"그때 당시 제국에서 딜루어 대공을 흠모했던 제국의 황녀가 건넸다는 이야기가 전해진다만, 진위는 알 수 없단다."

"제국의 황녀요?"

'황녀'라는 말에 아벨라의 눈썹이 꿈틀거렸다. 부정하고 싶지만 마음속으로는 가닥이 잡혔다. 이제 알겠다. 그 황녀라는 자는 유희 중인 카셀란이었던 것 같다.

어쩐지. 아벨라는 이어 생각했다. 일개 황녀가 줬던 것치곤 지나치게 고위 마법이 아닌가. 심지어 텔레포트나 공간 전이는 현재는 전해지지도 않는 실전된 마법 중 하나다.

카셀란이 딜루어 대공을 마음에 들어 해, 그때만 해도 제국의 공작이었던 딜루어에게 이 보물을 준 게 아닐까? 제국의 힘이 될 거라고 확신하고? 그런데 딜루어가 이 보물을 이용해 제국으로부터 도망친 걸까?

이번엔 어쩌다 보니 도움을 받긴 했지만 새삼 궁금해진다. 카셀란은 대체 제국에 이렇게 귀한 아티팩트를 몇 개나 뿌린 걸까. 황제도 이런 수준의 아티팩트를 몇 개나 갖고 있을지 모른다.

아벨라가 골몰하는 사이, 그녀의 안색을 살피며 공작이 천천히 말을 이었다.

"뭐, 자세한 건 잘 모르겠지만 어쨌든 대공께서 이걸 사용해 공국에 무사히 돌아오실 수 있었고, 몇 년 뒤 사정이 궁핍해진 제국이 각 차지구의 독립을 인정하게 되었다는 정도만 알면 될 게다. 그런데 왜 이런 걸 물어보느냐?"

"……아니에요."

아벨라는 말을 얼버무렸다.

이걸 어떻게 설명할 수 있을까? 지금 아버지는 자신이 왈로인에게 당했다가 구사일생으로 살아나왔다고만 알고 있었다.

펠리체와 자신이 길게 설명할 시간이 없어, 카셀란에 대한 부분은 의도적으로 설명하지 않았기 때문이다.

아벨라는 고개를 젓고는 제 볼을 잡았던 아버지의 손을 두 손으로 잡았다.

"나중에 설명해 드릴게요, 아버지. 그간 건강하셔야 해요."

그녀의 말에 대공이 빙그레 웃었다.

"자랑스러운 내 딸. 너와 로톤에서보다 훨씬 더 길게, 오래오래 이야기 할 날만을 고대하고 있단다."

그 말을 들은 아벨라의 눈이 반짝였다. 순간 머리 한 곳을 메우던 카셀란에 대한 생각이 사라졌다. 아벨라가 고개를 끄덕이며 다시 미소 지었다.

"꼭이에요. 그땐 꼭 제가 백치로 불렸던 시절, 혼자 꾸었던 긴 꿈에 대해 이야기해 드릴게요."

대공의 입술이 일순 일그러졌다. 마치, 튀어나오는 울음을 참으려는 듯한 얼굴이 되었다. 황급히 대공이 돌아섰다.

"……어서 가마."

대공이 거울 안으로 단숨에 사라졌다. 거울 안 대공의 집무실에 대공의 모습이 보이는가 싶더니, 곧 거울에 아벨라와 펠리체의 모습만이 비춰졌다.

대공이 통신을 끊은 것이다.

하지만 펠리체와 아벨라는 쉽사리 거울 앞을 떠나지 못했다. 특히나 아벨라는 더더욱 앞을 서성였다. 아벨라가 침대로 돌아간 것은, 대공이 거울을 넘어가고도 한참이 지난 뒤였다.

한편, 같은 시간.

황제의 집무실.

왈로인은 고요히 서 있었다. 아직 제롬의 얼굴인 채였다.

그는 황제와 책상 하나를 사이에 둔 채 마주 보았다.

왈로인은 렌티아와의 동맹을 결의하자마자 이곳으로 들이닥쳤다. 시간이 없었다. 펠리체가 제롬을 채 갔다. 펠리체가 자신의 계획을 훼방 놓기 전, 자신이 먼저 황제와 담판을 지어야 했다.

"······무슨 일이냐, 제롬?"

여상스러운 표정으로 황제가 물었다.

왈로인은 쉽사리 입을 열지 않은 채 빙그레 미소 지었다. 방은 무척이나 어두웠다. 황제의 주변엔 등불만이 주위를 밝히고 있을 뿐이었다.

"네가 비밀 통로를 알고 있는 줄 몰랐구나. 네게 가르쳐 준 기억은 없는데 말이다."

황제가 다시 한번 말했을 때였다. 왈로인이 이번엔 '하하' 하고 작게 소리 내어 웃었다.

"폐하, 이미 알고 계시면서 딴청을 부리십니까."

"뭘 말이냐?"

"저는 제롬이 아닙니다. 알고 계시지 않습니까?"

왈로인은 그렇게 이야기하곤 귀밑의 보석에 손가락을 대었다. 그가 손가락을 대자마자, 제롬의 얼굴이 사라졌다. 제롬의 얼굴이 자리했던 곳엔 온 얼굴이 주름진 노인이 형형하게 눈을 밝히고 있을 뿐이었다.

"제 정체를 이미 알고 계셨지요, 폐하?"

왈로인이 확신 어린 어조로 다시 한번 말했다.

놀라운 것은 황제의 반응이었다. 황제는 눈 하나 깜짝하지 않은 채로 왈로인을 바라보고 있었다. 오히려 옅은 미소만 띠고 있는 채였다.

왈로인은 그런 그를 바라보곤 더욱더 확신하는 말투로 말을 이었다.

"모른 척해 주셔서 감사하게도 제 모든 계획을 펼칠 수 있었습니다만, 이제 슬슬 폐하와도 이야기하고 싶어져서 말입니다."

"그랬군."

황제는 부드럽게 대답하곤 고개를 끄덕였다.

"무엇을 이야기하고 싶소?"

"……."

예상치 못했던 황제의 반응에, 왈로인은 잠시 입을 다물었다. 의외의 반응이었다. 왈로인은 신중한 표정으로 황제를 바라보았다.

자신은 그를 어릴 적부터 보아 왔다. 십 년마다 그를 만나며 그에게 가장 가까운 조언자로서 자리 잡았다. 그 과정에서, 왈로인은 황제를 매우 아끼고 있었다.

어찌 보면 황제의 아들인 제롬보다도 더, 왈로인은 황제를 아끼고 있었다.

자신이 나서야겠음을 느낄 정도로 제국은 기울어졌다. 하지만, 그 기울어진 제국을 다스리는 이 황제만큼은 해치고 싶지 않았다.

그래, 왈로인은 그를 죽이고 싶지 않았다. 아니, 황제를 죽이는 것은 애초에 제 계획에 들어 있지 않았다.

대신 왈로인은 이 자리에서 색다른 제안을 할 속셈이었다.

"······저는 계속 고민해 왔습니다. 이 제국의 미래에 대해서요. 이 제국은 이미 심하게 기울어진 지 오래입니다. 알고 계십니까, 폐하?"

왈로인은 조용한 어조로 말을 이어 나갔다.

"귀족들은 황제보다도 황제의 권속인 황비를 따랐습니다. 백성들은 고통받고 있고요. 지금의 제국은 제가 원했던 나라가 아니란 생각이 들었지요."

왈로인은 여유 있게 미소 지으며 손을 가슴에 대었다.

"알고 계십니까? 용도 이 나라를 버리기 직전이라는 것을. 용은 제게 예언을 내리지 않겠다고 선언했습니다. 예언을 주지 않는다는 뜻은, 십 년 뒤 이 제국은 존재하지 않을 거라고 용이 공언한 것이나 다름없습니다."

"그래서 그런 허술한 변장을 하고 황궁에 들어와, 허술한 짓을 하며 황족들을 제거한 것이란 말인가."

"예. 분명히 들킬 거라 생각한 짓이었습니다만 폐하께서도 이를 그냥 두시기에 이 노구는 참 많은 생각을 했습니다."

왈로인은 피식 웃으며 말을 이었다.

"사실은 '폐하도 퍽 지치셨구나, 총안이 흐려지신 게지.'라 생각했지만, 시간이 갈수록 폐하께서도 왠지 제가 하는 짓을 반기고 있다는 인상을 받았습니다. 폐하, 사실은 폐하께서는 제게 황족들의 청소를 맡기셨던 게지요?"

"……."

황제는 입을 다문 채로 그를 빤히 바라보았을 뿐이다. 하지만 미소는 사라진 지 오래였다. 왈로인은 그 얼굴을 보며 어쩐지 만족감이 차오르는 것을 느꼈다.

"그래서?"

"아시겠지만, 폐하. 저는 이 나라를 포기하고 싶지 않습니다. 그저 폐하가 일그러트린 이 모든 상황을 제가 원만히 수습하고 싶습니다. 그래서 한 가지 제안드리고자 합니다."

"……수습하겠다고?"

황제가 천천히 되물었다. 왈로인은 고개를 끄덕였다.

"예, 폐하. 목숨만은 살려 드리겠습니다. 그러니 물러나시길 바랍니다. 제게 옥새를 넘기세요."

황제는 미동 하나 없는 얼굴을 하곤 다시 입을 열었다. 마치 가면을 쓰고 있는 자 같았다.

"……옥새를 넘기라는 말이 무엇을 뜻하는지 아는가?"

"제게 황위를 넘기시라는 이야기입니다."

"제국의 적통을 끊고 본인이 황제가 되겠다?"

"예. 하지만 여기에서 제가 참으로 관대한 제안을 드리겠습니다."

왈로인이 한쪽 입꼬리를 올렸다.

"저는 평생 제롬을 가장한 채로 살 작정입니다. 겉으로는 이 제국을 폐하의 후손이 다스리는 것처럼 보일 겁니다. 폐하는 제게 황위를 물려주시고, 조용한 곳에 틀어박혀서 죽은 듯이 살아가시면 됩니다. 충분히 호화롭게 살 수 있게, 적어도 지금과 같은 생활을 유지할 수 있게 배려해드리지요."

그리 말한 왈로인이 한쪽 손을 제 가슴에 댄 채, 다시 공손히 허리를 숙였다.

"아, 혹시나 제 수명을 걱정하신다면 걱정 마십시오. 저는 용에게 제 길디긴 수명을 공언받은 자니까요. 아마 폐하보단 오래 살 수 있을 겁니다."

자신만만한 어조에 황제의 표정이 서서히 굳어졌다. 그리고 그런 황제의 표정이 무너질수록 왈로인은 한층 더 기쁜 표정을 지었다.

이거다. 자신이 바랐던 그 반응이다. 지난 몇십 년, 계속 이렇게 그의 앞에서 그의 잘못을 힐난하는 광경을 꿈꿔 왔다.

한때는 자신이 아끼던 황제의 무력함에 절망하던 적이 있었으나, 그는 이미 오래전의 일일 뿐.

그는 가슴에 댔던 손을 크게 휘두르며 한층 더 격앙된 어투로 이야기를 이었다.

그의 눈은 더 이상 이렇게 빛날 수도 없을 만큼 반짝이고 있었다. 꺼져 가던 탁한 목소리조차, 그 순간만큼은 젊은이의 목소리처럼 쩌렁쩌렁하고 뚜렷했다.

"이 제국은 더 이상 폐하께서 지탱하실 수 없습니다. 저는 오랫동안 폐하를 지켜봐 왔으므로, 폐하의 능력이 모두를 포용하기에는 부족하다는 것 또한 압니다."

왈로인의 힐난에, 황제가 다급하게 그의 말을 막았다.

"그래서 그를 되돌리기 위해, 황족들을 처리하고자 했네. 그리고 펠리체에게도 협조를 구하여 그를 후사로 삼아……."

하지만 설명하는 황제의 어조는 매우 어물거렸고, 심지어 목소리조차 점차 줄어 갔다.

그리고 황제가 그럴수록 왈로인의 목소리는 한층 더 높아져만 갔다.

"이미 늦었습니다. 모르셨습니까? 펠리체는 황제 폐하를 매우 싫어하고 증오합니다. 황제 폐하가 그를 오랫동안 방치하고 샬롯의 학대 아래 둔 것을, 그는 절대로 잊지 않고 있습니다. 그런 그를 믿으시겠다고요?"

순간 황제의 얼굴에 당혹스러움이 어렸다. 믿어 왔던 자식에 대한 진실에 혼란스러운 듯했다.

"그렇다고 자네를 믿을 수 있는……."

"당연히 저를 믿으셔야지요, 폐하. 저는 폐하를 제 아들같이 돌보았습니다. 이 제국을 순수하게 사랑하는 것은 이 왈로인, 저 하나뿐입니다."

왈로인의 말에 황제가 잠자코 입을 다물었다. 왈로인은 속으로 차갑게 미소 지었다. 왈로인은 이 황궁에서, 그 누구보다도 황제를 잘 알고 있었다.

그는 결정적인 부분에서 매우 유약하기 짝이 없다. 충분히 상대의 허를 찌를 만큼 똑똑한 자지만, 항상 황제는 결정적인 순간에 망설이다 일을 그르쳤다.

그런 그의 목숨을 거두는 것보단 이 방법이 모두를 위해 좋을 것이다.

이것 보라. 황제의 눈동자는 아까의 무표정한 얼굴과 달리 이리저리 흔들리고 있었다. 정곡을 찔려, 쓰고 있던 가면이 깨진 것이다. 왈로인은 황제의 다른 손이 덜덜 떨리고 있는 것을 지켜보았다.

"……내가 거절한다면, 어떻게 할 테지?"

한참이 지나서였다. 불안한 시선으로 책상 이곳저곳을 살피던 황제가, 착 가라앉은 목소리로 다시 입을 열었다.

"지금 폐하의 심장을 단칼에 박살 내겠습니다."

그 순간, 황제의 표정이 급변했다.

"나를 죽이겠다고?"

"제가 못할 거라고 생각하셨습니까? 폐하, 저는 이곳에 폐하를 지키기 위해 도사리고 있는 자들을 알고 있습니다. 그들은 지금 황제 폐하와 독대하는 저를 경계하며 눈을 밝히고 있겠지요."

"그, 그걸 어떻게?"

"폐하, 저를 모르십니까? 지금도 그들의 기운이 느껴집니다. 수도 없는 자들의 모습을 숨기기 위해 이깟 등불을 켜 두고 방 안을 어둡게 한들, 이 왈로인이 모를까요?"

왈로인이 히죽 웃었다.

"저는 할 수 있습니다. 그들이 제게로 짓쳐들기 전, 제가 주먹만 쥐면 폐하의 심장이 터집니다. 그럼 전 유유하게 폐하의 옥새를 들고 제가 황위를 이어 받겠다 선언하면 됩니다. 그리고 황실의 권위를 이용하여 펠리체를 쳐내면 됩니다."

"펠리체를 쳐낸다고."

"예. 아내가 없으니 공국의 지원도, 동생도 없으니 마법적인 지식도 미약합니다. 그의 세력이 크다 한들, 저를 돕는 자들의 세력도 만만치 않습니다. 그리고…… 저는 그의 지척으로 다가가 독을 먹일 수 있습니다. 그의 죽은 아내로 분장해 꿈결인 척 그의 숨통을 끊을 수도 있겠군요. 저는 할 수 있습니다, 폐

하. 폐하의 숨통을 끊을 수 있는 것처럼요."

그리고 묵직한 침묵이 감돌았다.

황제는 왈로인을 가만히 바라보았다. 방금 보였던 극렬한 분노도 이미 사그라든 채였다. 처음 왈로인을 볼 때처럼 아무 감정 없는 얼굴로 보던 황제가, 이내 천천히 첫째 서랍에서 상자를 꺼내 보였다.

왈로인의 눈이 번뜩였다. 왈로인은 저 상자 안에 무엇이 있는지 너무나도 잘 알고 있었다. 자신이 지금까지 모셨던 역대 황제들의 곁에서 언제나 봐 왔던 물건이었다.

옥새.

이 상자를 꺼내 놓은 채, 황제는 오래도록 뜸을 들였다. 그의 눈동자가 점점 검게 변했다. 총기가 사라진 눈으로 황제가 그를 향해 입을 열었다.

"이게 무엇인지는 자네도 잘 알고 있겠지."

왈로인은 입을 열어 대답하는 대신 고개를 끄덕였다.

"예."

"이걸 지금 자네에게 넘기라고……."

황제는 천천히 상자를 어루만졌다. 두 손가락으로 상자의 윤곽을 어루만지던 그가 한숨을 쉬었다. 마치 오랜 회한과 미련을 털어 내려는 것 같은 깊은 한숨이었다.

"……조건이 있네."

한참 뜸을 들이던 황제가 이내 천천히 입을 열었다. 왈로인은 고개를 끄덕였다.

"대관식을 해야 하네. 모두에게 보란 듯이, 제국이 건재함을 과시해야 해. 황실에서 많은 사건들이 있었고 이는 공표되지 않았더라도 수도의 백성들은 모두 알고 있으니, 그들의 불안부터 가라앉히는 게 먼저다."

"그건 당연합니다. 말씀대로 하지요."

"또 하나, 이 황위는 제롬에게 양위하는 거야. 자네는 죽는 날까지 제롬의 얼굴로 죽어야 하네. 진짜 제롬의 행방은 자네에 묻지 않겠지만…… 살면서 절대로 그가 튀어나오는 일이 있어선 안 돼."

"과연, 제국을 위해 냉혹한 선택도 마다않으시는군요. 알겠습니다. 제국을 위한 황제 폐하의 마음, 제가 꼭 그대로 지키겠습니다."

"그리고 마지막, 펠리체는 꼭 없애야 하네. 자네의 황위에 대항할 그 어떤 누군가도 남기지 말게."

그러자 왈로인이 다시 엷게 미소 지었다.

"당연합니다. 자식들의 죽음을 손수 주문하실 거라곤 생각하지 못했지만, 폐하와 이 제국을 그대로 보전하기 위해 저도 응당해야 할 일을 하겠습니다. 이는 모두 제가 먼저 제안드린 일이니까."

그의 말이 끝나는 순간, 황제가 그를 향해 상자를 던졌다. 왈로인이 그 상자를 가볍게 받았다. 손에 들어차는 상자의 감각에, 왈로인의 눈이 희열로 차올랐다.

"……여기서 썩 꺼지게. 그리고 약속한 것만큼은 지키게."

황제가 이를 악물고 뇌까리자 왈로인이 우아하게 웃으며 고개를 끄덕였다.

"당연하지 않습니까, 폐하. 이 제국은 제 헌신적인 보살핌을 받아 가장 강성한 나라가 될 것입니다. 물론 폐하께서도 마찬가지고요. 폐하께서는 최대한 빨리 이 집무실을 비워 주십시오."

"……."

"그렇다면, 대관식을 준비해 주십시오. 저는 그 안에 제 할 일을 한 뒤, 다시 찾아뵙겠습니다."

옥새 상자를 든 채, 왈로인이 천천히 그 자리에서 무릎을 굽혔다. 황제에게 표하는 마지막 인사였다.

❈✦◆✦❈

모든 이야기가 끝난 뒤, 왈로인은 비밀 통로가 아닌 황제의 집무실 문으로 태연하게 걸어 나갔다. 이젠 거리낄 게 없다는 듯한 당당한 태도였다.

황제는 눈을 감은 채 그 자리에 미동조차 하지 않고 앉아 있었다. 그는 왈로인이 사라질 때까지 기다리고 있었다. 왈로인의 발소리가 복도를 넘어 완전히 사라질 때까지.

그리고 얼마가 지났을까. 황제의 집무실이 완전히 밝아졌다. 황제가 눈을 천천히 떴다.

그의 시야에, 허리를 조아리고 있는 남자가 보였다. 그의 가장 가까운 측근, 시종장 바흐테인이었다.

"……폐하, 완전히 갔습니다."

"제대로 확인했나."

"예. 확실합니다. 아직도 한 명이 붙어 있습니다."

"그렇군."

황제는 흐트러졌던 머리를 쓸어 넘기며 태연하게 대답했다. 아까 왈로인 앞에서 보였던 공포에 질린 표정은 온데간데없었다.

왈로인 앞에서 보인 모든 모습들은 연기였던 것이다.

놀라우리만큼 태연한 황제의 모습에, 바흐테인 남작이 걱정스러운 얼굴로 되물었다.

"이걸로 속아 넘어갈까요? 그 옥새가 가짜라는 걸 알아챘다면."

"속아 넘어갈 거야. 원래 사람은 아무리 예민하고 민감한 작자라고 한들 자신이 믿고 싶은 것만을 우선적으로 보려 하지. 그리고 왈로인은."

황제는 피식 웃으며 이야기를 이어 나갔다.

"원래도 그런 작자였네. 제 힘만을 믿고선, 옛날이나 지금이나 변함없이 순진하더군. 어디 옥새가 이렇게 쉽게 관리되는 물건인가."

"그러셨습니까."

"순진해서 학을 뗄 정도다."

황제는 정말로 소름 끼친다는 듯이 몸을 부르르 떨어 보였다.

"단순하기 짝이 없어. 사람들은 흔히 천재라고 하면, 모든 삼라만상을 다 꿰뚫을 수 있다고 생각하지."

"아닙니까?"

"적어도 내가 아는 천재들은 사회관계에 있어서는 어수룩하기 짝이 없었어. 하물며 왈로인은 너무 오래 황궁을 떠나 있었다. 암투가 횡행하는 이 정쟁 판엔 적합하지 않아. 그의 모든 허술한 계획이 먹혔던 것도, 그 계획에 당한 자들이 멍청한 게 아니라 이렇게까지 대놓고 얕은 수를 쓰리라고 생각하지 못했기 때문이네. 왈로인은 정말 이를 모르는 것 같더군. 심지어 자신이 처해 있는 상황을 제대로 파악하고 있는 것 같지도 않앞어."

황제는 여유롭게 웃으며 손을 들어 보였다.

"게다가 이걸로 완전히 확신할 수 있다. 그는 마법을 쓰지 못해."

"확실히 그건 저도 놀랐습니다."

바흐테인이 고개를 끄덕였다.

"사실 이 방에 폐하의 호위는 단 한 명도 없었는데 말입니다. 폐하가 호위를 모두 물리라고 하셔서 반신반의했습니다만, 전혀 눈치채지 못하고 오히려 호위가 있다고 말할 줄은……."

"만일 호위가 없는 걸 알았다면, 들어오자마자 호위가 하나도 없는 것을 지적했을 테지. '기적을 느낄 수 있다.'니, 애잔하기까지 한 거짓말이었어. 제국의 수호신이라는 위명도 이미 사라졌다는 건가."

"그럼 정말로."

바흐테인이 숨을 들이키며 한 말에, 황제가 고개를 끄덕였다.

바흐테인은 잠시 입을 다물고 있다 다시 황제에게 물었다.

"그렇다면 왈로인은 대체 왜 마법을 잃은 걸까요?"

"자세한 것은 짐도 모르네. 하지만 공국의 영애와 관련이 있는 모양이야. 과거 공국의 영애에게 발생한 일과 공국이 왈로인을 쫓던 시점으로 예측할 수 있었지."

고개를 끄덕이던 바흐테인 남작이 다시 물어왔다.

"그럼 이 상태로 왈로인은 정말로 펠리체와 제롬을 없앨 수 있을까요?"

"뭐라고?"

"……예?"

"맙소사, 그럴 리가! 하하하! 시종장, 자네 원래 이렇게 순수한 사람이었나?"

순간 바흐테인의 얼굴이 부끄러움으로 붉게 물들었다. 황제가 '순수하다'고 말하는 표현이, 사실은 칭찬이 아님을 알기 때문이었다.

"지금의 그가 무얼 할 수 있겠나? 지금 그의 행보는 그의 남은 생애를 건 최후의 도박에 가깝네. 가진 패의 빈약함을 자신의 필사적인 허세로 메우고 있어."

"그렇다면, 펠리체가 왈로인을 처리하실 거라는 말씀입니까?"

"꽤 훌륭하게 처리할 거라 믿고 있네. 내 손을 더럽히지 않게, 대신 처단해 주겠지."

황제는 대답한 뒤, 바흐테인을 향해 손을 까닥였다. 바흐테인이 황제를 향해 몇 걸음 더 가까이 왔다. 그가 책상의 바로 앞에 이르자, 황제가 그를 향해 허리를 숙였다.

"그는 요새 어떤가? 아직도 그대를 자신의 편이라고 믿고 있는가?"

"예, 며칠 전에도 조심스럽게 물어오더군요. 제가 흘린 정보들에 대해 의심하지 않는 모습이었습니다."

"계속 거짓 정보를 흘리게. 그가 스스로의 가능성을 과대평가할 수 있게 해. 이 황궁에 숨어들어 온 그놈의 사병들도 체크해. 실력이 아주 뛰어난 자들이니, 절대로 방심하면 안 될 걸세."

"예."

황제는 만족스러운 표정을 지으며 다시 등받이에 완전히 몸을 기댔다.

"딜루어와는 어떤 것 같나?"

"8황자비가 사라졌기 때문에 둘의 관계가 깨지지 않을까 생각했습니다만, 그 뒤로도 곁에 딜루어 출신 수하가 있는 것으로 보아 딜루어와의 관계는 계속 유지 중인 것으로 보입니다."

"아니."

"예?"

"딜루어 공녀와 10황자가 살아 있을 가능성이 있어."

"하지만 그들은 아무 능력도 없는 데다, 왈로인이 직접 나선 일입니다. 제롬, 아니 그에게 사후 확인까지 맡기셨지 않습니까."

"그랬지. 하지만 이상해. 아직 끝나지 않은 것 같다는 생각이 드네."

"예?"

"좀 더 알아보게. 펠리체가 장례를 거절한 이유가 단순히 제 아내의 죽음을 받아들이지 못해서 일 리가 없어. 그놈을 좌시할 순 없네. 정보를 주는 척 좀 더 접근해 봐. 이를 테면……아, 그렇지. 내가 왈로인에게 진짜 옥새를 주었다는 이야기도 괜찮겠군."

"예, 알겠습니다."

"빨리 펠리체의 계획을 파악해야 해. 그놈이 언제 움직일지 파악하는 게 가장 중요하네."

황제의 말에 바흐테인 남작은 무거운 표정으로 황제를 바라보았다.

"……황태자가 되고 싶어 하는 건 아닐까요? 그렇다면 그저……."

"아, 남작. 정말로 그대는 순진한 사람이군."

황제가 그의 말을 가로막으며 다시 한번 비웃었다.

"그놈이 황태자가 되고자 한다면 절대로 이런 행보를 보일 수 없어. 내 눈을 가리려 들고, 황실의 존위 자체를 건드리는 지금과 같은 행보 말일세. 심지어 딜루어와 관계를 다지고 제 사병을 황궁에 들여오기까지 했어. 귀족원을 제 마음대로 바꾸고 있단 말이지."

"……."

"자네도 알지 않나. 심지어 이 모든 걸 내게 들키지 않게 진행했지. 그런 그가 대체 뭘 원하겠나. 황위? 고작 황위뿐이라면 다행이겠지!"

"송구합니다."

바흐테인 남작이 어깨를 늘어뜨렸다. 어지간히 상심한 표정이었다.

황제는 바흐테인의 이런 태도를 이해할 수 있었다. 바흐테인은 언제나 펠리체에게만큼은 우호적인 입장이었으니까. 펠리체도 그 사실을 알았기 때문에 그에게 접근했었던 거겠지.

덕분에 펠리체에게 거짓 정보를 흘리는 일은 수월했지만, 이런 순간에서조차 그놈의 편을 들만큼 상황 판단이 되지 않는 건 실망스럽다.

남작을 보는 황제의 눈이 어느 순간 유리알 같이 변했다. 아무 감정 없는 무기질 같은 눈을 하곤 그를 꼼꼼히 따져보기 시작했다.

그를 바라보는 바흐테인이 더럭 겁에 질린 표정을 지었다. 남작은 황제의 그런 표정을 아주 잘 알고 있었다. 가치를 따져보는 눈이다.

남작이 다시 정중하게 고개를 숙였다. 지었던 상심하는 표정은 온데간데없다. 정중하고 표정 없는, 그야말로 충실한 수하로서의 얼굴로 돌아온 것이다.

"……송구합니다, 폐하. 제가 감히 제 스스로의 좁은 식견으로 판단하여 그만 실언을 하였습니다."

그 순간, 황제의 눈동자가 언제 그랬냐는 듯이 부드러운 빛을 품었다. 황제는 자신이 그를 견준 적도 없다는 듯, 그를 바라보며 상냥하게 말했다.

"자네는…… 자신의 눈을 지나치게 믿는 경향이 있네."

"조심하겠습니다."

"……."

황제는 잠시 입을 다물다가 다시 말을 이어 나갔다.

"왈로인은 펠리체에게 자연히 제거될 거야. 그 타이밍에 모두를 정리한다."

"……예."

'정리'라는 말에, 바흐테인 그가 다시 한번 고개를 정중하게 숙였다. 황제는 책상 위 타오르고 있는 등불을 바라보며 중얼거렸다.

"펠리체와 왈로인은 굳이 말하자면, 천재지."

"……."

"하지만 출중했던 대다수 천재들의 말로는 비참하기 짝이 없었어. 그들도 자연히 그렇게 될 걸세."

황제는 말끔한 얼굴로 빙그레 웃었다. 펠리체와 닮은 얼굴, 하지만 그 속내는 펠리체와 정반대다. 금색의 눈동자가 희번덕거렸다.

"바흐테인."

"하명하십시오."

"지금 당장 다보프와 렌티아에게 가게."

"예?"

"가서 그들에게 왈로인의 옥새 소유 소식과 함께 펠리체의 행적을 조용히 흘려라. 최근 그놈이 동관 전체의 수하들을 제 입맛대로 굴리기 시작했다는 사실도 말일세. 자네도 말하지 않았나? 집중적으로 그가 감시하는 곳이 도서관과 10황자의 처소였던가."

황제의 말에, 바흐테인이 고개를 끄덕였다. 황제가 말했듯, 이 사항은 자신이 직접 황제에게 보고했었다. 펠리체에게 허위 정보를 주는 대신, 펠리체의 신뢰를 사 얻은 정보들이었다.

"그렇습니다."

"내가 의심하고 있다고만 의뭉스럽게 흘려."

황제의 명을 듣고 있던 바흐테인이 그의 의중을 짐작한 듯이 놀란 표정을 지었다.

"폐하."

"다보프와 렌티아가 왈로인과 연합했다지? 왈로인이 옥새를, 무소불위의 힘을 얻은 것을 안다면 그들은 즉시 펠리체를 공격하자며 왈로인을 움직이려 들걸세. ……왜, 자네도 알겠지만 다보프와 렌티아는 펠리체에게 유감이 많지 않은가. 무슨 조건으로 연합한들, 왈로인도 그들의 말을 아주 무시할 순 없겠지."

"최대한 빨리 그들끼리 충돌하게 하실 셈이시군요."

"내 손을 더럽히긴 싫으니까 말일세. 표면상으로는 내 자식들이 아닌가."

"……."

바흐테인은 대답하는 대신 침만 크게 삼켰다. 그의 충신으로서 여러 해 동안 그를 보필해 왔지만, 황제의 이런 면모를 발견할 때마다 머리부터 발끝까지 드는 소름은 어쩔 수 없었다. 바흐테인은 황제가 무서웠다.

"내가 할 말은 여기까질세. 자네가 직접 움직여야 해. 나가 보게."

황제는 말을 끝낸 뒤 그를 향해 손을 휘저었다. 바흐테인을 신경조차 쓰지 않는 듯한 무심한 표정이었다.

"……예."

바흐테인 남작은 그에게 허리를 깊숙하게 숙여 보일 뿐이었다.

며칠 뒤.

아벨라는 침대에서 눈을 떴다. 여느 때와 다름없는 아침이었다. 조용히 일어나 펠리체를 바라보고 있으면 펠리체가 자신의 허리를 감싸 안으며 눈을 뜨고 입 맞춘다.

그런데 이상했다. 오늘따라 등골이 지나치게 서늘했다. 정수리에 아주 차가운 물 한 방울이 떨어진 것처럼, 온몸에 오한이 들었다.

불안했다.

무엇 때문이지? 아벨라는 자신의 이런 기분에 대한 이유를 찾기 위해 무던히 애썼다.

날씨가 궂은가? 아니, 날씨는 더없이 좋았다. 하늘은 구름 한 점 없이 푸르렀고 햇살도 따뜻했다.

궁에 좋지 않은 일이 생긴 걸까? 그래서 아벨라가 먼저 느낀 것일 수도 있다. 하지만 그렇다기엔 궁은 지나치게 평화롭기만 했다.

베티를 통해 각 구역의 시녀와 시종들에게 물었지만, 각자 아무 일 없다는 대답만 되돌아올 뿐이었다.

옷을 입을 때도 별다른 일이 없었다. 괜히 튀어나온 시침에 찔리는 일도 없었다. 머리를 말기 위한 아이롱에 데이지도 않았다.

하지만…… 그래도 이 불안함은 좀처럼 가시질 않았다.

"꼭 무슨 일이 일어날 것 같아."

결국 아침을 먹다 말고, 아벨라가 불쑥 입을 열었다. 으깬 콩을 올리브와 함께 먹고 있던 펠리체가 그녀를 의아함과 다정함이 뒤섞인 눈빛으로 바라보았다.

"무슨 일?"

"모르겠어. 이상하게 불안해."

아벨라는 그를 바라보면서 미간을 모은 채로 대답했다. 펠리체는 그런 그녀를 잠시 바라보다 다시 빙그레 미소를 지었다.

"나쁜 꿈이라도 꿨어?"

"아니, 꿈도 안 꿀 정도로 푹 잤어. 그런데 아침에, 갑자기 눈을 뜨는 순간부터 불안한 거야."

아벨라가 지레 한숨을 푹 쉬며 말하자, 펠리체가 다시 물었다.

"음. 오늘은 어떻게 지낼 거야?"

"오늘? 음, 요 며칠이랑 똑같이 체하트의 숙소에 가 있을 것 같아."

아벨라가 기운이 없는 채로 대답했다. 그녀는 요 며칠, 아침을 먹자마자 체하트의 숙소로 가 있었다.

비밀 통로를 이용해 체하트의 처소로 가서, 제롬을 간호하거나 체하트와 이야기를 나누거나 혹은 마티나에게 호신술의 기초를 배우는 식이었다.

마티나에게 배우던 호신술의 종류를 떠올리며, 아벨라가 다시 입을 열었다.

"넌 뭐 할 건데?"

"나는 오전에 급하게 팔레온 공작과 함께 귀족원에 갈 것 같아. 그곳에서 회의를 하고, 오후엔 체하트의 숙소에 들릴 예정이야."

체하트의 숙소? 아벨라의 눈이 동그랗게 떠졌다.

"숙소에 올 거라고?"

"내가 잘 아는 사람이 오늘따라 불안해하니까. 같이 있어 줘야 하지 않을까 싶어서."

그의 대답에, 아벨라가 눈을 반짝였다. 펠리체가 대답하곤 짐짓 여유로운 태도로 컵을 들어 천천히 물을 머금었다.

하지만 아벨라는 펠리체의 눈꼬리가 유려하게 휘어 있는 것을 보았다. 펠리체의 눈에서 묻어나는 것은 분명히 자신을 향한 애정이었다.

아벨라는 그 눈을 보는 순간, 자신도 모르게 배시시 웃어 보였다.

"……고마워."

"무슨 말씀을. 그렇지 않아도 체하트나 제롬에게 앞으로 일어날 일들에 대해 간략하게 설명해야 할 타이밍이었어. 계획이 조금 변경될 예정이라서."

"조금 변경된다고?"

"응. 네게도 자세한 건 그때 이야기해 줄게."

"알았어. 하지만 펠리체, 조심해야 해. 혹시라도 네가 다칠까 봐 겁나서 그래."

그녀의 말에, 펠리체가 만면에 미소를 지었다.

"당연하지."

"응."

아벨라는 씩씩하게 고개를 끄덕이곤 다시 아침을 먹기 시작했다. 펠리체도 그런 아벨라를 바라보다 곧 자신의 접시에 집중하기 시작했다.

서로의 말이 줄어들고, 곧 언제나처럼 평화로운 아침식사가 계속되었다.

하지만 펠리체는 알지 못했다. 포크를 드는 아벨라의 손이 미세하게 떨리고 있었다는 것을. 아침에 집중하려 해도, 불안감은 쉬이 해소되지 않았다. 정말 이상했다. 이런 적은 한 번도 없었는데.

아벨라의 얼굴에 순간 그늘이 스쳐 지나갔다. 펠리체에게 오늘 어디도 가지 말라고 할까?

하지만 그런 요청이 가능할 리가 없다. 계획을 변경해야 한다잖아. 아벨라는 이미 알고 있었다. 자신의 앞이라 대수롭잖게 말했을 뿐이지, 사실은 아주 중요한 일일 것이다. 펠리체는 항상 그랬으니까. 그러니…….

아벨라는 불안을 애써 숨긴 채로 펠리체에게 웃음지어 보일

뿐이었다. 제 이상한 불안감이 단순한 기우이기만을 바라는
수밖에 없었다.

"전 이제 괜찮습니다."

체하트의 숙소에서, 제롬이 억울한 듯이 말했다.

"많이 나아졌습니다, 정말로요. 단장님 덕분입니다. 이젠
원래의 저처럼 날렵하게 움직일 수 있습니다."

확실히, 제롬은 이전에 비해 많이 나아진 모습이었다. 홀쭉
하던 뺨도 많이 살이 붙었고, 혈색도 돌아왔다. 푸석하던 연갈
색의 머리칼도 처음 봤을 때처럼 윤기가 흘렀다.

하지만 정말 그의 말처럼 '다 나았다.'라고 말할 수 있는 수
준은 아니었다. 아벨라가 보기엔 좀 더 요양하고, 몸도 좀 더
움직이는 연습을 해야 했다.

"무슨 소리십니까? 괜찮기는요. 거동에도 무리가 없는 수준
이라는 것뿐이지, 실제로 이전처럼 움직이기 위해선 좀 더 훈련
을 하셔야 한다고 제가 어제도, 오늘 아침도 말씀드렸습니다."

그때였다. 깨끗하게 개켜진 천을 들고 들어오며, 단장이 단
호한 어투로 제롬에게 반박했다.

"그렇다는데요, 제롬."

그를 바라보며 아벨라가 장난기 어린 말투로 말하자, 제롬
이 고개를 세게 도리질 쳤다. 퍽 억울한 표정이었다.

"형수님, 아닙니다. 그건 단장님께서 어디까지나 너무 과잉

으로 진료하기 때문입니다, 저는 멀쩡―."

제롬이 말하자, 체하트가 걱정스러운 표정으로 말을 보냈다.

"과잉이 아녜요. 형님이 성급하신 거지요. 제가 보기에도 형님은 아직 좀 더 쉬셔야 해요."

"하지만 펠리체 형님께 누가 될 수는 없어."

"지금 쉴 수 있을 때 쉬지 않는 게 오히려 누를 끼치는 거예요"

체하트가 딱 잘라 말하자, 제롬이 침대에서 몸을 늘어뜨렸다. 그들의 눈치를 조심스럽게 살피던 마티나가 말했다.

"하지만 정말로 나아지고 계시긴 합니다. 어제는 8황자비 저하께서 돌아가고 나신 다음에 처소를 천천히 열 번이나 도셨고요."

"완튼 경!"

제롬이 구세주를 만났다는 표정을 짓자, 마티나가 부드럽게 웃으며 다시 말을 붙였다.

"제 생각엔, 처소를 이곳이 아닌 8황자궁으로 옮겨 뜰에서 훈련하신다면, 곧 8황자비님의 체력 정도는 훨씬 상회하실 수 있을 거라 생각합니다."

기지개를 펴던 아벨라가 눈을 휘둥그레 떴다. 순식간에 억울한 표정이 되어 자신을 가리켰다.

"자, 잠깐. 저는 가만히 있었는데요?"

"죄송합니다. 제가 본 사람들 중 가장 낮은 체력의 기준이셔서."

"상처받았어! 그래서 나아지려고 운동도 배우잖아요?"

아벨라가 억울한 듯이 대꾸했다. 정말이었다. 오늘 아벨라는 긴 머리칼을 하나로 질끈 묶은 채, 품이 넓은 바지와 조끼, 셔츠 차림이었다. 마티나는 그녀에게 고개를 끄덕이며 미소 지을 뿐이었다.

"그럼요. 잘하고 계십니다. 이렇게 쭉 운동하신다면, 8황자비 저하도 지금의 체력에서 좋아지실 수 있을 거예요."

"그러니까 그게 아니라……. 됐어요, 놀리고 있는 거죠? 하던 거나 합시다."

반박하려던 아벨라가 한숨을 푹 쉬곤 어깨를 으쓱였다.

요 며칠, 아벨라는 마티나에게 호신술을 배우고 있었다. 가벼운 체력 단련도 겸해서였다. 아벨라의 몸은 상상을 초월하는 허약 체질이었다. 최소한으로 필요한 근육만 기능할 뿐이다.

그동안 넘긴 고비 중, 이 보잘것없는 체력이 걸림돌이 된 경우도 숱했다. 그때마다 아벨라가 얼마나 이를 악물었던가. 그녀는 운동이 절실히 필요했다.

이런 그녀의 부탁을 마티나는 흔쾌히 들어주었다. 사실 이 또한 마티나가 제롬과 체하트의 경호를 위해 기사단에 휴가를 냈기 때문에 가능한 일이었다. 휴가의 사유는 병환이었다. 제롬과 체하트의 존재는 지금 현재 대외적으로는 비밀이기 때문이다.

하지만 그래 봐야 배울 수 있는 공간은 10황자의 처소, 그것도 침실과 이어지는 내실이 전부다. 처소가 널찍해 얼마든지 뛰어다닐 수도 있을 정도라고는 하지만 한계가 있었다.

때문에 배울 수 있는 것은 가벼운 맨손 체조나 정말 간단한 호신술뿐으로 한정되어 있었다.

그래도 지금의 아벨라에겐 딱 좋은 수준이었다. 마티나의 앞에서 투덜거렸어도, 알고 있다. 그녀의 체력은 이들 중 최하였다.

"어제 스쿼트 좀 했다고 다리 근육이 욱신거린다고요. 뻐근해서 혼났어요."

"운동을 해서 뻐근한 몸은, 다시 같은 강도의 운동을 하면 좋아집니다. 오늘도 똑같이 해 볼까요?"

"뭐라고요? 그런 뜻이 아니라고요!"

아벨라가 질색을 하며 도리질을 쳤다. 그들이 서로 이야기를 주고받는 모습을 보던 단장이 한쪽 공간에 천을 내려놓곤 다시 문가로 향했다.

"그럼 전 잠시 실례하겠습니다."

"어디 가세요?"

"리시안 군이 잠깐 보자고 해서요. 곧 올 겁니다."

"리시안이요?"

"예. 타월을 갖고 오는 도중에 저 멀리서 잠깐 보자고 하더군요. 급히 전할 말이 있다고 해서. 그래서 서재로 와 기다리게 했습니다. 그에게 말을 전해 듣고, 금방 오겠습니다."

"그래요?"

리시안이? 그는 분명히 펠리체와 함께 있을 텐데? 아벨라가 고개를 갸웃거릴 때였다. 마티나가 가볍게 헛기침을 해 주의를 환기했다.

"저하, 이제 배우시죠."

"아, 네!"

아벨라는 다시 마티나를 향해 몸을 돌렸다. 마티나가 이내 오늘 배울 호신술에 대해 설명하기 시작했다.

"오늘 배울 호신술은, 바로 정면에 상대방이 노려보고 있을 때 할 수 있는 자세예요."

설명이 이어지는 동안 아벨라는 설명에 집중하려고 노력했지만, 잘되지 않았다. 석연치 않은 감정이 아벨라를 사로잡았다. 이상한 예감이 들었다.

하지만 불안도 잠시였다. 마티나와 훈련에 집중하기 시작하자, 아벨라는 제가 뭘 불안해했는지도 잊은 채로 열중하기 시작했다.

게다가 오늘 마티나가 가르쳐 준 호신술은 굉장히 간편하고 재미있었다. 상대방의 귀를 양쪽 손으로 강하게 내리쳐, 상대방의 공간 감각을 잃게 한 뒤 낭심을 걷어차는 방법인데, 꽤 효과적일 것 같았다.

실습도 즐거웠다. 실습 자체라기보단 실습을 구경하는 사람들의 표정이 즐거웠다. 아벨라가 빗자루와 베개로 만든 인형의 낭심을 걷어찰 때마다, 체하트와 제롬이 숙연한 표정을 지었기 때문이다.

그 표정에 탄력받아 몇십 번째쯤 베개를 걷어찼을까, 마티나가 그녀를 만류했다.

"이제 그만, 그만하시는 게 좋겠습니다."

"아, 그럴까요?"

아벨라는 상큼한 표정을 한 채로 이마에 송골송골 맺힌 땀을 닦았다.

"아, 재미있었다."

"보는 저는 별로 재미있지 않았어요."

"그 부분까지 포함해서 재미있었어요."

사그라드는 듯한 어조로 체하트가 대답하자, 아벨라가 유쾌하게 맞받아쳤다. 유쾌한 대화에 마티나가 소리 없이 웃으며 소파에 단장이 올려 두었던 타월 중 하나를 아벨라에게 건넸다.

"오늘은 이쯤 해 두지요. 그나저나 지금까지 훈련하신 중 가장 집중력 넘치는 모습이셨어요."

"제일 쉬웠기도 했고요."

"그런가요? 하지만 오늘 배우신 호신술 동작은 꽤 파괴력이 큽니다. 잘만 치면 고막도 터뜨릴 수 있거든요."

"어마, 정말요?"

아벨라가 눈을 반짝일 때였다. 순간, 아까 단장이 나갔던 문으로 리시안이 들어왔다.

"이럴 수가. 여기에 다 모여 계셨군요."

"리시안."

체하트가 그를 부르며 일어섰다.

"단장님을 만났나요? 긴히 할 이야기가 있다면서요."

"아, 그 늙은이 말이죠. 제가 단숨에 물리쳤지요."

"뭐라고요?"

체하트가 경악했다. 아벨라는 미간을 잔뜩 좁힌 채, 체하트의 처소를 유유히 둘러보고 있는 리시안을 바라보았다.

본능적으로 알 수 있었다. 이자는 리시안이 아니었다. 이곳에 이런 모양을 하고 드나들 수 있는 자는, 단 한 명뿐이다.

"네놈……."

"……왈로인?"

아벨라가 짓씹는 사이였다. 들려오는 소리에, 아벨라의 고개가 돌아갔다. 제롬이었다. 침대에 있었던 그가, 어느새 일어나 내실과 침실의 열린 문 사이에서 리시안, 아니 왈로인을 노려보고 있었다.

왈로인은 그쪽을 바라보며 리시안의 모습으로 씨익 웃었다. 고개를 돌렸기 때문에, 아벨라는 리시안의 귀 밑에 붙어 있는 보석의 모습을 더욱더 선명하게 볼 수 있었다.

저 보석까지 붙은 것을 보아, 틀림없었다. 왈로인이었다. 리시안의 탈을 쓰고 있지만, 저 귀 밑의 보석을 벗겨 낸다면 그의 실제 모습이 드러날 것이다.

"맙소사, 살아 있었군요, 9황자 저하!"

"네 이놈, 이곳을 어떻게 알아 챈 거냐?!"

"처음엔 당연히 몰랐습니다. 그런데 4황녀가 친히 이곳에 가 보라고 조언해 주더군요."

뻔뻔하게 말하며, 왈로인이 히죽 웃었다.

"원래라면 4황녀가 아무리 채근한 들 움직이지 않았을 겁니다만. 어쩐지, 오늘따라 4황녀의 말이 끌리더군요. 듣기를 잘 했습니다. 이렇게 귀한 분들을 한 번에 뵙다니요."

"이, 이!"

"제롬, 그만해요. ……왈로인 네놈도 이제 정체를 드러내라."

제롬의 말을 막은 채, 아벨라가 그를 똑바로 노려보며 말했다. 리시안, 아니 왈로인이 다시 아벨라 쪽으로 고개를 돌렸다.

"뭐라고 하셨습니까?"

"정체를 드러내라고 말했어. 그따위 알량한 아티팩트로 내가 사랑하는 자들을 함부로 흉내 내려 들다니, 불쾌하다."

아벨라는 더없이 날 선 말투로 말했다. 왈로인은 그런 아벨라를 잠시 빤히 바라봤다.

"8황자비께서 불쾌하신 건 저와는 상관없지 않겠습니까?"

유들유들한 말투에, 아벨라는 차갑게 코웃음 치곤 그를 노려보았다.

"……하기야, 그것도 그렇구나. 그리고 보면 네가 변장하는 자들은 모두 미남이나 미녀들이었단 말이지. 면상이 그렇게 역겹게 생겼으니, 따라할 대상의 외모에라도 집착해야겠지. 이해는 가는군."

"뭐라고?"

"틀린가? 복도의 시녀나 병사로도 분장할 수 있었으면서, 구태여 심복인 리시안을 따라한 것은 그가 미남이라서가 아닌가?"

"당치도 않은 소리를!"

왈로인이 그 자리에서 펄쩍 뛰었다. 아벨라가 팔짱을 낀 채 다시 코웃음 쳤다.

"펄쩍 뛰며 격렬한 반응을 보이는 것을 보니, 내 말이 맞나 보군."

"나도 젊을 땐 누구보다 미남이라는 소리를 여러 번 들었소이다!"

"모습이나 바꾸시지? 이미 정체가 밝혀졌으면서 언제까지 남의 행세를 하려는 거지? 자꾸 그 얼굴을 고수할수록 내 말의 신빙성만 더해질 뿐이야."

"이익!"

이내 왈로인이 아벨라를 똑바로 노려보면서 귀 밑의 보석에 손을 짚었다. 곧, 리시안의 얼굴이 흐릿해짐과 동시에 왈로인의 주름진 본디 얼굴이 나왔다. 저번, 아벨라와 체하르트를 습격했을 당시, 숲의 호수에서 입고 있던 로브 차림 그대로였다.

됐다. 아벨라가 눈을 번뜩였다. 아무 말에 가까운 아벨라의 도발엔 사실 이유가 있었다. 아벨라는 반드시 왈로인이 진짜 무엇을 걸치고 있는지 확인해야 했다.

저 아티팩트는 아무래도 흉내 낼 인물이 입고 있던 옷까지 흉내 내는 것 같았다.

그래서 아벨라는 왈로인이 아티팩트를 풀게끔 유도해, 왈로인이 실제로 입고 있는 옷이 무언지 확인하려 한 것이다.

그래야 대응할 수 있지 않은가. 품속의 마법검으로 말이다.

"이제 되었소?"

왈로인이 한쪽 입꼬리를 짙게 올렸다.

"그 어쭙잖은 도발에 넘어가 드렸소이다. 뭘 확인하기 위해서인지, 혹은 그저 마지막 발악인지는 모르겠지만 만족하길 바라오."

다행이었다. 이런 얕은 도발에도 왈로인은 기꺼이 정체를 밝혔다. 때문에 아벨라는 그가 로브를 입고 있고, 그 로브가 어디까지 내려오는지 확인할 수 있었다.

아벨라가 신중하게 가늠하는 때였다. 그녀의 침묵을 어떻게 이해한 것인지, 왈로인이 다시 코웃음을 쳤다.

"그나저나, 정말로 명줄이 기십니다, 8황자비 전하. 어떻게 그 부상을 입고 그 호수에서 살아 나왔소이까? 게다가 오, 저기 10황자 저하께서도 계시는군. 정말 명줄이 끈질기시오!"

"……아마 당신을 벌하라고 다시 보내신 모양이지."

체하트는 낮게 읊조리며 그를 노려보았다. 왈로인의 눈썹이 위로 꿈틀거렸다.

"뭐라고?"

그의 되물음에, 아벨라가 코웃음을 쳤다.

"아직도 모른다니, 꼴이 우습구나! 우리를 그 호수에 빠뜨린 것을 보면 용과 만나게 하지 말라는 예언을 받은 것을 잊었나 보지."

무언가를 떠올리려던 왈로인의 표정이 변했다.

"그 호수라면."

"그래, 카셀란이 태어날 때 바다의 포말이 고여 만들어진 호수 말이다. 네놈이 우리를 살린 것이나 다름없다!"

체하트가 큰 소리로 소리쳤다. 왈로인은 그런 체하트와 아벨라를 바라보다가 '하!' 하고 크게 웃었다.

"웃기지도 않는군! 단순히 호수에 빠진 것을 두고 용을 만났다고 은유할 줄이야!"

체하트와 아벨라의 눈이 순간 허공에서 마주쳤다.

······왈로인의 말은 틀렸다. 단순한 은유가 아니라, 그들은 실제로 용을 만났던 것이다. 게다가 그 용을 만나 무슨 일이 있었는가를 생각하면 자다가도 이가 갈린다. 그 덕분에 충분히 강해졌다면 강해졌겠지만······.

체하트가 아벨라를 바라보며 미세하게 고개를 끄덕였다. 아벨라도 눈을 천천히 깜박였다.

저대로 착각하게 두자. 둘은 순식간에 합의했다. 실제로 용을 만났음을 알릴 생각은 추호도 없었다. 굳이 그의 착각을 바로잡을 필요도 없었다.

아벨라는 제 앞에서 검을 빼 들고 있는 마티나를 흘긋 확인했다.

그녀가 들고 있는 검은, 며칠 전 아벨라와 함께 고른 마법검 중 하나였다. 카셀란의 레어에서 챙겨 왔던 무기 중 하나다.

이길 수 있다. 아벨라의 눈동자가 차분하게 가라앉았다. 이

전과는 전혀 다를 것이다. 반드시 한 방 먹여 주고 말겠다. 아벨라의 주먹이 꽉 쥐어졌을 때였다.

"······이상하군. 다들 기도가 변했어."

왈로인이 미간을 좁히며 입을 열었다.

"전혀 두려워하지 않는 것처럼 보이는구려."

"두려워할 게 있어야 두려워하지."

"죽음을 앞에 두고도 이상하게 의연해."

"당연히, 죽지 않을 거니까."

아벨라가 눈을 빛낸 채로 당차게 대꾸했다. 왈로인은 그녀에게 다시 대꾸하는 대신, 한쪽 눈살을 찌푸려 보였다.

이전과는 완전히 다른 반응이었다. 마치 자신이 이곳에 들이닥친 것을 처음부터 알고라도 있었던 걸까? 아니, 하지만 자신이 이곳에 들어왔을 때 이들은 자신이 왈로인인지도 뒤늦게 알아차리지 않았던가.

그런데 이들은 왜 이토록 여유로워 보인단 말인가?

왈로인은 아까보다 훨씬 더 가라앉은 목소리로 다시 입을 열었다.

"당신의 마법은 통하지 않소이다."

"이미 알고 있어."

"반면 내 마법은 통할 거고."

"알고 있다고."

조목조목 상황을 읊는 왈로인에게, 아벨라가 코웃음을 치며 대꾸했다. 왈로인은 다시 한번 천천히 신중한 표정으로 주변을 살폈다.

왈로인이 다른 쪽을 보는 사이, 아벨라가 마티나에게 눈짓했다. 마티나는 아벨라가 무얼 말하는지 단번에 알아챘다. 아벨라는 마티나에게 제롬을 지키라고 명령하고 있었다.

그랬다. 이들 중 가장 약체라고 한다면, 아무래도 아직 부상에서 채 낫지 못한 제롬이었다. 마티나는 잠시 망설이는 기색이었다. 하지만 이내 그녀가 천천히 고개를 끄덕였다.

마티나가 슬금슬금 제롬과 체하트 쪽으로 다가갈 때였다. 그 순간, 왈로인의 깊고 교활한 눈과 마티나의 눈이 마주쳤다.

그의 눈이 일순 커졌다 다시 좁혀졌다. 간파당했구나. 아벨라와 마티나, 그리고 제롬까지 모두 긴장할 때였다.

"꽤 뛰어난 기사로군."

"……."

마티나는 그의 말에 대답하는 대신 검을 단단히 고쳐 쥐었다. 황실의 로열 가드 내에서도 무척 뛰어난 기사. 왈로인이 보기에도 그녀의 기도가 무척이나 특별하게 느껴졌음이 분명했다.

"이런 기사를 어디서 데려오셨소? 얼마나 충직하단 말이오, 충성을 바친 주군의 말만을 듣는 기사는 이제 동화 속에서만 나오는 이야기라고 생각하고 있었거늘."

왈로인의 물음에 아벨라는 대답하지 않은 채, 왈로인을 똑바로 노려보았다. 마티나가 제롬을 커버할 수 있는 위치로 갈 때까지 아벨라가 대신해서 시간을 벌 셈이었다.

"그건 당신이 알 바 없고."

"이런 건방진."

순간 왈로인의 얼굴이 뒤틀렸다. 아벨라는 단지 양 주먹을 꽉 쥔 채로 그를 노려볼 뿐이었다. 잠시 그녀를 노려보던 왈로인이 '하!' 하고 비웃었다.

"정말로 이해할 수 없군. 대체 뭘 대비해 놓은 것인진 모르겠지만, 좋소. 내가 먼저 나서지."

잠시 알 수 없는 눈빛으로 아벨라를 살피던 왈로인이 순간 손가락을 튕겼다. 제롬 쪽으로 다다르던 마티나가 순간 저만치로 나가떨어졌다. 무형의 무언가가 그녀의 오른 가슴팍을 세게 후려친 것 같았다.

"마티나!"

아벨라가 놀라 외쳤을 때였다. 그때였다. 체하트가 두 손에 칼을 든 채로 왈로인에게 달려들었다. 체하트가 크게 칼을 휘둘렀다. 바로 왈로인의 어깻죽지 부분이었다.

"……!"

왈로인은 크게 당황한 채, 체하트의 일격을 피하며 뒤로 물러났다. 한편, 마티나는 큰 헛기침을 내뱉은 채 벽을 짚으며 일어섰다.

"그 검은."

체하트가 든 검을 보던 왈로인의 눈동자가 흔들렸다.

"그 검은, 내가 용과 함께 처음으로 간 여행에서……."

혼란스러워하던 왈로인의 눈에 독기가 서렸다. 그가 고개를 들어 체하트와 아벨라를 노려보았다.

"너희들, 카셀란을 만났나."

"……알 바 없지 않은가."

체하트의 대답에, 왈로인의 얼굴이 확신으로 일그러졌다. 아벨라와 체하트는 카셀란을 만난 것이다. 이제야 이들이 여유로운 이유를 알 것 같았다.

"그랬군. 그랬던 거였어."

'하' 하고 헛웃음을 짓던 왈로인의 눈동자가 순간 도르륵 움직였다.

"용이 아예 내 뜻을 방해하기 위해 개입했단 말인가."

"굳이 따지자면 용의 뜻은 이미 확고했고, 당신이 갑자기 홱 돌아서 이 모든 일을 난장으로 만들어 놓은 거지만."

"……그렇다면 빨리 끝내야겠군."

"아니, 말을 듣고 있는 거야?"

아벨라가 짜증 낼 때였다. 잠깐. 그에 맞춰 움직이려던 아벨라의 눈이 크게 떠졌다. 왈로인이 갑자기 무릎을 숙였다. 그의 발이 아벨라와 체하트 쪽이 아닌, 제롬 쪽을 짚었다.

"네놈들은 까다로워 보이니, 일단은 이쪽부터 없애 주마."

그녀는 단박에 왈로인이 누굴 노리는지 깨달았다. 문가에 서 있는 제롬 쪽이다.

왈로인은 제롬부터 노릴 심산이었다. 그의 몸이 아직 낫지 않았음을 본능적으로 눈치챘기 때문이었다.

"제롬!"

알아챈 순간, 아벨라가 소리 높여 제롬의 이름을 불렀다. 왈로인이 순간 몸을 띄워, 그야말로 빠르게 신형을 움직여 갔다.

아벨라는 레줄을 움켜쥔 채, 왈로인을 향해 불덩이를 날려 보냈다. 외마디 소리도 나지 않는 깔끔한 캐스팅이었다.

하지만 왈로인은 속도를 줄이지 않고 계속 제롬을 향해 달려 나갔다. 아벨라가 날려 보낸 불덩이도 피하려 하지 않았다. 그저 망토를 휘둘러 제 달리는 몸만을 감쌀 뿐이었다. 불덩이가 그의 몸을 맞추자 흰 연기만 피어오르며 무력화되었다.

뒤늦게 마티나가 튕겨 나오듯이 빠르게 왈로인에게 몸통을 부딪히려 들었지만, 왈로인은 교묘하게 마티나를 피해 제롬에게로 짓쳐 들어갔다.

"안 돼!"

아벨라가 칼을 고쳐 든 채로 황급히 그쪽을 향해 달려갔다. 순간 모든 게 슬로모션처럼 보였다.

아벨라는 보았다. 눈을 휘둥그레 뜬 제롬이 손을 휘둘러 먼저 마법을 쓰려 했지만, 왈로인이 그보다 훨씬 빨랐다.

왈로인의 품속에서 날붙이가 튀어나오고, 왈로인이 그를 그대로 제롬에게 찌르려 들었다. 이대로라면 제롬이 찔리는 수밖에 없다고 생각할 때였다.

사람의 그림자가 일순 왈로인의 뒤에서 어른거렸다.

"커헙!"

갑자기 일순 왈로인이 휘청거렸다. 그가 들고 있던 칼이 '챙강' 하는 소리를 내며 체하트 쪽의 발치에 떨어졌다. 왈로인은 크게 괴로워하는 얼굴로, 그 자리에 멈춰 선 채 괴로워하기 시작했다.

무슨 일인지 제대로 파악하기도 전, 마티나가 틈을 놓치지 않고 왈로인과 제롬 사이에 끼어들었다. 제롬을 등 뒤에 두고, 왈로인을 향해 검을 겨눴다. 체하트는 재빨리 왈로인이 떨어뜨린 칼을 발로 차 책장 밑으로 보내 버렸다.

"왈로인의 등이!"

아벨라가 제 쪽으로 휘청거리며 등을 보이는 왈로인을 보고 놀라 소리쳤다. 왈로인이 입고 있는 로브의 등판 쪽이 크게 찢겨져 있었다. 로브와 함께 그 안의 옷과 살까지 벤 것인지, 왈로인의 등에 큰 상처가 나 있는 것이 보였다.

갑자기 이게 어떻게 된 영문인 거지? 분명히 제롬을 벨 것처럼 움직이던 왈로인이 오히려 크게 다쳐 괴로워하고 있다니…….

주위를 둘러보던 아벨라가 구석으로 시선을 두었을 때였다. 아벨라의 눈이 크게 떠졌다.

단장이었다.

분명히 왈로인이 자랑스럽게 웃으며 '해치웠다'라고 말했던 그 단장이 아무렇지도 않게 멀쩡한 얼굴로 서 있었다. 왈로인을 벤 게 분명한 피 묻은 검을 든 채로.

그 순간 아벨라는 방금 무슨 일이 일어났는지 깨달았다. 단장이 왈로인의 눈을 속인 채 그의 뒤를 쫓아 공격한 것이다. 섬광보다 빠른 속도로!

"누구냐!"

왈로인이 비틀거리며 고통으로 일그러진 얼굴로 크게 외쳤다. 고통에 몸부림치던 왈로인이 주변을 미친 사람처럼 둘러보다 드디어 단장을 발견했다.

그는 왈로인으로부터 몇 걸음 떨어져, 누가 그를 베었냐는 듯이 시치미를 뗀 채 웃고 있다. 그를 발견한 왈로인의 얼굴이 일그러졌다.

"네, 네놈……."

"일하시는 중에, 실례하오."

단장이 태연하게 말했다. 왈로인이 제 등을 보호하기 위해 벽 쪽으로 등을 돌린 채, 제롬과 단장을 번갈아 노려보았다. 이내 왈로인이 단장에게 거세게 외쳤다.

"네놈, 네놈은 분명히 내가 베었을 텐데!"

"어떻게 돌아가는지 보자 싶어서 일단 죽은 척은 했는데, 그게 먹혔던 모양이구려. 잘되었소. 내가 전쟁터를 돌아다니며 익힌 기술인데, 꽤 괜찮았지 않은가?"

단장의 너스레에, 왈로인의 얼굴이 분노로 뒤틀렸다.

"뭐, 뭐가 어째? 이놈……!"

"내가 아무리 그래도 검을 배우지도 못한 듯한 작자한테 검으로 죽으면 안 되지 않겠소? 내 제자들이 분명히 비웃을 거외다. 성대한 장례는커녕 엄청나게 웃을 거라고. 안 봐도 뻔할 뻔자지."

"제자라고? ……네놈은 대체 누구냐!"

왈로인의 말에, 단장이 잠시 생각에 잠겼다.

"아, 나는. 이곳을 책임지고 있는……. 음."

"책임지고 있는, 뭐냐!"

"그러게 말이오. 일단 대가를 받고 일하고 있거든. 파견 근로자라고 해야 할까, 아니면 요양 보호인?"

"뭐가 어쩌고 저째!"

"가장 좋은 건 용병이라고 말하는 건데, 용병이라는 어감은 아무래도 그 업무 범주가 전투에만 치중된 감이 없잖아 있고. 뭐, 그냥 파견 근로자가 가장 어감이 좋은 것 같소. 그걸로 하지."

단장은 정말 고심하는 듯한 어조로 말을 이었다. 정말 숙고하는 표정이지만, 왈로인은 그에 더 약 올라 하는 것처럼 보였다.

"지금 나랑 장난치는가!"

"장난이라니, 큰일 날 소리."

왈로인의 호통에, 단장은 유유하게 웃으며 두 손을 들어 보였다. 방금 전까지만 해도 분명히 검을 들고 있었는데, 지금 그의 두 손에는 검이 들려 있지 않았다. 언제 검을 다시 검집에 넣었단 말인가?

"어쨌든, 미안하오. 일전에 황자비 저하께서 저렇게 엉망진창인 문장이 그려져 있는 망토는 다짜고짜 잘라 버리라고 하시는 걸 들었거든. 혹시나 싶어서 베었는데. 저하, 맞습니까?"

갑자기 이쪽을 바라보며 단장이 물어왔다.

아벨라가 눈동자를 도르륵 굴리다가는 이내 거세게 끄덕였다.

"예, 맞아요."

"아, 그럼 편하게 한번 더 벨까요. 그러고 보니 온 문장들이 곳곳에 새겨져 있던데."

"그렇게 해 주시면 좋, 잠시만요."

장단을 맞추던 아벨라의 눈이 동그래졌다. 시야 구석에서 제롬이 작게 고갯짓하고 있었다. 제롬은 신중한 얼굴로 고개를 젓곤 왈로인을 가리켰다.

아벨라의 눈에 이채가 감돌았다. 제롬이 지금 뭘 계획하고 있는지 단박에 알아챘기 때문이다. 아벨라는 그를 향해 고개를 끄덕이곤 단장에게 다시 대답했다.

"……아뇨, 괜찮을 것 같아요. 이곳에 하도 저 사람에게 감정적인 사람이 많아서요."

의뭉스러운 대답에 왈로인이 어깨를 움찔거렸다. 동시에 왈로인의 눈동자에 패색이 어렸다.

하기야 저도 당연히 알고 있을 것이다. 그에겐 승산이 없었다. 처음엔 기세 좋게 왔어도, 왈로인이 마주한 아벨라 일행은 이전의 그들이 아니었다.

도망쳐야 했다. 왈로인은 자신도 모르게 망토의 아래쪽을 흘끔거렸다. 등 뒤에 새겨진 마법 무력화 마법진은 찢어졌지만, 다행히 망토의 옆 부분과 모자 쪽에 새겨 둔 마법진은 무사했다.

그렇다면 다른 마법은 얼마든지 부릴 수 있다. 마법진의 마법으로 창문을 통해 탈출할 수 있다는 소리였다. 왈로인이 주먹을 쥘 때였다.

갑자기 제 로브의 한쪽이 잡아당겨지더니 '부욱' 하고 찢는 소리가 났다. 소리 나는 쪽을 바라본 왈로인이 경악해 입을 벌렸다.

체하트였다.

체하트가 단도를 들고 자신의 로브를 잡아당겨, 그대로 찢어 버리고 있었다.

"지금 무슨 짓을!"

"아, 그게요."

체하트가 긴장한 기색으로 침착하게 설명했다.

"지금 아마 당신도 눈치챘을지 모르지만, 도망가려고 시도한들 이미 틀렸을 거란 말이에요? 형수님도, 제롬 형님도 벼르고 있고…… 그래서 제 생각엔, 저도 끼어들어서 뭔가 해 볼 수 있는 기회가 지금밖에 없는 것 같았거든요. 그래서 한번 찢어 봤어요. 사실, 등의 핵심 마법진이 파훼되어 이젠 어딜 찢어도 고만고만할 것 같긴 한데……."

"뭐가 어쩌고 저째!"

왈로인이 한쪽 주먹을 쥐었다. 체하트가 찢은 쪽이 아닌, 다른 소매 쪽의 마법진이 빛나고 그의 주먹에 매서운 불꽃이 피어올랐다. 그가 눈을 부릅뜬 채, 그대로 주먹을 휘두를 때였다.

길게 설명하던 체하트가 일순 뒤를 돌아보며 소리쳤다.

"형님, 지금이에요!"

체하트의 말이 떨어지자마자, 제롬의 발이 바닥을 한번 쾅 굴렀다. 일순, 방에 큰 바람이 일렁였다.

방에 있는 사람들의 옷들이 펄럭거리고, 머리칼이 나부꼈다. 로브를 입고 있는 왈로인의 로브 또한 크게 부풀어 올랐다가 꺼졌다.

바람을 눈치챈 순간, 왈로인의 얼굴이 사색이 되었다. 왈로인은 이 바람이 몰아칠 때 무슨 일이 일어나는지, 그 누구보다 더 잘 알고 있었다. 제롬은 자신의 제자였으니까. 왈로인이 당황한 채로 입술을 들썩였다.

"아, 안 돼."

"이 날만을 기다렸다."

창백한 낯빛의 녹안의 미남이 입술을 앙다문 채로 두 손을 뻗어 왈로인을 겨눴다. 방 안에 넘실대던 바람 줄기가 마치 뱀처럼 의도를 갖고 왈로인의 로브 속을 파고들었다.

"……!"

불을 휘감은 채로 주먹을 휘두르려던 오른손부터 먼저 허공에 들렸다. 그다음은 왼손, 그다음은 오른발과 왼발이었다. 넝마가 된 로브를 아슬아슬하게 걸친 채, 왈로인이 허공에 매달렸다.

제롬은 다섯 손가락을 쫙 벌렸다. 그 자리에서 왈로인의 팔다리가 허공에 팽팽히 묶였다. 대자로 들린 왈로인이 고래고래 소리치기 시작했다.

"놓으란 말이다!"

그의 이마에 핏줄이 잔뜩 서 있었다. 분노, 불안. 그리고 제롬은 왈로인의 또 다른 감정을 눈치챌 수 있었다. 공포.

'그' 왈로인이 공포에 질렸다고? 실제로 보고 있지만, 보고 있는 만큼 믿을 수 없었다.

왈로인은 자신들보다 몇 배의 삶을 산 전설이었다. 수많은 영웅담이 전승되어 내려온 작자. 누구보다 정의로고 훌륭한 현자라고 칭송받던 사람이었다.

그런 사람이, 몇 년 뒤 모든 마법을 잃고 자신의 후학이 쓴 마법에 당해 허공에 매달려 있다. 이 광경을 대체 누가 상상이나 했을까.

"놔!"

왈로인이 다시 악을 썼다. 악쓰는 목소리에 쇳소리가 섞여 나왔다.

"내가 누군 줄 아느냐! 왈로인이다! 제국의 수호신이었던 자! 이 황실을 제패하고 새로운 제국을 세울 자! 백룡 카셀란의 수호 아래 다시금 새로운 제국을 세울 자란 말이다!"

"새로운 제국의 시작이라며 하는 짓은 어느 시정잡배만도 못하니, 참으로 비참하구나. 제가 지키려는 가치가 이미 변질된 줄도 모르고 어리석게 부여잡고 있는데, 그게 무슨 의미가 있는가."

"뭐라고?"

그의 말에 왈로인이 눈을 홉뜨며 다시 와락 소리쳤다. 제롬은 잠시 깊은 한숨을 내쉬었다.

"지금의 당신이 마구잡이 살육으로 이 나라를 차지한다 한들, 당신 밑의 새 나라가 과연 살기 좋은 나라일까. 이렇게 비참한 꼴을 하고 있는 작자가 꿈꾸는 나라가 이상향이 될 수 있을까?"

"그것은 네가 알 필요도 없는 것이다. 내가 꿈꾸는 세상엔 이미 너 같은 적폐는 없기 때문이지!"

"적폐는 바로 너다!"

"제롬, 네 이놈!"

"그 입 닥쳐라!"

순간 쩌렁하게 제롬이 외쳤다. 휘청일 것 같은 마른 몸에선 도저히 나올 것 같지 않은 노호성이었다. 그의 호통에 몸을 꿈틀대며 반항하던 왈로인조차 순간 움직임을 멈추고 제롬을 응시할 정도였다.

"이미 네놈의 속내는 썩다 못해 뭉그러져, 네놈이 입을 열 때마다 썩은 내가 난다! 내가 알고 있던, 존경하던 스승은 이렇지 않았다! 심지어 이곳에 올 때 자신의 어쭙잖은 도구의 힘에 취해 사람들을 굴종시킬 기쁨에 들떠 있었지! 마법도 잃은 주제에, 이 무슨 오만인지!"

제롬의 눈에 푸른 불꽃이 일렁이고 있었다. 그가 피를 토하는 듯이 소리 지를 때마다, 눈 안의 불꽃이 선연하게 타올랐다.

"황위를 차지한다고 해서 이 나라 전체를 차지할 수 있을 리 없다. 온 제국을 떠돌며 깨달았다고, 이 나라 황족들이 하고 있는 생각들은 편협한 사고이며 곧 무너질 모래탑이라고 말했던 것은 아카데미 시절 바로 네놈이었다, 왈로인……!"

소리치던 제롬이 순간 휘청거렸다.

"형님!"

"제롬, 괜찮아요?"

모두가 놀라 그를 향해 소리쳤다. 다행히 가까이에 있던 마티나가 무너지려는 그를 받쳐 들었다. 제롬은 잠시 그대로 마티나에게 몸을 기댄 채 숨을 헐떡였다.

한계에 다다른 모양새였다. 창백해진 제롬의 턱 끝으로, 땀이 후두둑 굴러 떨어졌다. 마법을 계속 펼치는 것까진 무리였던 걸까. 아벨라가 고개를 숙이며 입술을 앙다물었다. 그때였다. 제롬이 눈을 크게 떴다.

"형수님……!"

아벨라가 그 다급한 소리에 다시 고개를 들었다. 아벨라의 눈이 휘둥그레졌다. 왈로인이었다. 왈로인이 이쪽으로 달려들고 있었다.

아차. 제롬이 쓰러지면 제롬이 쓰던 마법도 당연히 사라졌겠지. 아벨라는 당황한 채 제게 달려드는 왈로인을 바라봤다.

왈로인의 시선은 아벨라와 단장의 뒤쪽, 체하트의 처소를 나서는 문에 고정되어 있었다. 어떻게 해야 하지? 찰나의 순간, 머리를 스치고 가는 생각에 아벨라의 푸른 눈이 반짝였다.

그 뒤로 이어진 동작은 아주 자연스러웠다.

아벨라가 두 손을 벌려, 제 코앞까지 닥쳐 든 왈로인의 두 귀를 강하게 내리쳤다. 마티나에게 배운 동작 대로였다.

"악!"

왈로인이 고통스러운 단말마를 내지르며 휘청거렸다.

"이얍!"

아벨라는 그때를 놓치지 않고 낭랑한 기합을 외치며 왈로인의 고간으로 힘차게 발을 내질렀다.

뻐어어어억.

그 주변에 있던 체하트와 제롬, 그리고 단장까지도 놀라 눈을 휘둥그레 뜰 정도의 큰 소리가 사방을 울렸다.

"크하악!"

동시에 왈로인이 고통스러운 신음과 함께 그 자리에서 쓰러졌다. 눈이 충혈된 채였다. 너무 부릅떴기에 눈에 실핏줄이 터진 모양이었다.

왈로인은 그 자리에서 제 고간을 감싸 쥔 채로 몸을 바들바들 떨기 시작했다.

"악, 아악……."

"이걸로 끝났을까 봐? 아주 죽었어, 오늘."

아벨라가 주먹을 불끈 쥔 채로 왈로인에게 다가섰다. 아벨라가 제 목에 걸려 있던 레줄을 꽉 잡음과 동시에, 불투명한 소용돌이 바람이 그녀의 발 전체에 덧씌워졌다.

그 광경을 바라보던 제롬의 눈이 동그래졌다. 제롬은 아벨라가 무엇을 하려는지 알 것 같았다. 발에 바람을 둘러, 부족한 근력을 바람에서 발생하는 공기압으로 채우려는 것이다.

저 상태에서 한번 발을 휘두르면 누구든 단번에 나가떨어질 것이다. 게다가 저 바람 덕에 발을 빠르게 놀릴 수도 있을 테니, 이론적으로는 성에 찰 때까지 무한대로 발을 놀릴 수 있었다.

"형수님."

제롬이 놀라 중얼거렸다. 언제 저렇게나 늘었단 말인가. 못 보던 사이에 아벨라가 이룬 마법의 경지를 확인하니 놀랍기만 했다.

원래도 아벨라의 재능은 천부적이었다. 하지만 제롬은 그녀의 마법은 이미 자신의 수준을 넘어설 만큼 뛰어나지만, 응용은 아직 약하다고 생각하고 있었다.

마법진의 해석만 훌륭하지, 마법을 응용해서 자유자재로 쓰는 데 더 시간이 필요할 거라고 생각하고 있었다.

하지만 저길 보라. 그녀는 이미 마법을 자기 자신의 신체 능력과 결합해 자유자재로 휘두르고 있었다.

물론 이는, 어디까지나 체하트와 함께 카셀란의 레어에 갇혀 있던 그 시간 동안 밥만 먹고 하릴없이 계속해서 마법을 연습했기 때문에 이룬 결과였다. 하지만 제롬이 이를 알 리 없었다.

그때였다. 침과 콧물, 눈물범벅이 된 왈로인이 그 상태에서 고개만 들고 다시 외쳤다.

"네 이년! 나를 이렇게 대접하고도 네년이 목숨을 건질 성싶으냐! 나는 황제에게! 황제에게 옥새를 받은 몸이다!"

"웃기고 있네……. 잠깐만, 뭐가 어째?"

그 앞으로 다가서서 발을 휘두르려던 아벨라가 동작을 멈추고 되물었다. 귀에 걸리는 단어가 있었다.

옥새라고? 옥새? 아벨라의 눈동자가 흔들렸다. 설마 내가 알고 있는 그 도장 말하는 건가?

한 나라의 지도자만이 가질 수 있는, 그 온갖 중요한 결정을 내릴 때마다 휘두르는 그 옥새?

"그래! 옥새! 옥새를 내가 갖고 있단 말이다! 이걸 갖고 있으니 나는 이미 천하의 주인이나 다름없다! 어서 내게 무릎을 꿇지 못할까!"

아벨라가 망설이는 것을 단박에 알아챈 왈로인은 애써 고개를 뻣뻣하게 세웠다. 옥새가 마치 마지막 동아줄이라도 되는 양 절박한 목소리였다.

"나는 황제에게 옥새를 받았단 말이다! 그러니 나를 해치는 것은 곧 반역죄다!"

"허어."

아벨라가 의미 모를 장탄식을 내뱉곤 이내 주먹을 불끈 쥐었다. 발에 두르고 있던 바람이 순식간에 사라졌다.

"옥새를 받았다고?"

아벨라의 말에, 왈로인이 시선을 굴리며 아벨라의 눈치를 살폈다. 아벨라는 차분한 표정으로 왈로인을 바라보고 있었다.

아벨라의 기색에 왈로인은 옥새라는 말이 그녀에게도 중요한 키워드임을 깨달았다. 그럼 그렇지. 그녀도 황자비였다. 자신이 갖고 있는 옥새에 관심이 없을 리가 없었다.

그를 내심 확신한 왈로인은 아벨라의 얼굴을 보면서 고개를 크게 끄덕였다.

"그래! 황제 폐하께서 내게 주셨다! 대관식은 곧 열릴 예정이고! 지금 내게 이렇게 발을 휘둘러 봐야 후회만 하게 될 것이다!"

왈로인의 말을 듣던 아벨라가, 그의 말을 막는 것처럼 손을 들었다. 그러자 왈로인은 잠자코 입을 다물었다.

하지만 그의 눈은 득의양양했다. 자신이 옥새를 갖고 있다는 것은 밝히지 않으려고 했지만, 이왕 이렇게 되었으니 어쩔 수 없었다.

그래도 이제 아벨라는 자신의 목숨을 빼앗지 못하리라. 왈로인이 추하게 일그러진 얼굴을 한 채 입술 한쪽을 들었을 때였다.

잠시 숙고하던 아벨라가 자연스레 입을 열었다.

"알았어. 그래서 그건 어쨌어?"

"……뭘?"

뜬금없는 물음에 왈로인이 어리둥절하게 되묻자, 아벨라 또한 눈을 동그랗게 뜬 채로 대꾸했다.

"뭐긴? 옥새지."

"뭐? 잠깐, 그걸 왜 묻―."

"황제가 무슨 생각인지는 모르겠어. 근데 아무리 생각해도, 내가 생각하기엔 황제가 제정신이 아니었을 것 같아."

"그걸 네가 어떻게 아느냐! 그는 정상이었고 내 말에 기꺼이 옥새를 주었다!"

"됐고, 내놔."

"뭐라고!"

"안 내놓으면 내놓을 때까지 때릴 거야. 농담 아냐."

왈로인이 대경해 몸을 들썩였다. 갈색의 망토를 두른 채로 드러누워 팔다리를 파닥이니, 그 모양이 마치 꿈틀대는 애벌레 같았다.

하지만 아벨라는 그의 들썩거림에도 아랑곳 않고, 발에 다시 바람을 둘렀다. 숨 쉬듯이 자연스러운 캐스팅이었다.

"내가 고작 그런 것으로 옥새가 어디 있는지 불 것 같은가!"

왈로인이 버럭 고함쳤다. 이마와 목에 핏대가 시퍼렇게 섰다. 결연해 보이기까지 하는 표정과 말투였다.

하지만 아벨라는 그런 그에게 아무 대꾸도 하지 않았다. 그저 내려다보며 눈을 깜박일 뿐이었다. 깜박깜박. 그리고 또 깜박.

씨근대던 왈로인은 아벨라의 표정에 숨을 죽였다. 이상하지. 단지 세 번 깜박였을 뿐인데, 자신도 모르게 숨죽이고 그녀가 무슨 대답을 할지 기다리게 된다.

그녀가 입술을 달싹이고, 두 입술을 벌려 말을 하기까지의 시간이 마치 억겁은 흐른 것 같았다.

"아, 아직 상황 파악이 안 되시나 보네."

아벨라가 고개를 끄덕이며 여상하게 말했다.

"뭐라고?"

"그래서 옥새를 사수한다 해도, 그러면 뭘 해. 네가 죽는다니까. ……내가 못할 것 같아?"

아벨라가 다시 한번 천천히 되물었다. 왈로인의 얼굴이 새파랗게 질렸다. 저기서 허물어진 채 쓰러져 있는 제롬보다도 훨씬 더 질린 얼굴이었다.

왈로인은 본능적으로 알아챌 수 있었다. 아벨라는 진심이었다. 아벨라의 눈이 무감정하게 빛나고 있었다.

"잠깐, 자……."

그가 허둥지둥하며 무언가를 말하려던 때였다. 아벨라가 바람을 두른 발을 왈로인의 배에 얹었다. 왈로인의 입에서 '커헉' 하는 신음이 터져 나왔다.

생각보다 훨씬 묵직했다. 팔과 발은 자유로웠지만, 배가 눌리는 순간 아무 생각도 할 수 없었다. 최대한 강한 힘으로 벗어나려고 몸부림쳐 봤지만, 아벨라의 발엔 점점 더 강한 힘이 실리기 시작했다.

"네가 끝까지 말하지 않는다면, 그냥 여기서 세상 하직하는 거야. 내가 못할 줄 알지?"

아벨라의 눈동자에 차가운 기운이 돌았다. 순간, 왈로인은 정말로 죽을 것 같은 공포를 느꼈다. 등골이 서늘해지고 아랫배가 바짝 조였다. 식은땀이 전신에서 솟았다. 금방이라도 오줌을 쌀 것 같았다.

왈로인은 한 번도 이런 경험을 해 본 적이 없었다. 자신이 남에게 이런 기분을 들게 한 적은 수없이 많았거늘.

모두가 보는 앞에서 한낱 새파랗게 어린 여자에게 목숨을 협박당하고 있다. 굴욕적이고 수치스럽기까지 했다.

하지만 여기서 죽을 수는 없었다. 자신이 목적을 달성하기까지, 앞으로 단 한 걸음이면 된다.

여기서 아무 말이나 한 뒤, 목숨을 구걸하자. 그리고 살아남자. 왈로인은 삶에 대한 강렬한 한 줄기 미련으로, 이를 악물었다.

"알겠소."

그가 이를 악문 채로 말했다.

"옥새, 옥새가 있는 곳을 말하겠소……!"

왈로인이 허둥지둥 몸을 일으키려 들었지만, 아벨라는 다시 발로 그의 가슴팍을 세게 짓눌렀다.

"옥새는 어딨어."

아벨라가 매섭게 채근했다. 마치 먹이를 발아래 둔 매와 같은 얼굴이었다.

"오, 옥새는, 그러니까, 도서관 테이블 세 번째 서랍! 하지만 나만이 열 수 있게, 내가 고안한 장치로 보호되어 있소! 옥새를 꺼내려면, 반드시 내가 꺼내야 하오! 그렇지 않으면!"

"네가 꺼내야 한다고?"

"그, 그렇소! 그 장치는 내가 고안한 고유한 장치! 아무렇게

나 열면 독액이 분사되어 죽고 마오! 알겠소?! 나를 사, 살려
야 한단 말이오!"

왈로인이 다시 한번 버럭 소리쳤다. 아벨라는 잠시 고민하
는 표정을 지은 채로 발아래 누워 있는 왈로인을 내려다보았
다. 잠시간의 침묵.

"뭘 망설이고 있소?! 어서 이 발 치워! 치우란 말이오!"

공포에 질린 왈로인이 와락 소리쳤을 때였다. 아벨라의 눈
동자가 잠시 왼쪽을 향해 머물렀다.

"생각해 봤는데."

아벨라가 천천히, 아주 천천히 말을 이었다.

"팔다리가 부러져도 목숨은 살아 있다면, 그것도 살려는 주
는 거 아냐?"

"뭐라고?!"

왈로인이 경악성을 내지르자 그와 눈을 마주친 아벨라의 입
가에 옅은 미소가 떠올랐다.

"터럭 하나 멀쩡하게 둘 순 없지."

"너 지금 무…… 으아아악!"

그때부터 허공을 매섭게 가르는 바람 소리가 방 안을 채우기
시작했다. 처절한 비명과 뭔가 부서지는 소리들은 덤이었다.

체하트가 황급히 고개를 돌렸다. 마티나와 제롬은 어딘지
모르게 얼이 빠져 보이는 표정이었다.

"이런 말 뭐하지만……."

계속 긴장한 채로 상황을 지켜보던 단장이 중얼거렸다.

"내가 황자비 저하를 모른 채로 이 광경을 보았다면, 대체
어디서 데려온 용병이길래 저렇게 악랄할까 하고 여겼을 거

요. 산전수전 다 겪은 용병 뺨을 치는군."

단장의 목소리에, 마티나와 제롬이 빠르게 고개를 끄덕였다.

잠시 뒤.

아벨라는 코웃음을 치며 팔짱을 끼고 있었다.

체하트가 조심해서 왈로인을 동여 묶고 있었다. 왈로인의 꼴은 정말 처참했다.

격투를 배운 사람이 때리는 것보다 아무것도 모르는 사람이 마구잡이로 때리는 게 훨씬 크게 다치기 마련이었다.

머리부터 발끝까지 골고루 피멍투성이가 된 채, 왈로인이 크게 훌쩍였다.

"이헌, 히흡흔, 해 행헌 허음이오……!"

"그, 아무래도 그렇겠죠. 언제 이런 취급을 받아 보셨을까."

하도 맞아서 발음도 샌다. 분명히 이도 몇 개 빠졌겠지. 체하트가 자신도 모르게 동정심 가득한 얼굴로 대답해 주었다. 하지만 그의 손발을 단단히 동여매는 손속은 여전히 야무졌다.

아벨라는 왈로인 쪽을 완전히 무시하고는 머리를 다시 질끈 동여맨 채 제롬과 마티나, 단장에게 입을 열었다.

개운해 보이는 표정이었지만 이 방의 사람들은 그를 구태여 지적하지 않기로 했다.

"있죠. 왈로인 혼자서만 이곳에 왔을 리는 없어요. 왈로인은 그저 선발대일 거고, 밖에 분명히 왈로인의 잔당들이 있을 거란 말이죠. 다보프나 렌티아 같은."

그녀의 말에, 단장이 살짝 굳은 얼굴로 고개를 끄덕였다.

"말하려고 했지만, 아까부터 다수의 기척이 느껴집니다."

"몇 명이나 되는지도 파악할 수 있어요?"

"꽤 많이. 서른여 명 정도 되는 사람의 기척일까. 이 복도에만 있는 숫자고, 저 복도 넘어서는 더 많을지도 모릅니다."

"아, 어쩐지. 아까부터 표정이 안 좋은 이유를 알겠어요."

아벨라는 여유롭게 대답하곤 제 레줄을 단단히 손에 감았다. 그런 그녀를 바라보던 단장이 다시 조심스레 물었다.

"무언가 계획이라도 있으십니까? 이야기해 주시면 따르겠습니다."

"그런 거 없는데요. 일단 무조건 이곳을 나서는 수밖엔."

"하지만 옥새가 있는 장소를 들으셨잖습니까."

"그렇죠."

"안 가실 겁니까?"

"네?"

아벨라가 눈을 동그랗게 떴다.

"제가 거길 왜 가요?"

"하지만 그럼 왜 옥새를…… 아."

순간 단장이 무언가를 깨달은 소리를 냈다. 아벨라는 그런 단장에게 동그랗게 눈을 뜨며 고개만 끄덕여 보였다.

"네. 왠지 갖고 있으면 써먹을 데가 있을 것 같아서 달라고 한 거예요. 결국 못 얻었지만 그래도 어디에 있다는 정도는 알았으니까, 협박용으로 쓸 수 있지 않을까요?"

"……협박이요."

"네. 어차피 저 밖에 있는 건 렌티아 4황녀와 다보프 3황자겠죠. 복수심에 눈이 멀어 왈로인과 동맹을 맺었다지만, 타고난 권력욕이 어디 갈까. 그들에게 흘려주면서 길을 헤치고 갈까 생각하고 있어요."

"하지만 그들이 비켜 주지 않으면요?"

"하하. 여차하면 다 날려 버리면 되니까요. 그들이 모두 마법사인 것도 아니고."

"……."

"뭐, 그리고 또 생각하고 있는 계획도 있는데요, 이걸 쓰면 좀 악당 같아 보일지도 몰라서 고민 중이에요. 아니다, 그냥 악당일까?"

모두 마법으로 날려 버리겠다는 것인가. 묘하게 호전적인 말투다. 게다가 '악당 같아 보일지도 모르는 계획'은 뭐란 말인가? 말문이 막힌 단장은 침묵을 택했다.

아벨라는 대답을 못 들어도 상관없다는 듯이 유유히 공간을 둘러보았다. 잠시 볼을 두드리면서 무언가를 생각하던 아벨라는 곧 '음' 하는 소리를 내며 고개를 끄덕였다.

"좋았어. 그럼 일단 체하트, 왈로인을 제 앞에 세우고 제가 먼저 나갈게요. 포승줄 이리 줘요."

"네? 아니, 형수님. 너무 위험해요. 그리고 왈로인은 대체 왜."

"제가 어디서 봤는데, 보통 이럴 땐 인질 먼저 끌고 나가더라고요."

"예?"

"호호, 농담이에요."

체하트가 제 귀를 의심하면서 되물었다. 그러자 아벨라가 '호호' 하고 웃으며 고개를 살랑살랑 저었다.

아니, 무슨 농담을 그렇게 살벌하게……. 체하트가 당황한 얼굴로 그녀를 바라볼 때였다. 아벨라가 '헤헤' 하고 그를 향해 활짝 웃어 보였다. 이 상황에서도 웃으니까, 꽃처럼 아름다 웠다.

모르겠다. 그 미소를 보는 순간, 체하트는 온전한 이해를 포기했다. 뭔가 계획이라도 있겠지. 이전에도 그랬지 않은가. 이내 체하트는 한숨을 푹 쉬곤 뭐에라도 홀린 것처럼 왈로인을 붙잡고 있던 포승줄을 그녀에게 내밀었다.

다시 한번 활짝 웃으며 왈로인의 포승줄을 이어받은 아벨라가 문 앞에 선 채 뒤를 돌아보았다.

"어쨌든 다들 긴장하세요. 어떻게 될진 모르겠지만, 이 뒤에 뭐가 있는지 사태 파악은 여전히 안 되지만 그래도…… 이 문을 나서 보죠."

모두의 얼굴에 긴장감이 맴돌았다. 말하지 않아도, 그들 모두는 알고 있었다. 황궁은 더 이상 그들에게 안전한 장소가 될 수 없었다. 돌아가는 정황을 모르는 이상 정말로 황궁을 탈출하는 모양새가 되었고, 이제부턴 생사를 걸어야 했다.

아벨라가 문을 발로 걷어차 열었다.

단장의 말대로 체하트의 처소 앞 복도에는 수많은 사병들이 포진해 있었다. 모두 렌티아와 다보프가 데리고 온 병사들이었다. 이 구역에 있었던 시종들은 멀리 쫓아 보낸 지 오래였다.

왈로인이 안에서 소란을 피우고 약속한 시간이 지나면 렌티아와 다보프가 사병을 이끌고 습격할 계획이었다.

왈로인이 마법을 쓰겠다고 말했기 때문에 둘 모두 체하트의 처소 바로 앞이 아닌 멀리, 복도 끝 쪽으로 떨어져 있었다.

붉은 가죽갑옷을 두른 드레스 차림의 렌티아가 다보프를 향해 물었다. 드레스는 치마폭을 터 움직이기 쉽게끔 해 놓았지만, 사실은 퍽 실용성이 없는 차림이었다.

"이대로 그를 믿어도 괜찮을까요?"

"글쎄. 일단 저 방에 수상쩍은 움직임이 보인다고 바흐테인이 말해 주었으니 말이다."

"그가 왜 우리에게 이런 정보를 준 건지 모르겠지만……."

렌티아는 잠시 침묵하곤 다시 말을 이었다.

"그를 믿어도 좋을지 모르겠어요."

"글쎄다. 바흐테인은 폐하의 충신. 그런 그가 우리에게 찾아왔다는 건 이 나에게도 황제가 될 가능성이 있다는 게 아닌가. 폐하는 저 노망난 늙은이에게 옥새를 빼앗기셨지만, 나는 아직 포기하지 않고 있단다. 내가 옥새를 찾아다 드리면 판세가 달라지겠지."

"……."

과연 그럴까? 다보프의 자신만만한 대답에도 렌티아의 심상한 낯빛은 쉬이 풀리지 않았다.

사실 따지자면 이상한 것은 한두 가지가 아니었다. 그중 가장 이상한 것은 렌티아와 다보프가 지금 거느리고 있는 사병이다.

이 사병들은 샬롯의 측근들이었던 귀족들이 원조한 군사들이었다. 하지만 렌티아가 알기로 그들은 이런 사병을 움직일 힘이 없었다.

이들은 살아생전 샬롯과 했던 작당들로 인해 재산을 크게 잃은 적이 있었다.

'이 빚은 딜루어 은행 때문'이라고, 그 가문의 수장들이 샬롯에게 하소연했었던 적도 있기 때문에 잘 알고 있었다.

그런데 그 귀족들의 입에서 언제부터인가 '빚'에 대한 언급이 싹 사라졌다.

분명히 경제적인 사정이 좋지 않다고 했었던 것 같은데 그런 말은 일체 없이, 오로지 렌티아와 다보프에게 충성을 다하고 있었다.

게다가 이 사병들을 선뜻 내주기까지 했다. 무엇보다도, 이 사병들은 손에 아티팩트를 하나씩 들고 있었다.

희귀한 아티팩트는 아니지만, 그들이 지닌 아티팩트들 모두 전투 시 유용하게 쓰이는 능력이었다. 이정도면 꽤 고가의 아티팩트라고 말할 수 있다.

샬롯도 없고, 샬롯의 가문도 멸문당하다시피 했는데도 이토록 넘치는 충성심이라니. 게다가, 그들에게 이런 아티팩트들을 자신의 사병에게 들려 줄 정도의 돈이 어디 있단 말인가?

아무리 정치에 문외한이었던 렌티아라도 이상함을 느낄 법했다.

하지만 다보프는 개의치 않아 하는 것 같았다. 언젠가 렌티아가 다보프에게 넌지시 물었을 때, 다보프는 '어머니가 돌아가시기 전 그들의 빚을 모두 갚아 줬고 그래서 그들이 여전히 자신들에게 충성하는 게 아닌가.'라는 되도 않는 억측을 내세우며 괜찮다고 말했다.

괜찮다고? 렌티아는 자신의 어머니를 잘 알고 있었다. 피를 나눈 자식에게도 실리를 내세우는 사람이었다.

과연 샬롯이 죽기 전 자신을 따르던 저 사람들에게 그런 대우를 해 줬을까?

그리고 가장 이상한 것은 황제였다. 바로 어제, 바흐테인이 찾아와 정보를 흘려 준 타이밍도 이상했다. 급박해 보이는 표정으로 허둥지둥 와서는, 왈로인이 옥새를 받아 갔다는 소식과 함께 펠리체의 근황, 그리고 이곳에 대해서도 알려 줬었다.

다보프는 그 소식에 공연히 흥분해선 아까 말한 것처럼 '황제가 자신들을 믿어 준 것'이라며 들떴지만 렌티아는 황제를 이해할 수가 없었다.

마치 왈로인과 다보프, 렌티아의 행동을 교묘히 유도하는 것 같다는 건 렌티아의 착각일까.

생각에 잠겼던 렌티아는 가볍게 고개를 저었다. 이것이 그냥 단순한 황제에 대한 불신인지, 아니면 직감일지는 여전히 불확실하다.

하지만 이미 늦었다. 그녀와 그녀의 친오빠는 어쨌든 이곳까지 들이닥쳤고, 왈로인은 저 안에 들어갔지 않은가. 이제 제 친오빠인 다보프의 말대로 되길 기도하는 수밖엔 없다.

렌티아가 기도하듯이 두 손을 모았을 때였다. 갑자기 체하트 처소의 문이 벌컥 열렸다. 복도를 울릴 만큼 요란한 소리에, 복도 끝 쪽에 서 있던 렌티아와 다보프가 움찔 몸을 떨었다.

사병들은 모두 무기를 장전한 채 체하트의 처소를 향해 겨눴다. 모두가 긴장하고 있을 그때였다.

누군가 방 안에서 주춤주춤 걸어 나왔다. 긴장하던 렌티아와 다보프는 걸어 나오는 인물을 확인하는 순간, 경악하는 얼굴로 신음을 터뜨렸다.

"왈로인!"

왈로인이었다. 눈이 붉게 멍들었고 뺨은 퉁퉁 부어 있었다. 절뚝대는 걸음으로 움칠대며 걸어 나오는데, 팔다리엔 밧줄이 단단하게 묶여 있었다. 그가 항상 두르고 있던 로브는 갈기갈기 찢겨진 채였다.

그리고 그 뒤를 따르는 것은, 금발을 높게 올려 묶은 청초하기 그지없는 미녀였다.

하지만 그 눈만큼은 번쩍이며 안광을 흩뿌리고 있었다. 마치 적장의 목을 들고 입성하는 개선장군과 같은 품격이었다.

왈로인의 뒤에서 나오는 그녀를 발견한 다보프와 렌티아의 입이 동시에 쩍 벌어졌다. 믿을 수 없었다. 절대 나올 수도 없고, 나올 거라 생각하지도 않았던 인물이 등장한 것이다.

"아벨라……!"

"딜루어 공녀……!"

그들이 경악하며 잇따라 외쳤다. 하지만 그것으로 끝이 아니었다. 그녀의 뒤로 줄지어 나오는 자들을 보며, 다보프와 렌티아를 비롯해 다른 사병들까지도 웅성대기 시작했다.

이미 아벨라와 같이 죽었을 거라고 말하던 체하트와 왈로인이 행세하던 제롬이 그곳에 있었다.

"이럴 수가……! 죽은 게 아니었나?! 지금까지 죽은 척 모두를 속였단 말인가!"

다보프가 버럭 외쳤다. 아벨라는 여유롭게 웃으며 그들을 향해 가볍게 손을 흔들었다.

하지만 그녀의 눈만큼은 표표하게 빛나며 렌티아와 다보프의 뒤쪽 사병들을 훑고 있었다. 궁병이 섞여 있었다.

아니, 사실상 앞에 포진된 자들은 모두 궁병이었다. 그리고 저들의 손가락에 하나둘씩 끼워져 있는 반짝이는 반지들은…… 아티팩트다.

아벨라는 시선을 갈무리하고는 태연하게 입을 열었다.

"모두들 안녕? 그동안 건강하셨죠? 속이려고 속인 건 아니고, 어쩌다 보니 그렇게 됐어요."

능글맞게까지 느껴지는 말투에, 렌티아와 다보프가 어쩔 줄을 모른 채 서로를 마주 보았다. 아벨라는 반짝이는 눈으로 다시 빙긋 웃으며 입을 열었다.

"부탁 하나 드리고 싶은데요. 왈로인을 그쪽으로 살려 보낼 테니, 우리를 보내 주시면 안 될까요? 아, 물론 길을 열어 달라는 건 아니고, 저희가 알아서 사라질 테니까요."

"허, 뭐라고? 말도 안 되는 소리!"

렌티아가 코웃음을 쳤다.

"혼자 잘난 척이나 하던 노망난 늙은이 따위 필요 없어! 그대로 죽여 버려도 시원찮은 마당에, 뭐라고? 너희를 보내 달라고? 어머니의 원수 주제에!"

"아, 내가 왜 샬롯 황비의 원수라는 지는 잘 모르겠지만, 오해가 있는 것 같아요. 물론 서로 싫어하긴 했지만 제가 그녀를 죽인 건 아니잖아요."

"세상에, 저런 뻔뻔한! 오라버니!"

렌티아가 씨근대며 다시 외쳤을 때였다. 귀찮다는 듯이 아벨라가 손을 휘휘 내저었다.

"아, 됐고. 다시 이야기로 돌아와서요. 왈로인에, 옥새까지 같이 더한다면요?"

"절대 안 돼, 뭘 해도 안 돼! 오늘 너희는 여기서 죽은 목숨…… 뭐?"

"……뭐라고?"

렌티아가 버럭 소리 지르다가 그 순간 멈췄다. 다보프도 놀란 채 되물었다. 아벨라는 그런 그들의 표정을 마치 예상이라도 했다는 듯이 유유히 말을 이었다.

"이미 다 알고 있어요. 여러분이 왈로인에게 굽히면서까지 왈로인과 손을 잡은 것은 단순히 본인들의 화를 풀고 싶어서도 있지만, 어떻게든 살아 보기 위해서 아니었나요? 단순히 펠리체나 나를 죽이는 것보단 뭐가 됐든 주가 될 권력자에게 빌붙어 보겠다는 천박한 속셈이었음을 압니다."

폭탄 같은 발언을 연이어 터뜨린다. 청산유수였다.

"하지만 제가 보기엔 여러분들이 왈로인과 손을 잡았다고 해서 권력욕을 완전히 버렸을 것 같지 않아요. 아닌가요? 여전히 인정 욕구에 목말라 있을 거고, 황제가 되고 싶을 테니 왈로인이 받았다는 옥새가 탐나겠죠. ……제가 그 옥새가 어디 있는지 안답니다."

아벨라는 말을 끝내고는 그들을 향해 눈을 빛내며 무릎을 사뿐 굽혔다.

"원하는 건 단 하나에요, 저희를 보내 주셨으면 좋겠어요."

"……."

다보프와 렌티아는 침묵한 채 서로를 가만히 마주 봤다. 아벨라는 여유로운 표정으로 두 사람이 시선을 교환하는 광경을 지켜봤다.

얼마가 지났을까? 한참 속닥대던 다보프가 아벨라를 향해 몸을 돌리곤 이내 무겁게 고개를 끄덕였다.

"좋다."

"좋다고요?"

"그래. 왈로인과 옥새가 어디 있는지를 동시에 알려 준다면, 너희를 안전하게 보내 주지."

다보프의 침착한 말에, 아벨라가 싱긋 웃으며 그들을 가늠하듯이 바라봤다. 얼마 지나지 않아 아벨라가 방긋 웃으며 고개를 끄덕인다.

"좋아요."

그때였다. 시원스럽게 대답한 아벨라가 왈로인이 입고 있는 로브를 벗겨 냈다. 그러곤 체하트가 들고 있던 단검으로 로브를 북북 찢었다. 아니, 찢는 것 같아 보이지만 찢는 게 아니었다.

"밧줄처럼 길게 만들고 계시네요?"

체하트가 속삭였다. 같이 그를 지켜보던 제롬이 고개를 끄덕였다.

그의 말대로 아벨라는 로브를 이리저리 찢어 긴 천처럼 만들고 있었다. 왈로인마저 아벨라가 하는 행동을 신기한 듯이 구경하기 시작했다.

얼마가 지났을까?

"됐다."

아벨라가 씩 웃곤 완성된 로브 끈을 바닥에 툭 떨궜다. 영문 모를 행동에 얼떨떨하게 구경하던 왈로인이 '핫' 하고 정신을 차렸다.

"대체 무슨 짓을 한 거냐?!"

"이렇게 하려고."

아벨라가 그리 대꾸한 순간 레줄을 쥔 쪽 손으로 손가락을 퉁겼다. 그러자 맹렬한 바람 줄기가 긴 끈에 푸르스름하게 감돌며 순식간에 팽팽하게 움직이는 밧줄이 되었다.

"그게 대체 뭡니까, 형수님?"

제롬의 물음에 아벨라가 활짝 웃었다.

"단순히 움직이기만 하는 거라면 바람으로 조종할 수 있지만 보이질 않으니까 비주얼적으로 뭔가 좀 임팩트가 없지 않을까 싶어서요. 밧줄은 왈로인을 묶느라 다 썼고, 그렇다고 방에 들어가서 천을 하나 뜯어오자니 그것도 나름 좀 그러니까 이렇게 해 봤지요. 움직이는 밧줄!"

그것도 없어 보인다는 말이 목 끝까지 넘어왔지만 제롬은 얌전히 입을 다물었다.

이 순간은 그냥 아벨라가 마음대로 행동하게 두는 게 좋겠다는 판단이 들었기 때문이다. 제롬도 체하트처럼 그녀에게 적응하고 있었다.

움직이는 밧줄이 아까 바람 줄기만 있을 때처럼 왈로인을 휘감았다. 그러곤 왈로인을 던지듯이 붕 띄웠다. 마치 끈에 매달려 날아가는 것처럼, 왈로인이 렌티아와 다보프를 향해 붕 날아갔다. 모두의 눈이 휘둥그레지는 순간이었다.

"악!"

외마디 비명과 함께 왈로인이 렌티아와 다보프의 발치 아래 거세게 굴렀다. 렌티아와 다보프는 땅바닥을 나뒹구는 왈로인으로부터 몇 발자국 물러났다. 둘의 얼굴엔 선명한 경악이 드리워 있었다.

"마법!"

다보프가 외쳤다. 렌티아가 놀란 눈으로 아벨라를 노려보며 소리쳤다.

"대체 언제부터 마법을 썼던 거지?!"

"그건 알 거 없지 않나?"

"알 거 없다니! 지금까지 계속 우릴 속인 거냐!"

"뭐? 속이다뇨? 그쪽한테 알릴 필요가 없었던 거지. 아무 말 막하네."

아벨라는 팔짱을 낀 채 비꼬는 듯한 표정으로 그들을 바라봤다.

왈로인을 얽매어 렌티아와 다보프에게 실어 온 밧줄이 슬슬 물러났다. 그 모양이 왠지 머리를 세운 채로 뒤로 물러나는 뱀 같아, 렌티아는 그 자리에서 부르르 떨었다.

그때였다. 다보프가 렌티아의 옆에서 한 발자국 걸어 나오며 입을 열었다.

"그래, 네 말대로 상관없는 일이지. 어쨌든 옥새가 있는 곳도 알려 다오. 그렇게 하면 아까 말했던 것처럼 안전하게 보내 주겠다."

"좋아요."

아벨라가 선뜻 고개를 끄덕였다. 그때였다. 뒤에서 대화를 듣고 있던 제롬과 단장이 황급히 아벨라의 뒤쪽으로 돌아와 속삭였다.

"형수님, 믿으시면 안 됩니다. 이런 단순한 수작에 놀아나지 마세요. 차라리 강행돌파가 낫습니다."

"맞습니다, 저하. 저하께서 저들을 왜 믿는 건진 모르겠습니다만…… 제가 보기에 저들은 절대로 믿어서는 안 될 작자들입니다."

그들의 다급한 저지에, 아벨라가 미간을 찌푸리며 조그맣게 반박했다.

"하지만 강행돌파는 무리예요. 저 뒤에 사병이 얼마나 있는지도 모르잖아요. 지원군이 더 올 수도 있고요. 제일 좋은 방법은 저들이 잠시 멈칫거릴 동안, 재빨리 마법으로 우리 뒤의 창문으로 나가는 거 아닌가요? 날아서 8황자궁으로 간다든가요. 뭐, 비밀 통로로 가는 방법도 있지만 저들에게 비밀 통로의 존재는 비밀이잖아요? 저들이 보고 있는 한 틀린 일이 아닐까 싶은데."

"……."

"저들이 우리를 온전히 놔줄 거라고 기대하는 게 아니에요. 말했듯이 최소한의 시간이라도 벌고 싶어서라고요. 그리고."

아벨라는 격려하듯 그들을 보며 씨익 웃어 보였다.

"어차피 생각해 둔 방법이 있다니까요."

그녀의 웃음을 보자, 그들의 뇌리에 아까 아벨라가 웃으며 이야기했던 내용이 다시 떠올랐다. 분명히 악당 같은 방법이라고 했었다.

"대체 그게 무슨 방법입니까?"

이해할 수 없다는 듯한 표정으로 제롬이 물었지만, 아벨라는 단지 고개를 저을 뿐이었다.

"보자고요, 일단. 그리고 어차피 제가 보기엔 옥새가 있는 장소도……."

"뭘 속닥대고 있는 거냐!"

아벨라가 다시 속삭일 때였다. 그들이 이야기하는 걸 기다리던 다보프가 다시 한번 버럭 소리쳤다.

뒤의 말을 이으려던 아벨라가 다시 다보프를 향해 돌아섰다. 다보프가 팔짱을 낀 채 턱을 치켜들었다. 순간, 그의 뒤에 포진해 있던 사병들 중 궁병이 일제히 앞을 향해 활을 겨눴다.

"당장 옥새가 어디 있는지 말해!"

다보프가 의기양양하게 소리쳤다. 마치 옥새를 손에 쥔 것처럼 기세가 등등했다.

아벨라의 얼굴에 순간 마뜩잖은 듯한 표정이 스쳐 지나갔다. 하지만 곧, 언제 자신이 그런 표정을 지었냐는 얼굴로 다시 빙그레 웃었다.

"거기 엎드려 있는 왈로인의 말에 의하면 도서관 안 책상 세 번째 서랍이라고 하더라고요. 그가 아니면 장치를 풀 수 없다고 하는데, 이미 그는 마법을 잃었으니 잘 을러 보시면 얻을 수 있을 거예요."

아벨라의 낭랑한 목소리가 복도에 울려 퍼졌다. 설마 했더니 정말 말할 줄이야. 제롬은 낭패한 표정을 지었고, 체하트는 일행들 사이에서 조심스럽게 눈치를 살폈다. 단장은 아무 표정도 짓지 않고 단지 마티나처럼 검을 똑바로 쥐어 자세를 바로 할 뿐이었다.

그녀의 말이 끝나자, 복도를 사이에 두고 맞선 두 진영 사이에 침묵이 흘렀다. 아벨라가 눈을 깜박이며 다시 빙그레 웃었다.

"자, 알려 드렸으니까 우릴 보내 주세요."

그리고 그 순간이었다. 다보프와 렌티아의 한쪽 입꼬리가 제각기 올라갔다. 명백한 비웃음이었다.

"정말 멍청하구나. 그런 정보 따위로 우리가 정말 너희를 그대로 도망치게 냅둘 듯싶더냐?"

다보프가 다시 손을 들었다. 궁수들이 장전한 화살의 시위를 팽팽히 당겼다.

"이들은 모두 아티팩트를 착용했다! 도망가려고 해도 소용 없다!"

"어머니의 원수나 다름없는 계집, 우리를 이 모양 이 꼴로 만들어 놓은 너희를 가만 둘 성싶으냐!"

다보프의 외침에 이어, 렌티아가 덩달아 말을 보태며 팔짱을 끼었다. 제롬이 이를 부득 갈며 황급히 아벨라 앞으로 걸어 나왔다.

"역시 이럴 줄 알았습니다! 형수님, 물러나세요!"

한없이 급박한 순간이었다. 그 순간 그 자리에 있는 모두가 그렇게 느꼈을 터였다. 모든 사병이 무기를 꺼내 그를 겨눌 때였다. 하지만 여기서 전혀 긴장하지 않는 사람이 한 명 있었다.

"제가 왜 물러나요?"

"……예?"

그녀의 앞을 막아서던 제롬이 얼떨떨한 표정으로 뒤를 돌아보았다. 아벨라가 입술을 한껏 벌려 웃고 있었다. 제롬이 놀란 눈으로 다시 뭔가 말하려 할 때였다.

순간, 아벨라가 가볍게 손가락을 튕겼다. '딱' 하는 경쾌한 소리가 복도 전체에 울려 퍼졌다.

그리고 아까 왈로인을 내려놓았던 천 조각이 맹렬히 렌티아를 향해 달려들었다.

"끼야아아아아악!"

"렌티아!"

갑자기 바람 소리를 펄럭이며 날아온 천 조각은 정확히 렌티아의 몸을 휘감은 채로 다시 아벨라를 향해 되돌아갔다.

갑옷을 입고 있지만 훈련조차 받지 못한 몸. 게다가 몹시 가벼운 렌티아는 천 조각에 묶인 채 바람에 날리듯 팔랑팔랑 아벨라의 쪽으로 끌려갔다.

아벨라가 다시 손가락을 튕겼다. 렌티아를 묶은 천 조각이 마치 매달아 놓은 단단한 막대같이 뻣뻣해져, 보란 듯이 렌티아를 허공에 매단 채 우뚝 섰다.

"렌티아!"

"무기 치워!"

다보프가 놀라 크게 절규할 때였다. 아벨라가 그 상태로 미간을 강하게 찌푸린 채 크게 고함쳤다. 배에 힘을 한껏 준, 어마어마한 소리였다.

다보프의 얼굴이 황망해짐과 동시에 황급히 오른쪽 손을 들었다. 뒤에서 활을 겨누던 사병들이 빠르게 활을 거둬들였다.

무기를 치운 건 다보프뿐만이 아니었다. 얼결에 제롬마저도 손을 내린 채 아벨라를 돌아보았다.

모든 시선이 아벨라와 아벨라가 매달아 놓은 렌티아에게로 쏠려 있었다.

하지만 모두가 그녀를 보거나 말거나, 아벨라는 팔짱을 낀 채로 코웃음 쳤다.

"내 그럴 줄 알았지. 반말하는 것도 참고 넘겨줬더니 기어코 뒤통수를 때리려 들어?"

아벨라는 혀를 쯧쯧 차며 손바닥으로 과장되게 자신의 머리칼을 쓸어 넘겼다. 한없이 여유로운 작태에 다보프의 얼굴이 일그러졌다.

"끄, 끄으윽! 이거, 이거 놔! 오라버니!"

렌티아가 발버둥을 치며 애절하게 손을 다보프 쪽으로 뻗었다. 다보프도 덩달아 울먹이는 표정으로 렌티아를 향해 손을 뻗었다.

"가지가지 한다, 정말."

아벨라는 그 광경을 한없이 아니꼬운 표정으로 지켜보았다. 아무리 심보가 고약한들 형제간의 우애는 또 두터운 모양이었다. 그게 또 한편으로는 굉장히 꼴 보기 싫었다.

그때였다. 다보프가 아벨라를 향해 주먹을 휘두르며 소리쳤다.

"이게 대체 무슨 시정잡배만도 못한 짓이냐! 어서 렌티아를 내려놓지 못해!"

"얼씨구."

다보프의 말에, 아벨라가 어처구니없는 표정으로 '허' 하고 헛웃음을 뱉었다.

"와, 너무 뻔뻔한 거 아닌가? 인간적으로 누가 대체 시정잡배 짓을 한 건지 따져 봐야 되는 거 아닌가? 이런 건 인과응보라는 거다!"

"인과응보?"

"사람이 죄를 지었으면 상응하는 벌을 받는…… 아 있어, 그런 말."

아벨라가 짜증스럽게 말하곤 다시 손가락을 튕겼다. 그러자 렌티아를 묶은 천이 스스스 움직여 아벨라와 다보프의 사이를 가로막았다. 다보프가 공격한다면 렌티아까지 피해 입을 거라고 경고하는 듯한 위치였다.

"끼야아아아앗!"

"아이, 시끄러워. 누가 들으면 정말 목이라도 벤 줄 알겠네!"

아벨라가 짜증스럽게 대꾸한 채로 턱을 들어 다보프를 바라보았다. 이 표정은 아까 다보프가 사병들에게 명령할 때의 오만한 표정과 똑같았다.

화가 잔뜩 난 다보프가 그녀를 향해 마구 삿대질했다.

"이런 극악무도한 짓은 분명히 펠리체에게 배운 것이겠지!"

"바로 내 눈앞에서 약속해 놓고 곧장 활 겨눈 누구한테 배웠는데?"

"그런, 그렇다면 나에게 가르쳐 준 옥새에 대한 정보도!"

"아, 그건 정말이야. 그건 또 제대로 들었네? 내가 그런 데에서까지 거짓말을 하진 않아. 왈로인의 말 그대로 옮겼으니까!"

대답한 아벨라가 한숨을 푹 쉬면서 머리칼을 넘겼다.

"하지만 그게 진짜인지는 잘 모르겠지만."

"뭐라고?"

다보프가 소리쳤다. 한숨을 쉰 아벨라가 그를 똑바로 바라보며 소리쳤다.

"멍청아! 왈로인의 말이 진짜라 쳐도, 그 옥새가 진짜 옥새인지는 어떻게 아냔 말이다!"

다보프의 얼굴이 이상하게 일그러졌다. 이해를 못한 걸까? 아벨라가 짜증스러운 표정으로 말을 이었다.

"아 정말. 왈로인이 받은 옥새가 정말로 거기 있다 한들, 황제가 왈로인에게 줬다던 그 옥새가 정말인 줄은 어떻게 아냐고. 이 중에 정말 옥새의 생김새를 아는 사람이 있어? 아니, 어디 옥새를 만져 보기는 했고?"

"뭐……."

순간, 다보프가 허를 찔린 듯한 표정을 지었다. 놀란 것은 그 하나뿐이 아니었다. 제롬과 체하트는 서로를 마주 보았다.

그 생각을 하지 못하고 있었다. 옥새 자체에 대한 진위 여부.

혼란스러운 와중에도, 아벨라의 낭랑한 목소리가 쩌렁쩌렁하게 사방을 울리고 있었다.

"내가 황제라면 당연히 가짜를 줬다. 당연하지, 지금까지의 황제라면 그러고도 남을 것 같은데!"

그녀는 소리치고 나선 다시 손가락을 튕겼다. 천이 바람에 흔들리는 풍경처럼 흔들리자 렌티아는 새된 비명을 질렀다.

"렌티아!"

황망한 표정이던 다보프가 울음 섞인 목소리로 누이의 이름을 불렀다.

"잘 들어. 우리가 갈 때 조금이라도 공격하거나 공격하려는 기미를 보인다면 4황녀는 이 자리에서 상반신과 하반신이 분리될 거다! 하지만 우리를 얌전히 보내 준다면, 우리가 나가는 순간 4황녀를 놓아주겠다!"

"상반신과 하반신이 분리된다고?!"

"당연하지, 이 바람은 칼처럼 사물을 벨 수도 있다고!"

뒤에서 마티나가 제롬을 향해 '정말 가능한가요?'라는 눈빛을 보냈다. 하지만 제롬은 얌전히 고개를 저을 뿐이었다. 자신도 모르겠다는 표정이었다. 그렇지만 단 하나, 확신할 수 있는 게 있다면.

"······형수님이 정말 악당 같긴 하네요."

그녀가 자신이 예고한 대로 더없이 훌륭한 악당 같다는 점이다.

제롬의 얼이 빠진 듯한 중얼거림에 아벨라의 일행들은 말없이 고개를 끄덕일 뿐이었다.

"그, 그런!"

다보프가 어쩔 줄 모르는 표정을 지었다. 당혹스러운 표정으로 렌티아와 이쪽을 번갈아 바라보다가, 고개를 푹 숙였다. 아벨라가 눈썹을 까닥였다.

"어쩔 거야?"

아벨라는 그리 묻는 한편, 뒤로 한쪽 손을 둘러 그녀의 일행들에게 손을 휘저어 보였다. 뒤로 물러나라는 뜻인 것 같았다. 제롬이 눈치 빠르게 뒤로 일행들을 조금씩 물렸다.

아벨라는 이미 확신하고 있었다. 다보프는 렌티아를 구하기 위해서라도 그들의 부탁을 들어줄 거라고. 왜냐면 저래 봬도 하나뿐인 동생을 꽤 소중히 여기니까.

그때였다. 문득 다보프가 고개를 들었다. 울먹이는 표정이었다. 금방이라도 '다 알겠으니 렌티아를 내려놔라!'고 말할 것 같았다.

"렌티아."

다보프가 애절하게 그녀를 불렀다. 아벨라는 렌티아를 놓아줄 준비를 하며 다보프를 주시했다.

"네, 오라버니."

렌티아가 울먹이면서 그의 이름을 불렀다. 그러자 다보프가 울음을 삼키며 다시 떨리는 목소리로 그녀를 불렀다.

"렌티아…… 미안하다."

"응?"

"네?"

그를 지켜보던 아벨라의 입에서 의문이 흘렀다. 지금 쟤가 뭐라고 한 거야? 이해가 가지 않는 것은 렌티아도 마찬가지인 듯싶었다. 렌티아가 순간 얼떨떨한 목소리로 되묻는다.

"뭐가…… 뭐가 미안하세요?"

"너의 희생으로 말미암아 어머니의 원수를 갚으마."

"네에에에?"

"뭐라고?"

지금 쟤가 뭐라고 말하는 거니? 아벨라가 어처구니없는 표정으로 주변을 바라봤다. 지금 자신이 들은 소리가 맞는지를 확인하기 위해서였다. 다행이라고 해야 할까? 주변의 사람들 또한 경악하는 표정으로 다보프를 주시하고 있었다.

하지만 다보프는 그러거나 말거나, 손을 들어 자신의 미간을 쥐며 다시 비통한 표정으로 말을 이어 나갔다.

"여기서 렌티아 너 때문에 모든 대의를 그르칠 수는 없는 일! 네 붉은 목숨으로 저들 모두를 일망타진할 수 있다면, 그 야말로 돌아가신 어머님께서도 흡족해하실 게다. 게다가 지금 도서관으로 가 옥새를 확인한 뒤, 그 옥새가 진짜라면—."

다보프가 손을 뗀 채 렌티아와 아벨라를 똑바로 바라보며 씨익 웃었다.

"나는 황제가 되는 게 아니냐?"

"아니 저런 미친!"

아벨라가 자신도 모르게 버럭 소리쳤다. 지금 자신이 들은 소리가 맞는다면, 세상에. 아벨라의 앞을 가로막고 있는 여동생에게 활을 쏘겠단 소리가 아니냔 말이다.

"오라버니! 어떻게, 어떻게 그러실 수가!"

"어쩔 수 없다, 모든 것은 대의를 위해서야!"

"오라버니!"

렌티아가 울부짖자, 다보프는 다시 눈물을 삼키는 표정을 가장하며 손을 들었다. 궁수들이 거뒀던 활시위를 팽팽하게 당겼다. 렌티아가 허공이 찢어지도록 높은 비명을 질렀다.

"끼야아아아앗, 이 개자식아!"

"동생아, 오라버니에게 개자식이라니!"

"그렇지, 개자식이라고 하면 개한테 미안하니까!"

다보프의 외침에, 아벨라가 버럭 소리 질렀다.

이제 뒷골이 띵하다 못해 머리 전체가 아팠다. 자신이 얕봤다. 다보프의 저 야심을 얕봐도 한참 얕본 것임이 분명했다.

아니, 그렇다고 해도 바로 5분 전까지만 해도 오손도손 아벨라를 사이좋게 욕했던 주제에 이렇게나 빠르게 태세 전환을 해도 되냔 말이다. 서로 앞다투어 소리 지르고 있는 둘을 망연히 바라볼 때였다.

"제가 말씀드리지 않았습니까. 원래 저런 사람입니다. 믿어서도 안 되고, 믿을 수도 없어요."

뒤에서 제롬이 안타까운 목소리로 말했다. 아벨라는 그를 돌아보며 골치 아픈 표정을 지어 보였다.

"그래도 이렇게까지 시정잡배일 줄 몰랐다고요, 뭐 저런 게 다 있어?"

하지만 언제까지고 대답만 할 수 없었다. 아벨라는 한숨을 내쉬고는 손을 펼쳐 가볍게 휘둘렀다. 렌티아를 얽어맨 천이 저절로 꽉 묶였다. 묶인 렌티아는 그대로 일행의 뒤로 던져졌다.

"끼얏!"

"정말 죽일 수도 없고……."

아벨라가 한숨을 내쉬면서 렌티아를 향해 뇌까린 뒤, 다보프를 노려보았다. 계획이 아주 없는 것은 아니었다. 틀어지긴 했지만, 아벨라라면 충분히 이곳의 사람들을 모두 쓰러뜨린 채 안전하게 8황자궁으로 돌아갈 수 있다.

하지만.

아벨라의 눈동자가 설핏 흔들렸다. 하지만 자신의 뒤에 일행들이 있다는 게 마음에 걸린다.

게다가 저 궁수들이 끼고 있는 아티팩트의 성능도 미지수가 아닌가. 저 아티팩트가 생각보다도 힘이 강하다면? 아벨라의 일행들을 아벨라가 지키지 못한다면?

아, 부담돼. 아벨라는 자신도 모르게 입술을 꽉 앙다물었다. 이럴 때 생각나는 사람은 아무래도 단 한 사람밖에 없다.

누구겠어? 펠리체지. 그래. 여기서 죽으면 아무래도 펠리체를 다시 볼 수 없다. 아벨라의 주먹이 불끈 쥐어졌다. 그녀는 눈을 감았다 다시 반짝 떴다.

정면에서, 다보프가 그녀를 향해 웃고 있었다. 아까의 울상은 거짓이라는 것을 몸소 증명하는 듯했다.

"……쏴라!"

아벨라의 눈이 일순 차분하게 가라앉았다. 또 다시, 다보프가 손을 내리는 순간이 슬로우 모션처럼 보였다. 더불어, 다보프의 뒤에 위치해 있던 병사들이 당겼던 시위를 놓는 모습까지도.

아벨라가 이를 악문 채 레줄을 든 손을 펼쳤다. 이쪽으로 날아오는 활을 바람으로 막을 계획이었다. 그녀가 날아오는 화살을 노려보며 크게 손을 휘두르는 그 순간이었다.

그녀의 앞에 검은 옷으로 차려입은 자들이 내려섰다.

응?

아벨라의 눈이 동그래졌다. 그녀는 분명히 바람을 불렀는데. 아니면 설마 자신이 헛것을 보고 있는 건가?

아벨라가 당황한 채로 두어 걸음 물러설 때였다. 자신의 시야를 가린 사내들 사이로 이리저리 나뒹굴고 있는 활들이 보였다.

아벨라의 눈이 조금 커졌다. 경계심에 아벨라가 저도 모르게 뒤로 두어 걸음 물러나려 할 때였다.

그 순간, 검은 옷을 입은 남자들이 일제히 검을 든 채로 앞으로 뛰쳐나갔다. 그리고 일제히 다보프에게 검을 내려치기 시작했다. 곧 병장기 부딪히는 쇳소리가 복도를 울리기 시작했다.

"이게 무슨."

아벨라가 당황한 채로 중얼거렸다. 꿈이 아니었다. 착각도 아니다. 검은 옷을 입은 남자들은 자신들을 방어하며 다보프의 사병들과 싸우고 있었다.

아티팩트를 두른 다보프의 사병과 막상막하, 아니 그보다 더 우위인 실력인 것 같았다.

어리둥절한 채, 아벨라가 제 손을 물끄러미 바라봤다. 자신도 모르는 사이에 뭐, 새로운 마법이라도 개발한 건가? 사람을 불러내는 소환술이라든지?

"아니야."

일순, 아벨라의 귓가에 사근사근한 남자의 목소리가 감돌았다.

그러곤 따뜻하고 큰 손이 아벨라의 허리를 감싸 안았다. 그녀의 어깨가 완전히 누군가의 품 안에 안겼다.

아벨라는 저도 모르게 퍼뜩 놀라 몸을 떨었다. 단지 놀랐기 때문만은 아니었다. 반가워서였다. 꿈에도 그리던 그 목소리가 아닌가. 지금 방금도 찾았던, 낯익은 그 목소리.

"……펠리체?"

"미안, 아벨라. 좀 늦었어."

서늘한 가을의 서풍 같은 목소리였다. 듣는 것만으로도 기분이 좋아지는 목소리. 온몸에 강하게 돌았던 힘이 절로 빠진다.

"나 갑자기 잠이 오려고 그래. 꿈은 아니겠지?"

"설마."

아벨라가 힘 빠진 목소리로 말하자, 펠리체가 '쿡쿡' 하고 작게 웃었다.

"늦게 와서 미안해. 사정이 있었어. 처리할 일들도 모두 해결했고, 이미 알겠지만 저기서 싸우고 있는 자들은 내가 오래도록 길러 왔던 내 '그림자'들이야."

"아하."

"꽤 고강하군요."

단장이 감탄하며 중얼거리자, 펠리체가 다시 씨익 웃었다. 어떤 것도 바르지 않은 그 특유의 금귤색 머리칼이 이마를 드리우며 찰랑거렸다.

"고맙습니다. 이제 남은 건 단 하나야."

펠리체가 '잠시.'라고 속삭이며, 아벨라를 안았던 품을 풀었다. 동시에 그녀가 휘청일까 봐 그녀의 손을 꼭 잡아 주고는 뒤로 돌았다.

"스승님, 늦어서 죄송합니다. 미안하구나, 제롬, 체하트. 그리고 고맙소, 완튼 경……?"

인사하며 차례로 일행을 훑던 그의 눈이 묶여 있는 렌티아에게 머물렀다. 그는 묶인 채로 눈물범벅이 되어 형편없이 쓰러져 있는 렌티아를 어리둥절하게 바라봤다.

"이게 무슨……. 렌티아는 저쪽에 있어야 되는 거 아니야? 저기가 다보프……."

"그게 다 사연이 있어. 이쪽도 사정이 있다고."

아벨라는 한숨을 쉰 채로 대답했다. 펠리체가 아벨라를 보며 씨익 웃었다.

"네가 했어?"

"응."

"멋진데. 악당 같고."

펠리체의 농담에, 아벨라가 마침내 피식하고 웃음을 터뜨렸다.

"난 원래 멋져."

"참 결혼 잘했단 말이야."

펠리체가 빙그레 웃으며 품에서 무언가를 꺼냈다. 아벨라의 눈이 커다랗게 떠졌다. 저 물건이 무엇인지 안다. 거울이었다. 딜루어 대공과 서로 오갈 수 있는 아티팩트.

아벨라의 얼굴이 밝아졌다.

"거울!"

"맞아. ……체하트."

펠리체가 시원스럽게 긍정하곤 체하트에게 거울을 넘겼다. 그들을 구경하던 체하트가 자신의 이름이 불리자 눈을 동그랗게 떴다.

"예에?"

"이 거울을 저 뒤에 돌아가서 펼치렴."

"이게 뭔데요?"

체하트가 얼떨떨하게 묻자, 아벨라가 밝게 웃으며 고개를 끄덕였다.

"도망갈 구멍이에요. 얼른 펼쳐요."

"어, 네. 네."

체하트가 황급히 거울을 받아들고 그를 펼칠 때였다. 펠리체가 뒤를 돌아보며 다시 말을 이었다.

"곧 싸움이 끝납니다. 자세한 건 나중에 이야기할 테니, 일단 이 거울을 통해 이동하시면 될 겁니다."

그의 말에, 상황을 관전하고 있던 제롬이 고개를 끄덕였다.

"그럴 것 같네요. 우리가 이기고 있는 거 맞죠? 형님의 사병들이 놀라울 만큼 분전하고 있는데요."

"다보프에겐 그렇긴 한데, 아직 안 끝났단다, 제롬."

"예? 그게 무슨."

"저들로 끝이 아니란 소리다. 스승님은 이미 느끼고 계시지 않습니까?"

펠리체가 빙그레 웃으며 물었다. 아벨라와 제롬, 체하트의 시선이 단장에게로 쏠렸다. 펠리체의 말대로, 단장의 안색이 심각하게 굳어져 있었다.

"복도에…… 수많은 적들의 기척이 느껴지는군요."

"맞습니다. 황제의 로열 가드들입니다."

"……로열 가드!"

모두들의 눈동자가 크게 떠졌다.

"예."

펠리체가 씩 웃었다. 하지만 그 웃음에서 여유보다는 씁쓸함이 느껴지는 것 같다면, 그는 아벨라의 착각일까.

"마지막 순간이 다가온 거죠. 이리저리 뒤틀리고 멀리 돌아왔지만, 어쨌든 여기까지 왔습니다."

"대체 무슨 소리를 하는 거야? 로열 가드라니? 그럼 황제가 이곳에 왔단 소리야?"

아벨라가 그의 팔을 잡으면서 그의 말 사이로 끼어들었다. 이제야 알겠다. 펠리체는 지금 돌아가는 사정을 알고 있었다. 게다가 마치 이미 예상하고 있었다는 듯한 말투가 아닌가.

"아벨라, 거울을 작동시켜 줘."

펠리체가 부드럽게 말하며 아벨라의 볼을 쓸었다. 아벨라의 얼굴이 일그러지는 그 순간이었다.

"크아아아아아아아악!"

복도에서 순간 처절한 비명이 울려 퍼졌다. 지금까지의 비명보다 훨씬 더 처절하고 비참한 비명이었다. 모두의 고개가 돌아갔다.

사람들로 가득 차 있던 시야가, 어느새 쓰러진 사람들 덕분에 많이 트여 있었다. 아벨라가 미간을 찌푸리며 소리가 난 쪽을 자세히 살필 때였다.

"헉."

순간, 큰 숨을 집어삼키며 아벨라가 펠리체의 팔을 붙잡았다. 곧, 아벨라가 본 곳을 본 자들도 제각기 헛숨을 집어삼켰다. 묶인 채 이리저리 소리 난 쪽을 향해 따라 보던 렌티아도 그 자리에서 뻣뻣하게 굳고 말았다.

"오라버니."

자그맣게 렌티아가 중얼거렸다.

"허억."

아벨라가 자신도 모르게 손으로 입을 틀어막았다. 그렇지 않으면 욕지기가 올라올 것 같아서였다.

다보프였다. 트여 있는 시야 사이, 다보프의 배를 뚫고 나온 긴 칼이 보였다. 다보프는 놀란 표정을 지은 채, 입을 연신 뻐끔대고 있었다.

처참한 광경이었다. 몇몇 사람들은 고개를 돌려 아예 외면할 정도였다. 곧 다보프가 옆으로 털썩 쓰러졌다.

"으아, 으아아 오라버니……! 오라버니!"

렌티아가 절규했다. 방금 전까지만 해도 그녀를 죽이려 했던 자였지만, 그래도 믿고 따르던 오라비니 큰 충격일 터였다.

하지만 그녀를 제외한 모든 사람은 더욱더 놀라 입을 쩍 벌렸다. 다보프가 쓰러진 뒤, 그 뒤에서 나타난 인물 때문이었다.

"황제…… 폐하."

누군가가 조그맣게 중얼거렸다. 아벨라는 그녀의 머릿속이 백짓장처럼 새하얘지는 것을 느꼈다. 지금 자신이 뭘 보고 있는 것인지 구분이 가지 않았다. 지금 자신이 보고 있는 게 맞나?

황제였다.

황제가 지금, 자신의 아들인 다보프를 죽인 것이다.

"짐의 바로 앞에서 황제를 참칭하다니, 무엄하다. 무엇이 진짜였던 줄도 몰랐던 주제에."

황제는 오만한 말투로 말하며, 그대로 칼을 털고 칼집에 넣었다. 여기저기에 쓰러져 있는 사병들에겐 눈 하나 주지 않은 채, 황제가 미소를 띠며 이쪽을 바라보았다.

"펠리체, 그리고 8황자비."

황제의 뒤엔 수많은 금빛 갑옷을 입은 기사들이 정렬해 있었다. 아까 펠리체와 단장이 말했던 로얄 가드였다. 아벨라가 눈으로 그 수를 헤아리려 했지만, 한눈으로 헤아리기 힘들 정도로 그 수가 많았다.

곧 그들이 더없이 엄격하고 굳은 표정으로 황제의 바로 앞까지 걸어 나왔다. 곧 로얄 가드들에게 단단히 보호받은 채 황제가 미소 지었다.

"짐의 궐이다. 이 무슨 큰 소란이란 말인가?"

"……."

황제가 여상한 어조로 말하자, 펠리체가 그 순간 제 칼집에서 칼을 뺐다가 다시 집어넣었다. 그 순간, 이상하리만치 강한 검광이 번쩍였다. 아마 펠리체가 제 힘을 검에 잠시 불어넣은 모양이었다.

그리고 그 검광을 본 것인지, 검은 옷을 두른 흑의인들이 일제히 싸움을 멈추고 아벨라와 펠리체의 앞을 막아서며 시립했다.

그런데 이상한 점이 있었다. 그들과 싸우고 있던 남은 아티팩트를 낀 다보프의 사병들이 하나같이 우르르 달려가 황제의 앞을 가로막았다.

다보프의 시체가 그들의 발치에 있음에도, 전혀 당황하거나 우물쭈물하는 태도가 아니었다. 마치 이렇게 될 것이라는 것을 모두가 알고 있었다는 듯한 빠른 움직임이었다.

미간을 찌푸린 채 그 광경을 바라보던 아벨라가 순간 '아' 하고 입을 벌렸다.

"설마."

불현듯 떠오른 생각에, 아벨라가 황급히 옆의 펠리체를 바라보았다. 공작과 펠리체가 말하던 내용들이 이리저리 겹쳤다.

"다보프의 세력들은 사실, 황제의 세력들이었구나."

아벨라가 확신을 담아 펠리체에게 말했을 때였다. 펠리체가 미세하게 고개를 끄덕였다.

"맞아. 이리저리 확인하고 오는 찰나였어. 대공께는 아직 이야기를 듣지 못한 상황이지만 아마 내 짐작이 맞을 거야."

펠리체의 말에, 그 자리에 있던 모두의 얼굴에 불안이 서렸다. 그때였다. 그 자리에서 팔짱을 낀 채 유유하게 웃음 짓던 황제가 이윽고 입을 열었다.

"너희들에게 더 이야기할 시간을 주고 싶지만 이제는 이만 끝내야 할 것 같구나."

평이한 어조였다. 결코 소리치는 게 아니었음에도 불구하고, 이상하게도 황제의 목소리는 복도 건너편의 아벨라에게까지 생생하게 들렸다. 황제는 덤덤한 목소리로 말을 이어 나갔다.

"펠리체 단 카셀란과 그의 처 아벨라 오 데 딜루어, 제롬 단 카셀란, 체하트 단 카셀란. 너희들을 반역죄로 즉결 처형함과 동시에 카셀란의 이름을 박탈한다."

"반역죄라니, 제가 폐하께 무슨 반역을 저질렀단 말입니까?"

황제의 말에, 펠리체가 곧장 입을 열어 반문했다. 그 대답에 황제의 눈썹 한쪽이 슬쩍 올라갔다.

"렌티아와 다보프에게 빌려주었던 짐의 사병에게 무장한 채 반항한 죄다."

"알지 못했습니다. 렌티아와 다보프 스스로도 알지 못했던 사병들의 본 소속까지 알고 반격해야 한단 말입니까?"

펠리체의 반문에, 황제는 피식 웃어 보였다.

"무지 또한 죄가 아니냐."

"폐하. 폐하는 지금 폐하의 모든 황자들을 죽인다고 말씀하고 계시는 겁니다."

"맞게 들었다. 그래, 짐은 지금 그렇게 말했다."

"송구하나, 제가 폐하의 속내를 감히 한번 짐작해 보겠습니다."

펠리체는 한 발자국 더 앞서 나가며 황제에게 웅변했다. 걸어 나가는 순간 아벨라에게 눈길을 한번 건넨 뒤, 다시 황제를 똑바로 노려보았다.

별반 다를 것 없는 눈빛이었지만 아벨라는 펠리체가 눈빛으로 이렇게 말하고 있다고 생각했다. '뒤의 거울을 작동해서, 모두를 빠져나가게 해 줘.'

아벨라는 흘끔 제 앞을 가로막은 흑의인들을 살피곤 재빨리 거울로 다가갔다. 거울 앞에서 어리둥절해 있던 체하트가 급하게 비켜났다.

아벨라는 거울 앞에 선 채 아주 작은 목소리로 '아버지'라고 불렀다. 그리고 그 순간, 거울에서 이쪽을 바라보며 조급한 얼굴로 서 있는 아버지가 나타났다.

"……!"

주변의 일행들이 깜짝 놀라 두어 걸음 뒷걸음질 쳤지만, 아벨라는 그들을 신경 쓰지 않은 채 거울에 대공이 나타나자마자 자신의 입술에 손가락을 갖다 댔다. 급박한 아벨라의 표정에 대공도 이미 예감한 듯이 무겁게 고개를 끄덕였다.

아벨라는 손가락을 댄 채로 다시 제롬과 체하트, 단장과 마티나를 바라보았다. 모두의 표정이 신중해졌다. 그들이 들을 준비가 되었음을 확인한 아벨라는 입술에서 손가락을 뗀 채로 빠르게 속삭였다.

"지금부터 이 거울을 통해 제 나라인 딜루어로 갈 거예요."

"그런."

체하트가 자그마한 소리로 외치자, 아벨라는 손가락을 다시 제 입술에 댄 채 고개를 저었다. 단장이 고개를 끄덕였다.

"저는 여기 남겠습니다. 이미 8황자 저하와 한 약조가 있기 때문입니다. 아마 저하께서도 절 보내고 싶으신 건 아닐 겁니다."

"저도요."

"저도 차라리 이곳에서 제가 모시는 분들을 위해 명예롭게 싸우다 죽겠습니다."

아, 이런. 이들의 성품을 미처 생각하지 못했다. 이들이 가라고 한들 쉽게 갈 리가 없다는 걸 미리 짐작해야 했는데.

아벨라의 얼굴이 곤혹으로 물들었다. 잠시 흔들리는 눈동자로 모두를 바라보던 아벨라의 표정이 이내 단단히 굳어졌다.

"펠리체가 앞에 나가서 시간을 끌어 주는 이유를 모르시겠어요? 그는 희생하는 게 아니에요. 다음 계획을 위해서 우리를 먼저 보내 놓으려는 거라고요. 지금 펠리체를 두고 도망가는 게 아니에요. 완튼 경."

"예, 저하."

"명령이니, 체하트와 제롬을 끌고 이쪽으로 먼저 들어가 있어요."

아벨라의 명령 아닌 명령을 들은 마티나의 얼굴이 흐려졌다.

"……하지만."

"우리 모두 다 살기 위한 길이에요. 싸우고 싶어 하는 마음 이해해요. 하지만 저들은 로열 가드들이에요. 한 명 한 명이 마티나와 같은 강도의 훈련을 받은 작자들이라고요. 우리가 마법을 쓴다 한들, 주문을 외는 속도가 검을 휘두르는 속도보다 빠르진 못해요. 뭐가 되든 충분한 거리가 있어야 한다는 걸 알고 있잖아요. 지금 이 순간은 우리에게 절대적으로 불리해요. 그러니까 어서."

아벨라가 빠르고 다급한 어조로 그들을 설득할 때였다. 펠리체가 저들의 앞에서 말하고 있는 소리가 들렸다.

"황자들이 성장하면서 폐하 자신과 귀족원간의 대립 구도를, 교묘하게 황자들간의 대립 구도로 만든 채 십여 년간을 뒤에서 방관만 하고 계셨습니다."

"오해다."

"황자들에게 황권을 물려줄 거라고 단순히 암시만 하신 채로, 사실은 뒤에서 힘을 키워 오셨지요. 황궁에서 일어난 내명부의 다툼에 대해서도 언제나 멀찍이서 방관하려 하셨음을 알고 있습니다."

"……."

"애초부터 황자들에겐 황권을 물려주실 생각이 없으셨지요. 그걸 모르는 황자들을 조종해 가면서 서로를 해치게 만들 만큼."

"아까부터 자꾸 오해 살 만한 발언들을 하는구나."

펠리체의 목소리에 뒤이어, 아까와 똑같이 평이한 황제의 목소리가 들려왔다. 아벨라가 이를 악물었다.

"샬롯 황비를 처리하시면서, 과거 폐하와 적대했었던 귀족원들까지 포섭하신 게 아닙니까. 국가의 위기라고 말씀하시면서 방관했던 기간 동안 모두의 눈을 피해 모아 왔던 비자금들로 그들을 몰래 지원하겠다 말씀하셨겠지요. 내명부의 내탕금까지 살뜰히 모으셨다는 증거는 이미 있습니다. 샬롯 황비에게 결정권을 주는 척, 전체 금액을 야금야금 줄이셨지요."

펠리체는 계속해서 말을 이었다.

"어차피 폐하께서는 이곳에 있는 모두를 죽일 계획이실 것을 잘 압니다. 새로 시작하고 싶어 하신다는 것 또한 잘 알고 있고요. 하지만 굳이 이런 방법이셨어야 했습니까? 그 수십 년 동안 본인이 황권을 다시 다잡고 귀족들을 전부 자신의 휘하로 두기 위해 황족들을 모두 희생시키는 이 방법이?"

"……이 방법 외에는 없었다."

그때였다. 언제까지고 의뭉스럽게 대답하지 않으려는 듯했던 황제가 입을 열었다.

"내가 아무리 대기근 이후로 가난했던 제국을 다시 배불리게 하고자 노력해도, 귀족들은 내 말을 들어 주지 않았다. 정복을 위해서 다양한 나라의 여식들을 내 나라로 데려와 정혼시킨 것은 좋았지만, 언제까지고 황궁의 살림은 궁핍해져 갈 뿐이었다."

그 자리에 있던 모두가 황제가 있는 쪽을 향해 고개를 돌렸다.

"그때, 귀족원의 입김으로 내게 들이밀어진 것이나 진배없는 샬롯이 들어오자마자 모든 게 변했다. 귀족들이 일제히 돈주머니를 열고, 샬롯의 후사가 이을 황위를 위해 심지어 나에게까지 자신들이 모아 놓고 있던 돈을 풀기 시작했다. 세금을 내라고 할 땐 모이지 않던 돈이, 황자를 황위로 올리기 위한 일이라고 하니 더없이 쉽게 모이더구나. 그때 나는 모든 것에 정이 떨어졌다. 이들이 있는 한, 이 나라는 온전한 내 나라가 될 수 없다고."

"……지금까지 그만을 위해서 모든 계획을 세워 오셨겠지요."

"우스운 일이었지. 내가 젊은 황제일 땐 견제해 내 손발을 자르려던 놈들이, 황궁에 사람이 많아지자 반대로 황제인 나에게 돈을 풀었다. 황자들과 황비를 뒷배로 내세워 정책들을 로비하고, 그대로 들어주면 다시 돈이 나에게 흘렀다."

"하지만 그 때문에 백성들은 계속해서 힘들었습니다. 귀족들이 백성들의 고혈을 쥐어짰기 때문이지요."

"이제부터 잘살게 해 줄 생각이었다. 나도 힘을 모아야 했으니까."

황제는 '하아' 하고 한숨을 쉬었다.

"이젠 그렇게 할 수 있어. 귀족들의 수를 줄였고, 황족도 없다. 온전히 내 입김이 닿을 수 있고, 카셀란이니 뭐니 하며 간섭하는 왈로인마저 없지 않나."

"아뇨, 하지만 그렇다기엔 지나치셨습니다. 정도를 지나치고도 남으셨죠."

"하하, 펠리체. 듣자 하니 아주 방자하기 그지없구나. 그래서 어떻게 하겠다는 거냐? 나는 아직 황제고, 왈로인에게 쥐여 줬던 옥새는 아마 너도 짐작했겠지만 가짜였단다. 게다가 네가 준비하려고 했던 듯했던 반역은…… 미안하구나, 이미 시작부터 알고 있었지. 반귀족원인 귀족들을 데리고 봉기하려 했겠지만, 지금쯤 내가 보낸 군사들이 그들을 체포하기 위해 이동했을 거다. 시민들도 마찬가지지. 그리고 네가 합류할 틈도 없이…… 오늘 너는 내게 죽는다."

황제가 '철컥' 소리를 내며 검을 뽑아 들었다.

"반역은 실패했단 말이다."

"헉."

그 순간, 이야기를 듣던 단장이 가볍게 헛숨을 들이켰다. 쉽사리 놀랄 것 같지 않던 단장의 얼굴이 일그러져 있었다.

놀란 것은 아벨라 또한 마찬가지였다. 펠리체에게 제국에 대한 계획을 들은 지 얼마 되지 않았지만, 펠리체가 황제가 말하는 저 '반역'을 위해 오래도록 준비해 왔다는 것을 알고 있었다.

황제를 바라보는 아벨라의 미간이 바짝 좁혀졌다. 단장의 반응이 심상치 않았다.

그렇다면 황제의 저 말은 사실이란 소리일까? 그때였다. 단장이 당장 몸을 돌려 아벨라와 체하트, 제롬을 바라봤다.

"어서 피하십시오."

"단장, 이게 대체 무슨……!"

"어서 피하셔야 합니다. 지금 여기에서 8황자 저하의 계획이 정말로 실패했다면, 여기 계신 분들은 모두 다 죽습니다. 저하께선 지금 우리를 구하기 위해 필사적으로 배려하고 계신 겁니다."

그 이야기를 들은 제롬과 체하트가 눈을 크게 떴다. 안색이 급변한 제롬과 체하트가 동시에 서로를 마주 보았다.

"원래라면 두 분께 먼저 무슨 일인지 자세히 설명드렸어야 하지만, 지금은 때가 때이니만큼 시간이 부족합니다. 어서 피하세요."

'반역'이라는 말에 당황한 채 굳어 있던 체하트와 제롬이 그의 말에 크게 반응했다. 온몸이 굳어진 채로도 두 입이 벌어진 것이다. 하기야 그들은 펠리체의 계획을 알지 못했으니 놀라는 것도 당연했다.

"······뭐라고요?"

"단장님, 이게 대체. 형님이 대체 무얼 생각하고······."

되묻던 제롬과 체하트가 번쩍 고개를 들어 아벨라를 바라보았다.

"형수님, 형수님은 혹시 알고 계셨나요?"

"형님이 정말로 반역을······."

"단장님의 말씀대로예요. 다시 말씀드리지만, 설명드리기엔 시간이 없어요."

제롬과 체하트가 앞다투어 아벨라에게 물었지만, 아벨라는 단호하게 고개를 저었다. 동시에 펠리체를 바라보는 것도 잊지 않았다. 펠리체의 곧게 선 등을 바라보는 아벨라의 눈빛이 쓸쓸한 소회에 잠겼다.

오랫동안 준비해 왔다고 했었다.

자신이 사랑하는 나라가 황제와 귀족들의 권력 다툼으로 망가지는 것을 두고 볼 수 없어서, 남몰래 힘을 키워 왔다.

"······단지 제가 말씀드리고 싶은 건, 여러분이 아시는 8황자 저하를 믿어 달라는 것뿐입니다."

아벨라는 그렇게 말하며 마티나와 단장에게 고개를 끄덕여 보였다. 마티나가 고개를 끄덕인 뒤 체하트에게 다가가 "실례합니다."라고 하며 그를 번쩍 안아들었다.

"명 받들겠습니다. 저하, 먼저 가서 기다리고 있겠습니다."

"잠깐, 잠깐만요. 형수님-."

체하르트가 아벨라를 부르는 순간, 마티나가 그를 안은 채 훌쩍 거울 안으로 뛰어 내렸다. 동시에 제롬과 그를 부축한 단장이 그 뒤를 이었다.

"이게 어떻게 된 건지 저는 잘 모릅니다. 하지만."

제롬이 잠시 고민하던 눈을 들어 아벨라를 똑바로 바라보았다.

"저는 형님과 형수님을 믿습니다. 자세한 이야기, 꼭 기다리고 있겠습니다."

아벨라의 눈이 밝게 빛났다. 그녀가 곧 고개를 끄덕이자, 제롬 또한 마주 고개를 끄덕이곤 부축한 단장의 손을 뿌리친 채 거울 너머로 사라졌다.

단장이 아벨라를 바라보며 '같이 이동하시지요.' 같은 표정으로 그녀를 바라봤지만 아벨라는 고개를 저었다.

"펠리체와 함께 갈래요."

"……."

단장이 무언가 말하려 입을 열었다가 곧 고개를 끄덕였다.

"알겠습니다."

짧게 대답한 단장이, 곧 제롬을 따라 거울 속으로 사라졌다. 아벨라는 거울 너머로 그들이 대공과 대공의 측근들에게 인도되는 광경을 바라봤다. 이제 남은 것은 펠리체다.

혼자서 계획도 세웠다. 흑의인들과 펠리체가 우르르 거울로 뛰어든 뒤, 딜루어 공국으로 넘어가 거울을 깨부수면 되지 않을까 하는 내용이었다.

아벨라는 말하고 있는 펠리체의 등을 계속해서 바라보았다. 이제 모두 다 안전하게 딜루어로 갔으니, 펠리체도 그만하고 이쪽으로 와 줬으면 좋겠다고 생각하면서.

그때였다. 펠리체가 흑의인들을 앞세운 채 다시 입을 열었다.

"폐하, 만약 반역이 사전에 차단된 것이라면, 그럼 저는 반역죄가 아니지 않습니까. 반역을 일으킨 적이 없으니까요."

"하, 펠리체, 내 아들아. 시간을 끌려고 노력하는 행동이 구차하기 짝이 없구나. 그래 봐야 아무 소용없음에도. 반역을 도모했으니, 이미 너는 반역 모의를 저지른 역적이다. 아니, 사실 네가 아무 짓도 하지 않았더라도 넌 결국 역적으로 죽을 것이다. 포기하거라."

황제가 통렬하게 비웃었다. 아벨라는 입술을 앙다물었다. 황제는 아마, 펠리체가 나선 뒤 벌어진 일을 꿈에도 모를 터였다.

소용없긴, 모두 이미 물 건너 딜루어로 갔다. 이게 모두 펠리체의 눈물겨운 희생 때문이었다. 모두 일행들을 살리기 위한 희생……

그때였다. '하핫' 하고 펠리체가 짧게 웃는 소리가 들렸다. 짧은 웃음소리였지만 묘하게 날이 서고 차가운 웃음이었다.

"어쩔 수 없군요. 이렇게 된 이상. 진짜 역적이 되는 수밖에는 없겠습니다."

응?

아벨라가 잠시 미간을 찌푸렸다. 지금 펠리체가 말한 게 맞나? 의아한 것은 황제도 마찬가지인 듯했다.

"……하? 펠리체, 혹시 미친 게냐? 여기서 이 몸의 목을 베겠다는 건 아니겠고."

"아뇨, 그렇게 단순한 방법 말고, 진짜 반역 말입니다. 수도의 백성들마저 들고 일어나 황제의 퇴위를 요청하고, 귀족원의 과반이었던 제 세력들이 귀족원을 폐쇄한 채 사병들을 이끌고 황궁을 둘러싸고, 황제 폐하와 폐하의 로열 가드들을 구금하는 반역이요."

"뭐라고? 그 방법은 이미 내가 막았다고 하지 않았…… 잠깐, 설마 네놈―."

황제가 뭐라고 입을 떼려던 그때, 복도 저 끝에서 '폐하!' 하고 길게 외치며 달려오는 목소리가 들렸다.

"폐하!"

아벨라가 기민하게 몸을 낮춘 채로, 펠리체와 그의 앞을 막은 흑의인들의 발 사이로 벌어지는 풍경을 관찰했다.

황제의 곁으로 다른 고급 신발을 신은, 무장하지 않은 누군가가 급하게 다가서고 있었다. 복장으로 보아, 그는 그저 관료, 아니면 황제의 시종인 듯했다.

"폐하, 큰일입니다! 큰일! 팔레온가의 사병들이 황궁을 둘러싼 채 정렬해 있습니다!"

"뭐라고?!"

"수도의 백성들이 의병을 조직해 황궁의 동문을 에워싼 채 황제 폐하의 퇴위를 요구하고 있습니다!"

"뭐가 어째?"

"제국의 공작 작위를 받은 가문들 또한, 깃발을 내걸고 백성들의 행렬에 가담했다고 합니다!"

"대체 이게 어찌 된 노릇이냐!"

황제가 아까보다 훨씬 더 높은 목소리로 소리 질렀을 때였다. 유유한 펠리체의 목소리가 곧바로 뒤를 이었다.

"폐하, 폐하께서 좀 더 생각해 보셨어야 했습니다."

펠리체가 팔짱을 낀 채로 짙게 웃어 보였다.

"폐하께서 제게 정보를 흘리라 명령하셨던 바흐테인은 정말로 폐하의 편이기만 했을까요? 정말로, 언젠가부터 정말로 저에게 제대로 된 정보를 주기 시작했을 거라곤 한 번도 생각해 본 적이 없으십니까?"

"뭐, 뭐라고?"

"제게 바로 어제 한밤중에 찾아와, 계획을 당기라고 말해 준 자가 누구겠습니까."

황제가 '헉' 하고 목이 졸리는 듯한 소리를 냈다. 펠리체는 아랑곳하지 않고 웃으며 유유하게 말을 이었다.

"그리고 감히 충고드립니다만, 충성스런 부하를 원하신다면 두 번 다시 그의 목숨을 위협하는 짓은 하지 않으시는 게 좋을 듯합니다. 폐하를 위해 이중첩자도 마다하지 않은, 평생을 충심으로 대한 자가 아닙니까."

"바흐테인!"

황제의 대노한 목소리가 긴 복도를 쩌렁쩌렁하게 외쳤다.

목소리만 들어도, 지금 이 구도의 승패를 알 것 같았다. 아벨라가 눈을 깜박였다.

잠깐만, 이게 어떻게 되는 거지.

아벨라가 어리둥절한 표정으로 거울 아래를 내려다보았다. 다급하고 비장하게 부랴부랴 몸을 피신했던 체하트와 제롬, 단장과 마티나 역시 어리둥절하게 아벨라를 바라보고 있었다.

"아, 그리고."

펠리체가 다시 입을 열었다. 아까보다 백배는 유들유들해진 목소리였다.

"지금 폐하를 호위하고 있는 기사들 중에 저와 우애가 깊은 3황녀가 직접 보낸 친위대가 섞여 있음을 알려 드립니다. 난전 중에 언제 폐하께 칼을 꽂을지 모른다는 겁니다."

"크아아아아아악! 네놈, 무슨 짓을!"

"폐하, 긴말하지 않겠습니다."

펠리체가 우아하게 말을 이었다.

"항복하시고 옥새를 넘기신다면, 이 나라의 끝을 스스로 고하신다면 목숨만은 살려 드리겠습니다."

"펠리체! 네 이놈!"

"어쩌시겠습니까?"

그때였다. 슬쩍 뒤를 돌아보던 펠리체가 눈만 깜박이고 있는 아벨라를 보고 눈을 크게 떴다. 왜 아직 안 가고 있냐는 듯한 표정이었다. 아벨라 또한 눈만 깜박였다. 그녀는 적잖이 당황해하고 있었다.

지금 이게 어떻게 돌아가고 있는 거지?

"여봐라!"

그 순간, 황제가 우렁차게 외쳤다.

"내 목숨을 노린다는 무뢰배들은 이 몸이 직접 상대한다. 그러니 이 음성을 듣는 나의 권속들은 즉시 저놈의 목을 베어라! 저놈의 목을 베는 자에겐 내가 큰 상을 내릴 것이다!"

"폐하께서는 아직도 꿈속에서 살고 계시는구나. 내가 준비해 온 세월을 너무 얕보신 모양이지."

비웃던 펠리체가 다시 철컹, 검을 꺼내 들었다. 높게 치켜든 검에서는 눈부시게 밝은 빛이 치솟았다.

펠리체의 힘을 이전에도 여러 번 겪은 적이 있지만, 저렇게 눈부시고 긴 길이의 검강은 본 적이 없었다.

"전원, 돌격하라."

펠리체가 웃음기 어린 목소리로 명령하는 순간, 검은 옷을 두른 자들과 로열 가드들이 팽팽하게 부딪히기 시작했다.

'채애애앵!' 하는 병장기 부딪히는 소리가 들리기 시작할 무렵, 펠리체가 재빨리 빠져나와 아벨라에게로 다가왔다.

"어서 들어가, 뭐 하는 거야?"

"같이 가야지. 기다렸어. 어서 같이 가자."

아벨라가 얼떨떨한 목소리로, 하지만 아까보다는 확연히 밝아진 표정으로 펠리체의 옷깃을 잡았다.

펠리체는 아벨라의 말에 눈을 크게 뜨다가 엷게 미소 지어 보였다. 이런 상황에서도 더럽게 잘생겼다.

"나는 안 돼, 아벨라."

"……뭐? 왜? 아니, 황제라면."

아벨라가 당황한 채로 말을 이을 때였다. 펠리체가 빙그레 웃으며 손가락으로 뒤를 가리켰다.

고개를 쭉 빼고 그를 살핀 아벨라의 입이 벌어졌다. 황제가 뽑아 든 검에서 같은 빛이 나고 있었다. 이제 더 이상 놀랄 기력도 없건만.

아벨라가 입을 작게 벌렸다.

"황제가 마지막으로 숨기고자 했었던 비밀이지. 그도 검강을 쓸 수 있어."

펠리체는 뒤에서 벌어진 난전을 흘끔대며 설명했다. 황제가 그와 그의 권속들, 그리고 가끔 그에게 뻗어져 오는 로열 가드들의 칼들을 마구잡이로 베고 있었다.

그를 살핀 펠리체는, 아벨라의 손을 잡으며 아까보다 빠른 어조로 대답했다.

"봤지? 제국에 있는 세력들을 중심에서 규합하고자 한 건 나야. 그러니 내가 빠질 수 없지."

펠리체는 씨익 웃곤 아벨라를 향해 손을 뻗었다.

"미안해. 내 마음대로 아까 오는 길에 아이타까지 거울을 통해 피신시켜 놓고 나왔어. 멋대로 사용했다고 해도 화내진 않겠지?"

"지금 그게 중요해? 무슨 소리 하는…… 펠리체, 잠깐만! 내가 어떻게 널 두고 가? 싫어! 나와 가자. 저들도 다 불러 모으고……!"

아벨라는 흔들리는 눈동자를 한 채 소리 높여 말을 이었다. 절박했고, 어지러울 정도였다.

여기에 그만 남는다면, 만일 그 와중에 혹시나 다치기라도 한다면. 아벨라가 자신도 모르게 발을 동동 굴렀다. 절로 눈물이 글썽거렸다.

하지만 펠리체는 그런 아벨라를 짐짓 모른 척한 채 "저기 봐." 하고 손가락으로 거울을 가리켰다. 아벨라가 고개를 돌렸다. 거울 건너편에서는 질린 표정의 공작이 초조하게 서 있었다.

―아벨라!

"대공께서 기다리고 계시잖아. 얼른 가야지."

"너, 너어. 진짜 그럴래?"

순간 아벨라의 얼굴이 일그러졌다. 아버지의 얼굴을 보니, 마음이 무너지는 것 같았다.

하지만 펠리체를 이 사지에 홀로 남겨 둘 수는 없다. 펠리체가 죽을지도 모른다고 생각하는 것만으로도 머리가 삐죽 솟는 것 같았다.

"이러려고 이 고생을 시켰어? 아무것도 모르는 백치일 때 이 전쟁터에 마음대로 데려와 놓고, 다 마무리되고, 어? 마음 주고받고 하니까 이제 그냥 목숨쯤은 하루살이처럼 버려도 된다는 거야? 나쁜 놈!"

아벨라가 이를 악물며 다시 펠리체를 향해 따질 때였다. 펠리체의 눈에 짙은 애틋함이 스쳤다. 하지만 그것도 잠시, 펠리체는 허리를 숙이며 그녀에게 빙그레 웃으며 속삭였다.

"무슨 소리야. 나는 반드시 살아."

"……!"

아벨라가 눈을 크게 떴을 때였다.

"너와 만났고, 너를 지킨다고 맹세한 이상 나는 살아."

틈을 파고들 듯이, 펠리체가 다시 한번 말했다.

아벨라의 눈물 고인 눈이 다시 크게 떠졌다. 흡뜬 푸른 눈동자 위로, 그녀를 향해 빙그레 웃고 있는 펠리체가 비쳤다.

"약속해. 이것도 맹세할게. 제국인의 맹세야."

"너, 너……."

아벨라가 반박하기 위해 뒤를 돌아보려는 때였다. 펠리체가 '제국인의 맹세'라는 말을 입에 담은 순간 그의 몸이 희게 빛났다. 잠깐. 저게 뭐지?

저게 설마, 제국인의 맹세 때 보이는 현상 같은 것일까? 아벨라의 눈동자가 뒤흔들렸다. 자신에게 일어난 변화를 전혀 모르는 듯한 얼굴로, 펠리체가 다시 설득조로 말을 이었다.

"나도 네가 있었으면 해. 하지만 네가 안전한 게 더 중요하고 혹시라도 네 터럭 하나라도 상할까 봐 속이 상하니까……
그러니까 대공께 보내는 거야."

"내가, 나도 할 수 있어. 왜냐면 나도 강—!"

"네가 강한 건 누구보다도 잘 알아, 하지만."

펠리체는 숨을 내쉬곤 다시 말을 이었다. 언제나 그랬듯이
부드럽고 상냥한 말투와 목소리였다.

하지만 아벨라는 펠리체가 자신을 대할 때에만 이런 목소리
를 낸다는 걸 알고 있었다. 여느 타인에게 대하는 목소리와는
달리, 꿀처럼 흘러내릴 듯한 애정으로 가득한 목소리.

"네가 조금이라도 다칠까 봐서 그래. 내가 죽는 것보다 그게
더 아플 것 같아서."

그가 속삭이고는, 재빨리 거울로 아벨라를 이끌었다.

"자, 아벨라. 심호흡하고, 뛰어드는 거야."

다정하게 속삭인 펠리체는 그녀를 거울로 이끌었다. 천연덕
스럽고, 능수능란한 솜씨였다.

아벨라가 다시 뒤를 다급하게 돌아보았다. 그녀의 볼에서
빛나는 눈물방울이 뚝뚝 떨어졌다.

"……꼭 따라오겠다고 약속해."

그녀의 대찬 물음에, 펠리체가 피식 웃으며 고개를 끄덕였다.

"당연하지. 네가 건너가자마자 거울을 수습하고, 적당할 때
다시 그쪽으로 갈게."

"정말이야, 꼭 와야 해. 알았어?"

아벨라가 집요하게 다시 되물었다. 펠리체는 단지 웃으며
고개를 끄덕일 뿐이었다. 아벨라가 왜 이리 집요하게 묻는지
이미 이해하고 있으니까.

"……당연하지. 뭐, 안 되면 아픈 척하면 목숨은 살려 주지 않을까?"

"아픈 척?"

아벨라가 되묻자 펠리체가 엷게 웃었다.

"농담이야."

아픈 척이라고.

이상했다. 그냥 농담일 텐데, 아벨라는 이 말을 예전에도 들어본 적이 있었다. 언제였을까, 그게 대체 언제…….

퍼뜩 머리를 스쳐 지나가는 느낌에 아벨라가 눈을 크게 떴다. 기억이 났다. 그게 언제였는지도.

자신은 이전에 펠리체를 만난 적이 있었다. 아주 어릴 때, 기억나지도 않고 기억할 리도 없다고 믿었었던 아주 옛날의 일이었다.

"너, 지금 한 말—!"

아벨라가 푸른 눈을 크게 뜬 채 급박하게 입술을 떼려고 시도했다. 그때였다.

펠리체가 강한 힘으로 그녀를 떠밀었다. 아벨라가 순식간에 그대로 거울 안으로 곤두박질쳤다.

아니, 한마디만 더 하자! 울컥한 아벨라가 애써 펠리체에게 팔을 뻗었지만, 펠리체는 변함없이 멋진 미소만 지으며 뒤로 물러날 뿐이었다.

"잠깐, 잠깐만—!"

애처로운 단말마와 함께, 아벨라가 거울 너머로 완전히 넘어갔다. 아벨라가 거울 저편, 공작의 품으로 안전하게 뛰어드는 것을 바라본 펠리체의 표정이 비로소 온화해졌다.

아, 됐다.

펠리체는 안도의 한숨을 내쉬곤 재빨리 거울을 덮었다. 거울이 덮이자, 주변에서 들려오는 큰 소음이 다시 귀에 고스란히 들렸다.

병장기 부딪히는 소음과 고함, 그리고 비명. 아벨라를 보는 순간엔 하나도 들리지 않던 소음이었다.

현실로 돌아온 기분이었다. 그렇다면 아벨라와 저 너머의 대공은 꿈일까. 잠시 덮은 거울을 들고 망설이던 그는, 이내 그 거울을 벽에다가 거세게 던졌다.

쨍그랑!

큰 소리가 나며 거울이 산산조각 났다. 귀한 아티팩트라고 했지만, 그래 봐야 거울. 강한 충격을 견딜 수 있을 리 만무했다.

아티팩트를 단번에 부순 펠리체가 후련한 표정을 지었다. 아벨라에게 곧 따라가겠다고 말했지만, 당연히 거짓말이었다.

자신이 황제에게 붙잡히기라도 한다면, 만일 그래서 거울을 빼앗기고 황제에게 거울이 딜루어 공국으로 통하는 통로라는 것이 알려지기라도 한다면…….

상상하기조차 싫었다. 혹시라도 위협이 될 수 있다면, 이는 미리 차단하는 게 나았다.

거울 조각들을 훑어보던 펠리체가 이내 몸을 돌렸다.

아, 드디어 끝났다.

아벨라에겐 말하지 않았지만, 이게 원래 펠리체의 계획이었다.

대공에게 제국을 흔들 힘을 빌려 달라 요청하면서, 교묘하게 판을 짜 아벨라를 데려온다. 그리고 그녀를 펠리체가 충실히 지킨다. 그리고 결혼 동맹으로 딜루어와의 연대를 더욱더 공고히 한다.

이후 펠리체가 제국을 성공적으로 전복시키면, 아벨라는 더 위험해지기 전에 공국으로 돌려보낸다.

아벨라를 공국으로 보낸 뒤, 펠리체는 혼자 모든 계획을 마무리한다. 끝.

그간 수없이 많은 계획이 바뀌었지만, 결국 아벨라는 무사히 공국으로 돌아갈 수 있었다.

"다행이지 뭐야."

펠리체는 진심으로 미소 지었다. 자신이 이루지 못한 건 하나도 없었다. 아니, 그 이상으로 이루고 누렸다.

처음, 공작에게 교묘하게 졸라 아벨라를 제국에 데려온 것은 다름이 아니었다. 그냥 아벨라를 제 곁에 두고 싶었다.

그저 그녀가 구원했던 생명이 지금 어떻게 자랐는지 보여 주고 싶었다.

그런데 기적처럼 백치였던 아벨라가 깨어났고, 자신이 상상해 왔던 성격이 되어 제게 누구보다도 힘이 되어 주었고…… 그리고 그녀와 사랑에 빠졌지.

"아무리 생각해도 너무 과분한 삶이었어."

펠리체가 피식 웃으며, 혼자 중얼거렸다.

그랬다. 아무리 생각해도 지나치게 과분했다. 아벨라가 깨어나다니, 게다가 누구 못지않게 강하고 활발하고 똑똑해져선 자신이 생각조차 하지 못한 방법으로 자신을 도우려고 했다.

그런 모습을 봤으니, 펠리체는 이걸로 충분히 만족했다.

펠리체가 자신의 수하들을 베며 이쪽으로 다가오고 있는 황제를 노려보았다. 친아버지에게 맞서게 될 줄이야. 펠리체는 한숨을 내쉬면서 제 검을 고쳐 쥐었다.

여기서 죽을 수도 있겠지.

상상하는 것만으로도 명치 한쪽이 뻐근했다. 펠리체는 힘차게 달려 싸우는 무리들 사이에 순식간에 끼어들었다.

펠리체는 제게 짓쳐들어오는 자들에게 검을 맞부딪히고, 그들을 베어 넘겨 버리며 이를 악물었다.

사실은 어느 쪽이냐 하면, 가고 싶었다.

아벨라를 따라 거울 안으로 당장 따라가고 싶었다. 하지만 그렇게 하기엔 자신이 뿌린 씨앗이 너무나도 많았다. 자신이 벌인 일이니, 자신이 책임져야 할 게 아닌가.

"아벨라."

그 이름을 뱉는 것만으로도 이상하게 목에 무언가가 걸리는 느낌이다. 심장이 바짝 조여 오고, 눈시울이 뜨거워졌다. 아벨라. 펠리체는 다시 한번 그 이름을 되뇌고는, 다시 한숨을 내쉬었다.

"짧고, 위험천만했고, 엉망진창인 결혼이었지만 나는, 나는 정말로 행복했어."

정말이었다. 펠리체는 눈을 감은 채로 다시 한번 크게 심호흡했다. 이걸로 됐다. 이다음의 계획을 실행할 차례였다.

펠리체는 망설임 없이 제게 검을 휘두르는 로열 가드를 횡으로 베어 버리고 앞으로 두어 걸음 더 걸어 나왔다.

이미 작금의 상황은 파악했다. 자신이 아벨라를 피신시키는 사이, 자신의 그림자들이 많이 쓰러졌다. 황제의 주위를 지키고 있는 로열 가드들에 비하면 수적으로 열세였다.

미안함과 고마움, 안타까움과 분노로 펠리체가 입술을 한번 크게 짓씹고 놓았다. 이들이 여기까지 자신을 따르느라 얼마나 많은 고생을 해 왔던가. 감상에 젖어 있을 때가 아니었다.

"폐하, 어디십니까."

그가 크게 이름을 부르자, 저 멀리서 선연하게 빛나는 금발의 장신이 이쪽을 향해 몸을 돌렸다. 황제였다. 펠리체의 표정을 바라보더니, 피식 웃어 보였다.

"수가 많이 줄었구나. 항복하려는 것이냐?"

황제의 말에, 펠리체는 한숨을 쉬었다.

"밖의 군사들은 많이 대비해 놓으셨습니까? 부족하실 텐데."

펠리체의 말에, 황제의 얼굴이 뒤틀렸다. 펠리체가 지금 한 말은 황제가 현재 가장 신경 쓰고 있는 부분을 찌르는 지적이었다.

펠리체의 말대로였다. 지금 눈앞의 적들을 베어 넘기며 어떻게든 본보기를 세우려고 하고 있지만, 황제는 성문의 상황이 가장 신경 쓰였다. 성문을 지키고 있는 자들은 황군뿐이었기 때문이다.

황제가 아무리 지금의 상황에 대해 준비하고 판을 짰다고 하지만, 대외적으로 신경 쓰지 못한 부분이 있었다. 바로 황군이었다.

지금까지 황제는 남몰래 힘을 키워 왔고 황자와 귀족들을 다 없앨 계획을 세웠지만, 그는 어디까지나 귀족들과 황자들의 이목을 피해 움직여야만 하는 수준이었다.

자금은 훌륭히 모을 수 있었다. 때문에 그동안 모아 온 자금으로 궁지에 몰린 귀족들도 회유하고, 축제 외엔 그 모든 일정이 비공개였던 로열 가드들도 자신의 정예군처럼 선별해 남몰래 훈련시킬 수 있었다.

하지만 대외적으로 모두의 보는 눈 아래 놓인 황군은 예외였다.

"네…… 이놈!"

"저도 많은 세력을 잃었다지만, 폐하의 정예군이라는 로열 가드들도 많이들 나뒹굴고 있습니다. 살아남은 가드들도 사지 한쪽을 잃은 경우가 대부분이니, 이들을 데리고 황군과 합류하려는 계획은 크게 망가지셨겠지요. 아닙니까?"

펠리체는 씨익 웃으며 검을 들었다.

"아쉬울 게 없습니다, 폐하. 저는 버티면 되거든요."

황제가 그 순간 분노한 노성을 터뜨렸다. 그의 표정이 붉게 달아 올랐다. 눈마저 독기가 올랐다. 무시무시했다. 황제의 화난 모습을 본 게 대체 얼마만이더라.

"도발했으니 책임은 져야지."

칼을 문 듯 험악하게 읊조린 황제가 성큼성큼 펠리체를 향해 다가왔다. 펠리체는 희미하게 웃으며 검을 세웠다.

"도발이라니, 그저 사실만을 말씀드린 것인 데도요."

"크아아악!"

그리고 그때였다. 황제가 높이 검을 세워 펠리체에게 부딪혀 왔다. 펠리체는 밀려나지 않고 검을 흘려보내곤 재빠르게 황제에게 파고들었다.

곧 황제와 펠리체가 빛나는 검으로 수차례의 검합을 주고받기 시작했다. 보이지도 않을 정도로 빠른 손놀림이었다.

펠리체는 그에게 검을 휘두르며 다시 한번 이를 악물었다. 살아남자. 살아남을 것이다. 원하는 건 오직 하나뿐이다. 아벨라의 얼굴을 다시 보는 것.

그날은 아주 햇살이 좋은 날이었다. 들어야 할 그날의 강의들이 많았지만, 아벨라는 그들을 모두 뿌리치고 풀밭에 나와 시간을 때우기로 했다. 왜냐면 그냥, 그렇게 하고 싶었기 때문이다. 혼낼 사람도 없고 말이다.

아벨라는 어렸지만, 이 궁에서 자신에게 뭐라고 대놓고 딴죽을 걸 사람이 몇 안 된다는 정도는 아주 잘 알고 있었다.

저번에 자신에게 벌을 준답시고 책을 네 권 들고 서 있게 하던 예절 선생은 그 책 네 권을 고스란히 갖고 이 궁에서 나가야 했다.

뭐, 쉰 만큼 또 열심히 공부하면 된다.

혼자서 그제 배운 노래를 흥얼대면서 아벨라는 자신이 좋아하는 토끼풀 밭에 앉았다. 뭐 하고 놀지?

아벨라는 일단 모양이 예쁜 클로버를 찾아보기로 했다. 하지만 금방 흥미가 식었는데, 생각해 보니까 모양이 예쁜 클로버들은 저번에도 많이 모아서였다.

그럼 토끼풀꽃으로 팔찌를 만들까?

아벨라가 콧노래를 부르며 토끼 꽃들을 뜯기 시작할 때였다. 제 앞에 갑자기 긴 그림자가 드리워졌다. 아벨라가 눈을 깜박이다가, 천천히 고개를 올려 그림자를 드리운 작자를 확인했다.

웬 음울한 표정의 소년이었다.

이름이 뭐랬더라. 아벨라가 눈동자를 굴렸다. 아, 생각났다. 펠리체. 아벨라의 푸른 눈동자가 빛났다. 분명히 자신보다 몇 살쯤 오빠라고 했던 것 같다.

그래, 분명히 그랬지. 아버지가 사이좋게 놀라고 말씀하셨어. 우리 엄마의 친구의 아들이라고 했고…….

그 외엔 관심 없었다. 혼자 오만상을 찌푸린 채로 이곳저곳 구석에 박혀 있었으니까.

아벨라는 얼굴을 잔뜩 찌푸린 채 그를 올려다보았다. 예쁘게 곱슬진 머리칼이 그녀가 고개를 들 때마다 귀엽게 팔랑거렸다.

"왜?"

"미스 세이네가 산수 연습을 하자고 해. 널 찾아오라고 부탁받았어."

그의 말에, 아벨라가 미간을 찌푸렸다.

"오늘은 안 할 거야."

"그건 네 마음대로 정할 수 있는 게 아니야."

목소리가 조용해서 또 마음에 안 든다. 아벨라는 미간을 찌푸린 채로 벌떡 일어났다. 그녀의 동그랗고 통통한 뺨이 발갛게 들떠 있었다. 그게 왠지 그녀를 귀여운 인형처럼 보이게 만들었다.

"할 수 있어!"

"할 수 없어."

"아냐!"

아벨라는 와락 소리치곤, 허리춤에 손을 짚었다. 하지만 펠리체는 계속 퍽 어두운 안색으로 아벨라를 내려다볼 뿐이었다.

"세상엔 마음대로 정할 수 있는 게 거의 없어."

"……."

조용한 안색으로 펠리체가 말을 이었다. 이해할 수 없는 말만을 하고 있는데, 무시할 수도 없다.

어린 나이였음에도, 그에겐 이상하리만치의 존재감이 있었다. 다른 사람의 말이었다면 무시했을 테지만 펠리체가 입을 열면 무시할 수가 없었다.

"심지어 내가 언제 죽을지조차 그들의 손아귀에 달려 있어. 한심하지."

펠리체가 씁쓸하게 다시 중얼거렸다.

"힘을 모아야 하는데, 이들의 경계를 피해 이렇게 국경을 떠돌아다닐 수만은 없어."

뭐라는 거야, 진짜.

아벨라의 얼굴이 탐탁찮게 변했다. 진짜 이상한 소리 하고 있다. 괜히 와서 왜 이렇게 알 수 없고 우울한 소리만 하는 거야?

"그럼, 환자인 척해!"

그를 살피던 아벨라가 대뜸 소리쳤다. 펠리체의 얼굴이 기묘하게 변했다.

"……뭐라고?"

"엄청 아픈 척해, 그럼 안 건드려."

아벨라가 또랑또랑하게 외쳤다. 무슨 소리를 하는진 모르겠지만, 모르겠으니 자신이 해결해 줘야겠다 싶었다. 펠리체도 자신이 해결하지 못하니까 아벨라에게 푸념하겠지. 이해한다.

아벨라의 대구에, 펠리체는 잠시 입을 다물었다. 기가 막히

다거나 잘못된 답변에 짜증 난 표정은 아니었다. 그저 생각에 잠긴 얼굴이었다.

목 끝까지 닿는 긴 금귤색의 머리칼이 바람에 흩날렸다. 머리색은 예쁘네. 아벨라가 눈을 깜박였다.

아니, 얼굴도 예쁘다. 얼핏 보았다면 머리가 짧은 여자아이일 거라 여길 정도로 곱고 세밀하게 생긴 얼굴이었다.

하지만 그렇게 곱상한 생김에도 불구하고 다부진 턱과 일자로 다물린 강직한 입술이 남자아이를 사내처럼 보이게 만들었다.

잠시 펠리체의 얼굴을 꼼꼼히 훑던 아벨라는 남자아이가 서 있음에도 아랑곳 않고, 다시 풀썩 주저앉아 토끼풀을 뜯었다. 어쩔 수 없지. 예쁘게 생겼으니까 봐준다.

"우리 아빠가 화를 낼 때, 시종이 아프다고 하니까 그 시종에겐 화를 내지 않았어. 대신 그 시종을 아프게 해서 제대로 보좌하지 못하게 한 시종장이 혼이 났어."

말하면서도 손은 재게 놀리고 있다. 아벨라는 이제 토끼풀 꽃을 여러 송이 모아 다발을 다듬고 있었다. 아벨라가 말을 이었다.

"내가 아픈 척하면 글공부를 하지 않아도 선생님이 봐줘. 대신 다음에 두 배로 해야 되는데, 어쨌든. 그러니까…… 오빠는 아픈 척을 해."

"오빠?"

펠리체가 대뜸 되물었다. 아벨라가 다시 미간을 찌푸렸다.

"나보다 나이 많잖아? 오빠 아냐?"

"……오빠지."

얼떨떨한 표정이 그의 얼굴에 스쳤다. 항상 우울하게 죽상만 하고 있었는데, 처음 보는 얼굴의 변화였다. 마음에 든다. 아벨라는 방긋 웃으면서 그를 똑바로 바라보았다.

"그래. 그러니까 오빠."

"……."

아벨라는 그 순간 자신을 바라보는 펠리체의 얼굴에 꽤 많은 감정이 스쳐 지나간다고 느꼈다. 자신은 느껴 본 적도 없음이 분명한, 가지각색의 감정들.

지금 생각하면 펠리체는 어린 나이에 너무 많은 일들을 겪었던 거겠지.

그리고 그때였다. 그의 표정이 갑자기 밝아졌다.

"해 볼게."

"뭘?"

아벨라는 자신이 말한 것을 새카맣게 잊은 채 물었다. 펠리체는 그런 그녀를 보며 가만히 미소 지을 뿐이었다.

"네가 말한 거."

내가 말한 거? 뭐? 아픈 척?

뭐 그렇게까지 대단한 결심을 하고 실행할 만한 짓은 아닌데. 그냥 아프다고 데굴데굴 구르면 되는 게 아닌가.

펠리체의 대답을 되받아치고 싶어서 입이 근질거렸지만 아벨라는 꾹 눌러 참았다. 왜냐면, 펠리체가 웃고 있었기 때문이다.

"나랑 같이 소꿉놀이하자."

아벨라는 자기가 만들던 토끼풀 화관을 불쑥 펠리체에게 내밀었다.

"소꿉놀이?"

"응. 대관식부터 하는 거야. 이건 왕관이야. 알았어? 그리고 나한테 왕관을 씌워 주고. 그다음에 오빠는 내 부군을 해.”

“부군?”

“여왕의 남편이야. 너무 큰 권력은 안 줄 건데, 그래도 소소하게 국책을 관장하고 여왕에게 좋은 조언을 해 줘야 하거든. 신중한 사람이었으면 좋겠어. 오빠가 그걸 해.”

아벨라가 종알대는 걸 듣던 펠리체가 헛웃음을 지었다.

“아……. 그게 소꿉놀인가.”

“그럼 뭔데?”

아벨라가 눈을 동그랗게 뜨고 되물었다. 잠시 한 손으로 이마를 문지르던 펠리체가 갑자기 소리 내어 웃었다. 아벨라의 눈이 동그래졌다.

“아냐, 맞아. 소꿉놀이야. 내가 꼭 그렇게 되게 할게. 네가 여왕을 하고, 나는 부군.”

펠리체가 빙그레 웃으며 대답했다. 그게 대체 무슨 말인지도 모른 채, 아벨라는 두 눈을 빛내며 열심히 고개를 끄덕일 뿐이었다.

“으악!”

아벨라가 퍼뜩대며 깨어났다. 아벨라가 몸부림치는 바람에, 그녀를 단단히 안고 있던 공작이 그녀를 놓쳤다. 덕분에 아벨라는 일어나자마자 바닥에 곤두박질쳐야 했다.

다행히 융단이 깔린 바닥은 푹신했기에, 아벨라는 다치지 않고 안전하게 떨어질 수 있었다.

아벨라가 데굴데굴 구르다, 상반신을 일으켜 주위를 둘러보았다. 모두가 자신과 똑같은 엉망진창인 몰골이었다.

다행이었다. 이곳으로 건너온 직후였다. 자신이 정신을 놓았던 순간은 아주 찰나였던 모양이다.

그를 깨닫자마자, 아벨라는 다리에 힘을 주어 벌떡 일어섰다.

"아벨라!"

"형수님!"

"저하!"

"……잠깐만요. 펠리체!"

모두가 그녀를 부르며 다가왔지만 그런 걸 신경 쓸 틈이 없었다. 아벨라는 자신에게로 다가오려는 이들을 멈춰 세우곤 고개를 두리번거리며 펠리체의 이름을 버럭 외쳤다.

누가 들으면 화가 나서 고함을 치는 것이라고 생각할 만큼 살벌한 음성이었다.

하지만 당연하게도 펠리체는 이곳에 없었다.

주변을 훑으며 펠리체를 찾던 아벨라는 홱 고개를 돌려 자신이 떨어진 거울을 향해 고개를 돌렸다.

분노로 얼굴을 일그러뜨리고 있는 아벨라만이 거울 안에 있었다.

제국과 연결되어 있던 통로는 완전히 끊긴 모양이었다. 거울이 비추고 있는 것은 오로지 이 방의 정경뿐이다.

이유는 명백했다. 펠리체가 거울의 통로를 끊어 버린 것이다. 위험해서였겠지. 따라오겠다더니, 아벨라만 밀쳐놓고 바로 끊어 버린다.

잠시 거울을 망연하게 바라보던 아벨라가 이를 악물었다.

"배신자!"

아벨라는 분통을 터트리며 자신의 머리칼을 잡아 뜯었다.

"멍청이! 거짓말쟁이! 협잡꾼!"

그녀는 분노로 씩씩거리면서 눈가를 거세게 문질렀다. 눈물이 고인 눈을 거칠게 문지르자 쓰리고 아팠다.

다 기억났다. 다 기억났다고! 자신이 펠리체를 얼마나 옛날부터 알고 있었는지, 펠리체가 자신을 왜 '은인'이라고 부르기 시작했는지!

그 아무것도 아닌 기억을 평생 동안 기억하고 있었다. 멍청이 펠리체! 눈앞이 다시 눈물로 흐려졌다. 목 안쪽에서 울컥 감정이 넘쳐흘렀다.

"고작 그런 걸로 은인이라고 여겼다니!"

아벨라는 흐느끼면서 외쳤다. 심장이 부서지는 것 같았다. 자신을 바라볼 때, 무척 행복하고 기쁜 표정이었던 펠리체를 생각하자 눈물이 북받쳤다.

그런 아무것도 아닌 기억으로 평생을 살아왔구나. 계속 나를 생각하면서. 인생에 몇 안 되는 즐거운 기억으로 나를 생각하면서!

그리고 이제 와서 갑자기 목숨을 초개처럼 버리려 든다. 뭐 이런 황당한 경우가 어디 있어?!

"멍청이!"

그럼 결국 자신은 뭐가 되냔 말이다!

아벨라가 결국 그 자리에서 두 손으로 얼굴을 가린 채 큰 소리로 울기 시작했다. 귀족으로서 채신머리없는 행동이었다. 감정을 고스란히 드러내다니 염치도 없지, 하고 수군댈지도 모르는.

하지만 이곳에서 그녀에게 귀족의 체통을 지키라고 나무랄

자는 한 명도 없었다. 섣불리 다가가지도 못하고 그저 안쓰러운 눈으로 그녀를 바라볼 뿐이었다.

얼마가 지났을까? 공작조차 그녀에게 섣불리 다가가지 못할 때였다. 아벨라의 울음은 그칠 기미가 보이지 않았다. 그때였다.

"정말이지, 철이 없군요."

어디선가 빈정대는 낮은 목소리가 들려왔다.

"공국의 입장에서 생각하십시오, 공녀."

흐느껴 울던 아벨라의 울음소리가 뚝 멎었다. 이게 무슨 소리야? 아벨라는 눈물범벅이 된 얼굴로 소리가 난 곳을 찾아 고개를 돌렸다.

웬 족제비 같은 놈이 그곳에 있었다. 바짝 마른 얼굴, 간신수염같이 얄팍한 수염을 기른 채, 아벨라를 향해 차갑게 눈을 빛내고 있었다. 좋게 봐 줘도 절대로 호감상은 아니다.

남자를 훑던 아벨라가 이윽고 천천히 주변을 둘러보았다. 이제야 공작의 집무실 안 광경이 눈에 들어왔다.

공작은 혼자가 아니었고, 그 못지않게 고급스러운 옷을 걸치고 있는 자들이 곳곳에 서 있었다. 아마 공국의 가신들일 것이다.

자신에게 입을 연 남자도 그중 하나일까. 아벨라가 손을 내린 채로 그를 바라보았다. 아벨라의 얼굴을 똑바로 바라보며 남자가 말을 이었다. 자신만만해 보이는 얼굴, 입술은 삐뚜름히 올라가 있었다.

"공녀가 정신이 들었기에 이렇게 드릴 수 있는 말씀이지만, 공녀는 지금 공국을 최우선으로 생각해야 하는 분입니다. 공녀가 혼약으로 묶여 있던 상대를 아무리 아끼고 애정하셨다 한들, 그는 적국의 황자입니다. 사사로운 정은 떼셔야 하지 않겠습니까. 여기서 이렇게 울음을 보이시면 아니 되십니다."

"……사사로운 정이라고?"

"……정략으로 얽혔던 결혼일 뿐이 아닙니까. 게다가 그는 약속을 지켰습니다. 이 이상 공녀께서 그에게 관여하실 필요도 없거니와, 결혼은 이미 끝났—."

"귀공의 이름."

"—예?"

아벨라가 그의 말문을 막았다. 말을 이어 가려던 남자가 들려온 목소리에 무심코 아벨라를 바라봤을 때였다. 남자가 '컥' 하고 목에서 걸리는 소리를 낸 채 말을 멈췄다.

그녀의 얼굴을 보는 순간 절로 말문이 막혔다. 마치 불타는 얼음을 보고 있는 것 같았다. 그녀의 깊고 푸른 눈동자가 불타오르고 있었다. 서늘하지만 무서울 정도로 검게 일렁이는 불꽃.

"내가 공녀인 줄 알고 있다면, 적어도 제대로 된 공녀 대접은 해야지. 대딜루어 공국은 제 이름도 밝히지 않은 아무개도 공녀를 똑바로 쳐다볼 수 있는 나라였던가."

"저, 그것은."

"나는 피아의 식별이 불가한 상황에서도 내 나라를 위해 목숨을 바치고 돌아왔는데, 돌아오는 대접이라는 게 고작 이름 모를 시정잡배가 가르치는 공녀 수업이란 말이지."

남자의 얼굴이 사색이 되었다. 아차 싶었다. 자신이 지금 무슨 실수를 했단 말인가? 그는 백치였던 과거를 기준으로 그녀를 판단해 함부로 입을 열었다.

옛날엔 그저 공작이 싸고도는 백치라고만 여겼기에, 정신을 차렸다는 이야기를 들었어도 그녀를 쉽게만 보았다. 그런데 실제로 대면한 그녀는 놀라운 기백을 보여 주었다.

희게 질린 남자가 주위를 둘러보았다. 둘러싼 가신들조차 자신의 시선을 외면하고 있었다. 게다가 저기서 눈을 형형히 밝히고 있는 딜루어 대공을 보라.

지금 이는 명백한 자신의 죄였다. 목이 잘려도 부족할 정도다. 공녀가 제정신을 차렸다는 말은 들었지만, 이렇게 무서울 정도로 곧은 목소리를 내는 이라고는 상상해 본적도 없었다.

그녀를 바라보던 남자가 다짜고짜 무릎을 꿇었다.

"송구합니다, 공녀 저하!"

남자는 납작 엎드린 채로 그녀에게 빌었다. 하지만 아벨라는 표정하나 변하지 않은 채로 그를 차갑게 내려다보았다.

"내 말이 제대로 들리지 않는 것인지, 모르는 척하는 것인지. 귀공이 누구냐 말이다. 적어도 본인이 누구인지 뭘 아뢴다고 붙여야 할 게 아닌가."

"저, 저는, 그러니까."

"귀공의 이름."

아벨라가 이를 악문 채로 다시 한번 뇌까렸을 때였다. 그녀를 본 남자가 다시 바짝 엎드렸다.

"소, 소신은 노벨러스 자작입니다. 감히 공녀를 상대로 실언을 하였나이다. 용서하여 주시옵소서! 공녀 저하께 불경코자 했던 것이 전혀 아니오라, 국익을 살피시라는 충언이었습니다!"

이게 근데.

끝까지 빠져나가려 변명하는 남자의 말에 아벨라의 이마에 핏대가 솟았다.

지금 이놈 말하는 걸 들으면, 아벨라는 국익도 살피지 못한 채 마구잡이로 울음을 터뜨렸다는 소리가 아닌가.

아벨라의 두 눈이 번쩍였다.

"내가 울면 딜루어의 곳간이 빈다든가?"

"……예?"

"내가 울면 딜루어의 군사력이 만 명씩 줄어드는가?"

"그것은…….'

"그도 아니라면 지금 내 앞에 엎드려 고하고 있는 그대가 말하는 '국익'이 무엇인가? 설마 내 눈물이 국익이라는 것인가?"

그때였다. 남자가 바짝 고개를 치켜든 채로 고개를 끄덕였다.

"그, 그렇습니다!"

"……뭐라고?"

"공녀께서는 딜루어의 적통 후계자이신 몸! 공녀 저하의 몸 하나하나가 딜루어와 직결됩니다! 그러니 공녀께서 쓰시는 모든 언어와 표현은 이 딜루어의 근간을 이룰 것이니만큼 신중하셔야 한다는 것입니다!"

아벨라는 이를 악물었다. 가뜩이나 아무나 한 놈 패고 싶어 죽겠는데, 잘됐다.

"그 말을 그대로 따르면, 내가 내 남편을 위해 운 것이야말로 국익을 위한 게 아닌가."

열 받네 진짜. 너무 화가 나서 눈물도 단숨에 말랐다. 아벨라가 볼에 남은 물기를 손등으로 닦으면서 그를 바라보았다.

"국익으로 단순히 맺어졌다 한들, 부부의 연을 맺은 이상 그는 내 남편이고 이 나라를 위해, 나를 위해 제국을 가져다준다고 약속했소. 지금 내가 눈물을 보인 건 나를 위해 목숨을 바친, 내게 보인 그의 신의에 대한 답례고, 지금 이 순간 그가 보여 준 생과 사를 넘은 결의에 대한 경의지."

아벨라는 줄줄이 읊은 뒤, 주변을 돌아보며 눈을 부라렸다.

"그러니 자작, 내가 묻겠네. 지금 여기서 그 눈물을 그치라는 자가 말하는 국익은 대체 무엇이기에 내게 함부로 감정에 대해 왈가왈부하는지."

말하는 자는 자작이지만, 그녀와 눈이 마주친 사람들은 단번에 알았다. 그녀가 말하는 상대는 자작 한 사람만을 일컫는 게 아니었다. 이는 일종의 경고였다. '이따위로 말할 거면 입 열지 마라.'

눈이 마주친 가신들이 흠칫대며 뒤로 작게 반보, 크게는 여러 걸음 물러섰다. 그 정도로 아벨라의 얼굴은 험악했다. 마치 야차 같았다.

곱디고운, 그야말로 공저에서 가장 보호받아 왔던 아가씨가 제국에서 대체 무슨 사달을 겪어 왔기에 저런 얼굴을 하게 되었는가.

게다가 노벨러스 자작은 사람됨은 경망스럽고 가벼우나, 언변이 매우 뛰어나 공작가에서 공작의 연설 참모들 중 하나로 활동하는 자였다.

그 언변이 대륙 제일은 아니더라도 다른 사람들을 압도할 만큼의 실력을 갖고 있다는 소리였다.

하지만 아벨라는 그런 노벨러스 자작을 완전히 논파했다. 그녀는 말을 연결하는 데 주저함이 없었다.

게다가 지금 그녀가 한 말의 깊이를 보라. 마치 준비해 온

연설문을 낭독하는 것처럼 자연스럽지 않은가.

생과 사를 넘은 결의에 대한 경의라고? 정치학, 혹은 논술, 토론을 아무리 배운다 한들 이렇게 체화하려면 몇 년은 걸린다.

결론은 명백했다. 이제 20대 초입, 그동안 그 어떤 정규 교육도 받지 못한 공녀가 몇십 년 동안 공저에서 활동한 연설 참모를 누를 정도로 뛰어난 식견을 지녔다는 것.

지금 아벨라가 한 말들로 알았다. 아벨라는 단순한 귀족 영애가 아니었다. 대공의 딸로서, 대공을 넘어설 만한 왕재였다.

지금까지 공국은 대공 한 사람만을 위한 집권 체제였다. 그야말로 완벽한 왕정이었다.

귀족들은 대공의 지휘 아래, 그를 전폭적으로 의지하고 지지했다. 대공의 힘은 완벽할 정도로 견고했기 때문에.

문제가 있다면 대공의 후사였다.

대공은 딸이 있지만, 모두가 알다시피 백치였다. 때문에 대공의 피, 즉 딜루어가의 피를 이은 타 귀족 가문들의 자식들 중 몇몇이 차대 딜루어 대공으로 거론되고 있었다.

하지만 돌아온 딜루어 대공의 딸이 이렇게나 영특하다면……. 가신들이 서로 은밀하게 눈빛을 주고받을 때였다.

"죽여 주시옵소서!"

노벨러스 자작이 다시 한번 크고 처절하게 외쳤다. 아벨라가 미간을 다시 팍 일그러뜨렸을 때였다. 모두가 물러나 널찍한 집무실의 한가운데로 누군가가 걸어 나왔다.

"공녀 저하, 송구합니다."

마치 가을에 부는 북서풍처럼 부드럽게 감기는 목소리였다. 아벨라가 고개를 돌려 말하는 자를 바라보았다. 응? 아벨라의 미간이 다시 살짝 좁혀졌다.

부드럽게 곱슬져 흘러내리는 백금발, 새파란 눈동자, 고운 비단으로 문지른 백옥처럼 빛나는 피부. 놀라울 정도로 아름다운 미공자였다.

하지만 단순히 미공자기에 놀란 것이 아니다. 그게…… 어딘지 아벨라와 매우 닮아 보이는 얼굴이었다.

아벨라 자신 또한 알 수 있을 정도로 그의 이목구비는 거울에서 맨날 들여다보는 아벨라의 얼굴과 몹시 닮아 있었다.

그를 지켜보던 마티나가 흠칫해 아벨라와 그를 번갈아 바라볼 정도였다. 다른 게 있다면, 옷차림과 표정 정도일까.

아벨라를 바라보던 남자가 정중하게 무릎을 굽혔다. 제국과는 다르게, 딜루어 공국에서의 인사는 한쪽 무릎이 거의 바닥에 닿을 정도로 깊숙이 내려간다.

"소신은 딜리온 텔름 바이어, 딜루어 공국의 충신인 바이어가의 차대 가주이자 백작위를 이어받았습니다. 공녀께 처음으로 인사 올립니다."

아벨라의 눈썹이 살짝 들렸다. 얘는 뭔데 이렇게 나랑 닮았어. 그나저나 서글서글하게 웃고 있는 게 호감상처럼 보이지만, 그래도 기분이 기분이다 보니까 아직은 많이 고깝다.

"반갑소, 바이어 백작."

그래도 어쨌든 인사는 받아야지. 아벨라는 고개를 끄덕이곤 턱을 들어 인사를 받았다.

딜리온이라는 자는 그녀를 보며 살짝 미소지은 뒤, 무릎을 펴곤 다소곳이 말을 이었다.

"노벨러스 자작의 무례에 대해서는 딜루어의 가신들을 대표하여 사과드립니다. 저희 또한 이제 갓 입궁하여 상황을 전해 들었고, 여기에 대한 분석도 온전하지 못하기에 공녀 저하께 큰 불경을 끼치고 말았습니다. 하오나 공녀 저하."

딜리온이 그를 올려다보며 다시 빙그레 미소 지었다. 아벨라는 그런 딜리온을 빤히 바라보았다. 마치 오래도록 바라보고 있으면 그의 마음도 다 읽을 수 있을 거라는 것처럼.

그나저나 정말로 아벨라와 닮아서 기분 나쁠 정도였다. 게다가 저 서글서글한 미소라니. 아무리 봐도 수상했다.

"……공녀 저하?"

아벨라가 입을 딱 다물자, 말을 잇던 딜리온이 조심스럽게 아벨라를 불렀다. 아벨라는 한쪽 눈을 가늘게 뜬 채로 딜리온을 보며 고개를 끄덕였다.

"말씀하시오, 백작. 듣고 있으니까."

"예, 저와 여기 가신들이 입궐하여 대공 전하께 대략적인 설명을 전해 듣기로, 이번 계획에서 카셀란 8황자의 생환율은 꽤 높은 것으로 압니다. 게다가, 우연찮게도 공녀 저하께서 이 거울로 건너오며 그…… 부군과 주고받으시는 말씀을 모두 들었습니다."

일순 아벨라의 볼이 화끈 달아올랐다. 아차. 까먹고 있었는데, 거울 사이의 통로로 이동했다는 건 통로가 열린 때부터 저쪽의 상황을 이쪽도 모두 바라보고 있었다는 말이 된다.

이거, 좀 창피한데. 아벨라가 재빨리 기억을 되짚었다. 내가 실수한 것은 없겠지? 아무리 생각해도 부끄러운 말들을 잔뜩 한 것 같지만…….

그때였다. 딜리온이 말을 이었다.

"그쪽의 상황이 무척 급박했고, 때문에 제국의 8황자 저하께서도 공녀 저하께 말하지 못한 사정이 있으리라 생각합니다. 하지만 저하. 제가 보건대, 8황자 저하께서는 제국인들만 할 수 있다는 '맹세'를 하셨습니다. 그렇지요?"

무척 다정하고 안온한 음색이었다. 마치 친오빠가 여동생을 달래는 것 같은 어투.

하지만 아벨라는 대답 없이 아직 경계심이 팽팽하게 어린 눈으로 그를 바라보았을 뿐이었다.

아벨라가 대답하지 않았음에도, 딜리온은 개의치 않고 여전히 부드럽고 다정한 음성으로 말을 이었다.

"……그러니 꼭 다시 돌아오실 거라고 생각합니다. 불안하신 마음 모두 이해하나, 공국의 입장도 헤아려 주셨으면 합니다. 앞으로 공녀 저하의 뒤에서 직접적으로 지원하는 것은 이 나라, 딜루어 공국이 될 테니까요. 지금부터 이야기를 들어 주셨으면 합니다."

길고 길게 말했지만, 어쨌든 말하고자 하는 건 '네가 힘든 건 알겠는데 우리 이야기도 좀 들어 달라.'다.

딜리온을 노려보던 아벨라의 눈이 살짝 풀어졌다. 그의 말은 틀리지 않았다. 오히려 지금 상황에서 가장 적절한 선택지였다. 아벨라는 한숨을 내쉰 채로 등을 곧게 폈다.

그래, 그래도 차라리 이게 낫다. 저 노벨러스인지 노랭이인지가 진작에 이렇게 말했다면 아벨라도 진정하고 자신이 하고 싶은 말을 했을 것이다.

"좋소."

아벨라는 한껏 위엄 있는 어투로 대답하려고 노력하며 턱을 들었다. 이런 말투는 공국에 와서 처음 쓰는 것이었지만, 뭐어때. 이들에게 아벨라의 의견을 효과적으로 전달할 수만 있다면 상관없다.

그리고 어차피 공국에 온 이상, 딜루어의 전력과 맞물려 움직이는 게 자신에게 훨씬 도움이 될 것이다.

앞으로 이들을 아예 보지 않을 것도 아니고 말이야. 하지만 그래도……. 아벨라는 한숨을 쉬며 중얼거렸다.

"그래도…… 피곤하긴 하다."

말 한마디 안 하고도 모든 게 제 맘대로 되면 얼마나 좋을까. 당장 천군만마를 이끌고 위험에 처한 펠리체를 구하러 갈 수만 있다면.

하지만 현실은 꿈과는 반대다. 여기에서도 적응이란 걸 해야 하는 것이다.

"방금 뭐라고 하셨습니까, 저하?"

"아뇨, 아니에요."

딜리온이 고개를 들고 묻자, 아벨라는 고개를 설레설레 젓곤 그를 똑바로 바라보았다.

"귀공의 이야기를 들어 보도록 하지요. 그래도 될까요, 전하?"

아벨라는 그리 물으며 자신의 뒤에 서 있는 공작을 바라보았다.

공작은 그녀를 바라보며 단지 미소 짓고 있을 뿐이었다. 그 미소를 보고 나서야 아벨라는 아버지가 일부러 끼어들지 않았음을 깨달았다.

아벨라는 공작을 흘끔 바라보곤 탐탁지 않은 듯이 입을 꾹 다물었다. 아버지가 일부러 나서지 않은 걸 알지만, 지금 자신이 꽤 잘 대처했다는 것도 알지만 어쩐지 화가 났다.

펠리체는 뭘 하고 있을까. 아벨라는 자신이 빠져나왔던 거울을 힐끔 바라보았다. 마치 그 거울에 다시 펠리체가 비쳐 보일 것 같은 기분이 들었다.

"원래 계획은 이랬습니다."

딜리온은 긴 막대를 이용해 탁자 위에 펼쳐진 대륙 지도 위로 핀들을 밀었다.

"8황자는 우리에게 동맹을 제안하면서 자신이 꾸린 병력과 다른 세력들로 제국을 내부에서 흔들 것이라고 말했습니다. 저하와의 결혼에 대해서는, 딜루어 공국과의 접촉을 둘러대기 위한 하나의 변명거리라고 이야기했고요. 그래서 저하께서 제국으로 가시게 된 거죠. 물론 반대가 심했고, 우려도 만만찮았습니다."

딜리온은 공작에게 시선을 두었다. 다시 아벨라를 바라보았다. 아벨라는 그 시선만으로 딜리온의 속내가 느껴졌다.

'자신은 반대했지만, 공작이 허락했기 때문에 네가 제국으로 간 거란다.'라고 말하고 있는 것 같다.

"그런데…… 그사이 저하께서 원래의 명료한 의식을 되찾으신 거죠. 이후로 공국에서 저하의 거처나 근황을 알고 있는 자들은 공작 전하와 공작 전하 휘하의 정보국 요원들뿐이었고, 때문에 저희와 같은 가신들은 공녀 저하의 근황을 지금 이곳에 갓 도착해서야 공작께 전해 들었습니다."

말을 하던 딜리온은 이번에도 공작을 힐끗 바라보았다.

역시 딜리온의 속내가 고스란히 느껴졌다. '대체 왜 말해 주지 않은 것인지는 모르겠지만.' 같은 시선이었다.

아벨라는 그다음 말을 기다리다가 탐탁찮은 듯이 한숨을 크게 쉬었다. 마음이 급했다.

"그건 알아요. 그다음을 말해 주세요. 지금 제국이 뒤집어진 상태에서, 원래 공국의 계획과 역할은요?"

"저희는 제국과 대륙의 금융을 제한하는 동시에, 다른 독립국가와의 군사적 연합을 통해서 제국을 압박하려 했었죠."

"하지만 자금 압박은 이미 실패했지요, 그렇지 않나요?"

황제의 비자금으로 대다수의 귀족들이 딜루어 공국에 졌던 빚은 탕감된 상황이었다. 이미 그 사실을 알고 있는 아벨라가 삐딱하게 물었다. 딜리온은 고개를 끄덕였다.

"아주 실패하지는 않았습니다만, 기대했던 효과엔 미치지 못했습니다."

교묘한 언변이다. 마치 정치인 같네. 아니, 여기서는 정치인이 맞구나. 아벨라는 무표정을 고수하면서 딜리온의 말을 귀 기울여 들었다.

"하지만 다행인 건, 그 대신 제국의 군사력이 몹시 약해졌다는 사실입니다. 황제는 자신이 가진 비자금으로 황족들의 배반에 앞서 그들을 축출하고, 귀족들을 편으로 끌어 모으려고 했습니다. 하지만 황제가 귀족들의 사병을 취하고, 나아가 황제의 정예병까지 취합한다고 하더라도, 근 10여 년 동안 제국의 전체적인 군사력이 형편없이 낮아진 상황인 것을 확인했으니, 공국 측에선 상황이 아주 나쁘진 않습니다. 하지만……."

딜리온의 얼굴에 난처한 기색이 돌았다. 하지만 곧 그는 담담한 표정으로 아벨라를 바라보았다.

"혹시 공녀 저하께서 원하시더라도, 8황자 한 명을 위해서 공국이 독자적으로 군사를 파견할 수는 없습니다. 오래도록 준비해 온 계획이고, 제국의 8황자 저하께서도 동의하신 내용입니다."

아벨라의 눈썹이 들렸다. 이걸 이야기하려고 한 거로군. 아까 말했던 노벨러스 자작이나 이자나 결국엔 하려는 이야기는 똑같았다.

공국이 제국의 8황자를 위해 할 수 있는 일은 없다.

그럼 어떻게 해야 하지?

아벨라의 눈이 문득 차분하게 가라앉았다. 아벨라는 아까처럼 날 선 눈빛이 아닌, 좀 더 숙고하는 시선으로 주위를 둘러보았다.

침착하자. 이들은 자신의 편이되, 자신의 편이 아니다. 공국과 아벨라의 이해가 상충한다면……. 서로 의견이 엇갈리는 부분을 찾아야 한다.

아벨라는 그런 자신을 공작이 아주 주의 깊게 보고 있다는 것을 알지 못한 채, 신중하게 다시 되물었다.

"……이번 작전의 군사 연합에 대해서 자세하게 말해 주세요."

"대표적인 건 사므텐 공국과의 연합입니다. 사므텐 공국은 독자적으로 군사를 보내 황궁의 공성전에 참여하고, 동시에 군사 작전을 같이하기로 합의했습니다. 그 외에도 연합국들과의 연맹으로 군사들을 차출, 혹시라도 있을 제국의 군사적인 움직임에 대응하려고 합니다."

딜리온은 청산유수로 말을 이었다.

"저하, 공국의 가장 큰 목표는 제국으로의 무혈입성입니다.

공국이 먼저 제국의 자금을 압박하려고 했던 이유도 여기에 있습니다. 군사력의 소모를 최소한으로 줄이기 위해서입니다."

이야기를 듣던 아벨라가 문득 고개를 들었다. 퍼뜩 머리를 스쳐 지나가는 생각 때문이었다.

"하지만 모두와 함께 제국을 정복한다면, 모두와 함께 제국도 나누게 되겠네요?"

"예. 때문에 주변 국가와의 협의하에 연합 체제를 구축하고 제국이 쓰러질 때, 주변 국가와 함께 제국을 갈라서 통치할 계획이었습니다. 여기서 중요한 사람은 이 과정을 총괄할 인물은 8황자가 될 거고요."

딜리온은 말하던 도중 아벨라의 눈치를 슬쩍 보았다.

"……하지만 혹시라도, 8황자에게 변고가 생기더라도 위 계획은 차질 없이 진행이 될 겁니다."

"…….."

아벨라는 그 말에 대답하지 않은 채 생각에 잠겼다. 딜리온의 눈에 놀람이 감돌았다. 8황자에게 변고가 생길 거라는 대목에서 아벨라가 분명히 반발할 거라고 생각했다. 멱살이라도 잡힐 줄 알았다.

그때였다. 아벨라를 살피던 딜리온이 공작과 눈을 마주쳤다.

"공작 전하……."

거기까지 말한 딜리온의 입이 합 다물렸다. 공작의 눈에 감돌고 있는 열기 때문이었다.

자랑스러움일까? 뿌듯함일까? 확실한 건 지금 아벨라의 대답으로 어쩐지 지난 세월 동안 꾸려 왔던 모든 계획들이 무위로 돌아갈 것 같다는 점이었다. 딜리온의 눈에 이채가 감돌았다.

주변이 어떤 눈치 싸움을 하고 있는지 전혀 눈치채지 못한 채, 아벨라는 계속 생각에 잠겼다.

펠리체의 속셈이 이해 가지 않았다. 최소한의 안전은 보장받은 채로 움직였어야 하는 게 아닌가?

아무리 딜루어 공국을 믿었더라도, 공국의 최우선은 제국이 될 수가 없다. 계획을 들어 보니, 딜루어 공국이 온전히 제국을 맡아 흡수하는 것도 아니었다.

여기서 펠리체가 죽는다면, 결국 제국을 둘러싼 열강들의 땅 갈라먹기로 끝나는 게 아닌가?

제국의 국민들을 위해서 내린 결정이라며? 이들이 제국민들을 더 고통스럽게 만들면 어쩌려고? 대체 뭘 믿고 이렇게 무모하게 움직인 거야?

순간, 아벨라의 앞에서 펠리체가 빙그레 웃고 있는 모습이 환상처럼 보였다. 펠리체는 마치 황금빛 햇살처럼 웃으면서, '믿어.'라고 속삭이고 있었다. 언젠가 봤었던 광경이었다. 잠깐만…….

"나잖아."

아벨라가 혼자 중얼거렸다. 등골에 벼락을 맞은 것처럼, 강한 충격에 휩싸였다.

"뭘 믿나 했더니, 나였어."

아벨라가 냉소적인 어조로 중얼거리다 이마에 손을 얹었다. 아니, 정말로 펠리체가 저를 염두에 둔 것이 아니라도 여기서 펠리체가 원했던 바를 이룰 사람은 아벨라 자신밖에 없었다.

이게 말이 돼? 지금 혼자서 평생에 걸쳐 준비해 온 계획의 칼자루까지 자신에게 맡긴 거라고? 자신이 내린 결론이 맞는지 자신이 없었다.

펠리체가 제 목숨은 들불에 불타는 풀처럼 내던져 버리고, 아벨라에게 제국민의 안녕과 평화까지 맡겼다는 게 정말 말이 되는 걸까? 하지만, 다른 이유가 없지 않은가.

'허' 하고 아벨라가 헛웃음을 터뜨렸다. 나오는 건 웃음소리지만 당연하게도 정말로 웃겨서 웃는 건 아니었다. 이게 무슨 무모한 짓이란 말인가? 그럼 자신에게 진작 언질이라도 주든가.

아벨라의 입술이 꽉 다물렸다. 주먹이 꽉 쥐어졌다. 주변이 어느새 아벨라만을 지켜보고 있었지만 그녀는 전혀 상관하지 않은 채 '후' 하고 숨을 내쉰 채로 표정을 굳혔다.

"귀공이 말씀한 바는 잘 알았어요."

아벨라는 딜리온을 향해서, 아니 제 뒤에 서 있는 공작을 향해서 천천히 입을 열었다. 공작의 눈이 반짝 빛나고 있었다. 아벨라는 공작과 눈을 마주한 채, 천천히 말을 이었다.

"하지만 공녀의 이름으로 공국께 정중히 제안합니다. 우리는 결코 이 협정대로 진행하면 안 됩니다. 우리가 카셀란을 먼저 점령해야 하고, 제국을 독식하는 건 '우리' 딜루어 공국이어야만 해요."

가장 먼저 반응한 것은 당연히 주로 말하고 있던 딜리온 쪽이었다. 그는 잠시 자신이 들은 말을 확신하지 못하겠다는 얼굴로 아벨라에게 되물었다.

"제국을 독식한다고요?"

믿지 못하겠다는 얼굴이었지만, 눈만큼은 강렬하게 빛나고 있었다. 눈을 빛내는 자는 딜리온뿐만이 아니었다. 그의 주위를 포진하고 있는, 아니 사실상 대공의 집무실에 있는 자들 모두가 관심을 보였다.

떡밥을 문 것이다. 아벨라는 침착하게 말을 이었다.

"제가 제국에서 살아 보고 느낀 바로는, 제국은 아직 발전 가능하고 이대로 남들과 나눠 갖기 아까울 정도의 여력을 갖고 있다는 겁니다. 일단 대륙의 땅은 대부분이 비옥하고 자원도 풍부합니다. 귀족들 때문에 백성들의 생활이 무척이나 힘들고, 그들에 대한 반감이 심한 것 외엔 문제점이 거의 없었어요."

사실 아무 말에 가까웠다. 아벨라는 제국에서 한 번도 귀족이 지배하고 있는 타 영지에 간 적이 없었고, 수도 외에서 백성들을 만난 적도 없었으니까. 실상은 아무도 모르지. 하지만 여기서 물러날 수 없었다.

"특히 딜루어 공국과 접경해 있는 제국의 중부와 북부 지역을 공국이 갖는다면, 공국의 고질적인 문제였던 섬이라는 지형에 대한 한계가 해소될 거예요. 육로를 갖게 되니까요."

그 순간, 딜리온과 몇 명의 눈이 좀 더 형형히 빛났다. 제대로 건드렸다. 아벨라는 마음속으로 주먹을 불끈 쥐었다. 이것 역시 찍었다. 옛날 학교 다닐 때 세계사 책을 읽어 두길 잘했지 뭐야.

"게다가 제국이 이대로 쪼개져서 각 국가들이 통치에 들어간다면, 제국을 나눠 갖는 나라들 간의 경쟁도 골치 아파질 거예요. 다른 나라들 또한 확보한 제국의 영토를 기반으로 국력을 확충하려고 할 테고요. 그렇게 되면 제일 불리해지는 건 제국보다는 약하지만 다른 나라들보다 훨씬 부강했던 딜루어 공국이 아닐까요?"

아벨라의 지적에, 개중 두 명이 두어 걸음 걸어 나왔다.

"맞는 말씀이지만, 지금의 연합으로 보았을 때 우리가 다른 나라들 보다 군사적인 기여도가 적습니다. 때문에 다른 나라들이 영토를 나눌 때 여기에 대해서 걸고넘어질 가능성도 큽니다."

"게다가 지금 미리 가 있는 사므텐 공국의 경우 합의되지 않은 딜루어 공국의 독자적인 군사 행동에 항의할 수도 있습니다."

"그렇죠."

아벨라는 이어지는 지적에 고개를 끄덕이곤 곧 차분하게 말을 이어 나갔다.

"사므텐이 유감을 표한다고 해도, 더 빠른 무혈입성을 위한 길이라고 둘러대면 될 일이 아닌가요? 게다가 지금 황궁으로 진입하는 길은 이미 성문이 모두 막혀 긴 공방전으로 진입하기 직전일 거란 걸 압니다."

"그러니 제국의 8황자 저하께서 안에서 시간을 벌고, 사므텐과 8황자의 세력이 황궁을 공략하는—."

"하지만 8황자에게 변고라도 생긴다면? 상대는 오랫동안 이 대륙을 호령해 온 황제입니다. 본인의 황권 강화를 위해서 지금까지 허수아비 행세를 했지만, 사실은 아니었다는 게 밝혀진 상황이 아닌가요? 만일 그가 긴 공성전을 대비하면서 밖으로 귀족의 사병들을 모을 수 있는 여유를 찾게 된다면? 사므텐에게 양보하려다 결국 작전마저 위태롭게 되는 게 아닌가요?"

"그럼 여기서 우리가 어떻게 해야 합니까?"

"간단해요. 우리가 먼저 수도로 진입하면 됩니다."

"뭐라고요?"

순간 술렁이는 분위기에, 아벨라가 다시 침착하게 되짚어 말했다.

"우리가 먼저 황궁의 안으로 군사를 투입하면 됩니다. 8황자의 신병 또한 확보해야 추후 연합국과의 협상 때 유리한 고지를 차지할 거고요."

술렁이던 사람들 사이로 누군가 나와 아벨라에게 정중히 한쪽 무릎을 굽혀 보였다. 백발이 성성하고 주름은 깊게 파였지만 덩치가 거대한 장정이었다.

"소신은 군사대신 주켈타입니다. 공녀 저하, 송구하지만 그건 불가능합니다. 이곳에서 제국까지의 물리적인 거리는 7일, 아무리 날을 꼬박 새워 이동한다 해도 최소한 4일 이상 걸립니다. 우리가 먼저 제국의 앞바다에 가 있었을 수 있던 이유는 제국에서 미리 신호를 보내, 그 근방에서 숨어 대기하고 있었기 때문입니다."

"물리적인 방법이 아닙니다."

아벨라의 반박에, 다시 반박하기 위해 입을 열던 주켈타가 갑자기 맥 풀린 표정을 지었다.

"……예? 그게 무슨 뜻인지 여쭤봐도 되겠습니까?"

"네. 저는 마법을 쓸 수 있으니까요."

"예?"

순간, 아까 술렁였던 것보다 몇 배의 웅성거림이 터져 나왔다.

"마법이라고!"

"이게 사실입니까?!"

모두의 시선이 아벨라 뒤의 대공에게로 쏠렸다. 아벨라 또한 당황한 얼굴로 제 아버지를 바라보았다. 아니, 아무리 자신이 정신을 차렸다는 게 대외비라지만…….

"대체 어디까지 절 숨기신 거예요?"

아벨라가 나직하게 책망하자, 대공이 '큼큼' 하고 두어 번 헛기침을 했다.

"되도록 철저히 숨겼지 무어냐. ……걱정되는 일도 있었고."

"대외비라는 건 알았지만."

아벨라는 인상을 찌푸린 채 대공에게 투덜거렸다. 아니, 아무리 숨겼어도 마법을 쓴다는 것 정도는 이미 모두에게 알렸을 줄 알았다.

"……전하, 그게 사실입니까?"

딜리온의 물음에, 대공은 아벨라의 눈치를 살피곤 이내 앞으로 나섰다.

"아벨라의 말대로일세. 그녀는 의식을 되찾은 뒤, 도미나에 대단한 재능을 보여 현재는 제국의 그 어떤 마법사보다도 뛰어난 실력을 보이고 있지."

"제, 제가 보증합니다."

뒤로 얌전히 물러나 있던 체하트가 손을 들었다.

"저는 체하트 단 카셀란. 카셀란 제국의 10황자로서, 8황자비 저하…… 아니, 공녀 저하의 능력에 대해 확언드릴 수 있습니다."

"저도 마찬가지입니다."

옆에 있던 제롬이 고개를 끄덕였다.

"저는 제롬 단 카셀란, 카셀란 제국의 9황자로서, 제국의 아카데미에서 마법학을 연구하고 있는 교수이기도 합니다. 그녀의 마법에 대한 재능은 제가 누구보다도 잘 압니다."

"……허."

망명한 제국의 고위층들이 앞다퉈 증언하는 상황이라니. 게다가 대공의 저 확답은 정말로 아벨라가 뛰어난 자질을 가진 마법사라는 뜻이다.

당황한 표정만 짓던 모두의 얼굴에 어느 순간 기묘한 흥분과 기대감이 서렸다.

이때다. 이때가 마지막으로 일격을 날릴 타이밍이었다. 본능적으로 그를 알아챈 아벨라가 눈을 빛냈다.

"제 마법으로, 공국의 핵심 정예 군사력만을 뽑아 황실에 잠입시킵시다. 황문을 개방하고, 동시에 제국 8황자의 신병까지 확보해 제국을 확실하게 끝내면, 제국의 대다수를 차지하는 것은 공국이 되는 거죠."

주변이 조용해졌다. 아벨라의 의견에 그 누구도 반대할 이가 없었다.

당연했다. 아벨라의 계획대로라면 수많은 군사력도 필요가 없으며, 누구보다 빨리 황궁을 점거하게 되는데다 협상의 키가 될 8황자의 신병까지 얻게 된다.

이렇게 되면 다른 나라들과 함께일 필요도, 굳이 아쉬운 소리를 참아 가며 양보할 필요도 없다.

"완벽하군."

일말의 침묵이 흐른 뒤, 공작이 다시 입을 열었다. 무척 다정한 어투였다.

"공들, 말해 보게. 그야말로 완벽한 결론이 아닌가. 내 딸이기에 하는 말이 아니고 말일세."

"예, 실로 완벽하십니다."

딜리온이 고개를 깊이 숙이며 대꾸했다. 그의 만면엔 어느새 미소가 떠올라 있었다.

아벨라는 아까보다 훨씬 우호적으로 변한 분위기에 안심하면서도 어리둥절해하지 않기 위해 애썼다.

공국의 귀족들은 제국의 귀족들과는 분위기가 좀 다른 것 같았다. 아까는 분명히 이해득실에 의한 계산으로 팽팽한 신경전을 벌이던 것 같은데, 지금은 사이좋게 대공의 아래에서 웃고 있지 않은가.

그리고 아벨라의 생각대로, 실제로 공국의 귀족들은 제국의 귀족과는 달랐다.

공국의 귀족들은 대공의 직접적인 지휘 아래 딜루어의 번영만을 위해 힘써 온 자들이었다.

방금까지 아벨라에게 건 딴지도 본인들의 잇속을 위해서가 아니라, 공국의 미래에 대한 최선을 토론하기 위함이었다.

딜리온은 내심 감탄을 삼키며 생각했다. 대공의 딸이라도 틀린 의견을 제시한다면 설득할 요량이었지만……. 주켈타의 안색을 살피자, 그 또한 고개를 끄덕이고 있었다.

아벨라의 지적은 타당했다. 아벨라의 말대로라면, 군사력을 보호하려는 기존 공국의 입장을 고수하던 가신들이 할 말은 없다.

게다가, 아벨라의 생각은 주켈타를 비롯한 급진파 대신들의 생각과 궤를 같이하고 있었다. 재정적인 면에서 딜루어는 충분했다.

지금의 딜루어는 폭발적인 확장이 필요했다. 그리고 사실 지금까지 아벨라를 반대하고 있었던 딜리온 또한 그 급진파 중 하나였고 말이다.

그녀의 의중이 실은 8황자를 구하는 데 맞춰져 있더라도, 이정도의 의견 합치는 정말로 훌륭한 협상이었다.

딜리온의 주먹이 꽉 쥐어졌다. 확신할 수 있었다. 그녀는 딜루어 공국을 이끌 자였다.

"어떤 마법을 쓰실지 여쭤봐도 되겠습니까? 단순히 바람을 이용한 비행 마법은 눈에 띌 테니, 다수가 이동하기 힘들 겁니다."

그때, 가만히 있던 주켈타가 물었다. 가신들의 눈이 반짝반짝 빛났다.

여기까지 청산유수로 말을 이어 온 아벨라였다. 모두들 분명히 무언가 또 다른 방법이 있겠구나, 하는 얼굴들로 그녀를 바라봤다.

하지만 지금까지와는 달리, 아벨라의 입술이 얌전히 다물렸다. 아차. 여기까지 말했지만 사실 생각나는 방법은 없었다. 아니, 있다면 있지만……. 이걸 말해도 될까?

아벨라는 태연한 척 노력하며, 벽에 여전히 걸려 있는 거울에 시선을 두었다.

아벨라의 생각은 이랬다. 저 거울은 다른 거울과 이어지는 '아티팩트'다. 그렇다면 아티팩트에는 마법진이 있겠지. 그리고 자신이 그 마법진을 푸는 것이다. 하지만 마법진이 없다거나 하면…….

바짝 마르는 입술에, 아벨라가 붉은 혀로 살짝 입술을 훑었다. 아, 이걸 말해, 말아. 만일 실패하면 어쩌지? 그냥 나 혼자라도 날아간다고 할까?

에라이, 모르겠다.

"……그런 단순한 원소 마법은 아닙니다."

"예?"

아벨라의 속삭임에, 딜리온이 눈을 휘둥그레 떴다. 에라이, 모르겠다. 방법은 어차피 하나뿐이었다. 아벨라는 망설이던 눈빛을 감추고 자신감 있는 표정을 지어 보였다.

"……저도 시도해 본 바는 아니지만, 방법은 있습니다."

아벨라는 진중한 얼굴로 한숨을 삼킨 채 말을 이었다.

"물론 이 방법이 성공할 수 있을지는 모릅니다만, 성공한다면 네 시간 내로 수도로 진입할 수 있을지도 몰라요."

"저하, 그게 대체 뭡니까?"

몸이 단 주켈타가 딜리온보다도 다급하게 물었다. 노신의 얼굴에 흥분이 잔뜩 어려 있었다.

제발 일이 잘되길. 아벨라가 거울에 고정하고 있던 시선을 돌려 주위를 똑바로 바라본 채 또박또박 말을 이어 나갔다.

"순간이동입니다."

"순간이동이라고요?!"

주변이 술렁거렸다.

주변이 뒤숭숭해진 와중, 공작이 아벨라의 시선을 따라 거울을 바라봤다. 아벨라의 의중을 이미 파악한 눈빛이었다. 공작이 다시 입을 열었다.

"이 거울을 사용하려는 거구나. 이 거울 안의 마법을."

"네."

"도와주마."

공작은 고개를 끄덕이곤 거울을 향해 손짓했다. 방을 에워싸고 있던 수행원들 중 두 명이 달려가 거울을 떼어 왔다. 공작은 제 뒤의 책상에서 문진을 집어 들고 거울을 내려다보았다.

"모두 물러서게. 거울 조각이 튈 수도 있어."

짤막하게 명령한 공작은 모두가 물러나는 광경을 확인하곤 바닥에 놓인 거울을 향해 서슴없이 문진을 떨어뜨렸다.

퍽 하는 소리와 함께 거울이 산산조각 났다. 은칠된 유리 조각 사이, 붉은 선으로 칠해진 마법진 하나가 나왔다.

있다.

"있어요!"

아벨라의 얼굴이 밝아졌다가 흐려졌다. 혹시나 했는데, 마법진은 완성되어 있지 않았다. 아마도 한 쌍으로 이루어진 거울에 나머지 마법진이 그려져 있겠지.

하지만 아벨라는 내색하지 않은 채, 의연한 얼굴로 정면을 바라보았다.

"이걸 사용해서 카셀란 제국의 황궁으로 바로 진입할 겁니다."

아벨라는 눈을 반짝이며 자신감 넘치는 어조로 말했다. 대공은 그녀의 얼굴을 한번 바라보곤 마주 고개를 끄덕여 주었다.

"주켈타, 정예병 백 명을 차출한다. 네 시간 뒤, 공녀의 마법이 성공할 경우 세 차례에 걸쳐 나누어 이동한다."

"예!"

"다른 당사국에겐 계획의 수정을 알리지 않아도 될까요?"

"알리되, 늦게 알리도록 하자."

대공의 지시에 딜리온의 눈이 반짝였다.

"지금 파발을 급파하겠습니다. 속도는 '유동적'으로 조절하라 지시하겠습니다."

알리는 시늉을 하되, 최대한 늦게 알리겠다는 소리다. 눈 가

리고 아웅인 짓이지만, 획책하는 이들의 표정은 태연하기만
했다.

대공은 고개를 끄덕이곤 두 손을 뒤로한 채 단호하게 가신
들을 바라보았다. 표정은 지엄했고, 눈빛은 완고했다.

"귀공들은 지금부터 전시 체제에 돌입한다. 절대로 방심하
지 말고, 일전에 논의했고 훈련한 바대로 귀공들의 위치와 역
할에 매진하게. 공녀의 계획대로 변경하지만, 기본 골자는 결
국 같다는 걸 명심하게."

"말씀 받들겠습니다."

집무실에 모인 가신들이 눈을 번쩍이며 입을 모아 대답했
다. 그들은 곧 맡은 바 임무를 행하기 위해 절도 있는 걸음으
로 집무실을 빠져나갔다.

하지만 개중 가장 앞에 서 있던 딜리온은 쉽사리 나가지 않
았다. 주켈타도 마찬가지였다. 둘은 나갈 생각이 없는 것처럼
보였다.

공작은 여유롭게 웃으며 그들에게 고개를 끄덕이곤 아벨라
에게 설명했다.

"이들은 이곳에 있을게다. 아까는 가신들 편에서 입을 여는
것으로 보였겠지만, 이들은 이번 계획에서 가장 발언권이 큰
자들이라서. 그리고 귀공들은."

공작이 여전히 엉거주춤하게 서 있는 제국의 일행들을 향해
빙그레 웃음 지어 보였다.

"자동으로 공국에 망명을 신청했음으로 알겠소이다. 아벨라
의 뜻을 따른 자들이니, 공국에선 환영할 따름이오. 공국의 귀
빈으로서 평생의 환대를 약속하겠소."

"황공합니다."

"……얼결에 이렇게 되었습니다만, 잘 부탁합니다."

공작의 말에, 제롬이 파르스름한 낯빛으로 중얼거렸다.

"잘 부탁드립니다."

공작을 따라, 제롬과 체하트에게 깊게 무릎을 굽힌 딜리온은 그 뒤의 단장과 마티나와도 일일이 눈짓했다. 그리고 끝에 서 있는 아벨라를 향해서 마찬가지로도 깊게 무릎을 굽혔다.

"아까의 결례에 대해서 다시 한번 정중히 사과드립니다, 저하. 하지만…… 정말 가능하시겠습니까?"

딜리온이 걱정스러운 표정으로 물었다. 그 옆의 주켈타까지도 퍽 염려스러운 표정이었다.

"공녀께서 어떤 마음으로 이렇게 말씀하시는지는 알았습니다만-."

"안 되면 어쩔 수 없지요. 하지만 제가 최선을 다해 볼게요."

아벨라는 그리 대답하곤 드러난 마법진을 다시 한번 바라보았다.

순간이동이 어려운 것은 아벨라도 이미 알고 있었다. 비행마법 같이, 지금은 완전히 실전된 류의 마법.

이 아티팩트가 공국에 이어져 오고 있었던 것은 어디까지나 제국에 대한 카셀란의 호의 때문이다.

풀 수 있을까.

아냐, 약해지면 안 되지. 아벨라는 다시 정신을 다잡았다. 정신 차리자. 이것만 풀면 돼. 이것만 제대로 풀면, 펠리체를 만나러 갈 수 있어. 하지만 확실히 좀 어려워 보인다.

그사이 수행원들은 필기도구와 관련된 도구들을 준비하고,

깨진 거울 조각들을 모두 털어 내 그녀가 잘 볼 수 있게 테이블 위에 올려 두기 시작했다.

그때였다. 아벨라의 곁으로 제롬이 다가왔다.

"형수님."

"제롬."

그녀의 부름에, 제롬이 고개를 끄덕였다. 그러고는 그녀에게 고개를 숙이고 속닥거렸다. 퍽 걱정되는 표정이 스쳤다.

"원래도 썩 도움은 되지 않았지만, 죄송합니다. 이번엔 정말로 도와드릴 수 없을 것 같아요. 저는 이런 모양의 도미나는 들어 본 적도 없습니다."

"괜찮으시겠어요?"

그 옆에 있던 체하트도 굉장히 걱정되는 표정으로 그녀에게 물었다. 어쩌다 딜루어로 망명까지 한 두 사람은 아벨라에게 도움이 되지 못해 한없이 미안하기만 했다.

"저야 당연히 괜찮죠. 두 분이야말로. 이렇게 갑작스럽게 타국으로 데려오는 모양이 되어서 미안해요. 어쩌면 여기서 평생 사실지도 모르는 것을."

"아니요. 그건 괜찮습니다, 형수님. 제국에 형수님이 계시지 않았다면 저희는 모두 죽은 목숨이었을 거예요. 저는 제국으로 평생 돌아가지 못한다 해도 괜찮습니다."

제롬은 낮은 목소리로 말하곤 슬핏 미소 지어 보였다. 하지만 아벨라는 그의 눈을 보곤 깨달았다. 그의 눈이 퍽 슬퍼 보인다는 것을. 아벨라는 이를 꽉 악물었다. 주먹이 불끈 쥐어졌다.

"그런 말 말아요. 어떻게든 꼭 다시 제국으로 돌아가야 해요."

아벨라가 그를 향해 힘주어 말했다.

"펠리체의 숙원이에요. 황제의 손아귀가 아닌 곳에서, 모두가 행복한 나라를 만드는 거죠. 제가 꼭 그를 돕겠어요."

아벨라는 심호흡을 하곤 자리에 앉았다. 펜을 든 채로 테이블 위의 마법진을 뚫어져라 바라봤다. 지켜보던 주켈타가 아벨라에게 조심스레 물었다.

"저하, 몇 시간쯤 걸리시겠습니까?"

"최대한, 최대한 빨리 해야죠."

그리 대꾸하며 반쯤 소실된 문제를 살피던 아벨라의 눈동자가 흔들렸다.

제롬의 말대로였다. 쉬운 문제가 아니었다. 게다가 이런 상태로는 무슨 문제인지도 추론하기 쉽지 않다.

하지만 아벨라는 가만히 도형을 들여다보았다. 어딘지 낯이 익긴 했다. 가만있어 봐, 이거 어디서 많이 본 문젠데. 아벨라가 미간을 좁혔다.

제롬과 체하트는 그런 아벨라를 알 수 없는 눈으로 바라보았다. 이게 차라리 수리라면 단순 계산이라도 돕겠다고 나섰겠지만, 도미나는 쉽사리 풀이를 돕거나 섞어서 여러 사람이 증명하면 도리어 매우 헷갈렸다.

결국 제롬과 체하트가 할 수 있는 일은 고작 마음을 다해 아벨라를 응원하는 길밖엔 없었다.

아벨라는 다시 한번 아티팩트를 꼼꼼히 훑었다. 다단多端해 보이는 구성이지만 본 적 있다. 어디서 봤지? 인도 문제였던가, 미국 쪽이었던가.

분명히 옛날 학원 강사 시절, 새벽마다 강사들이 모여 문제를 풀어야 했던 스터디 모임에서 이 문제와 비슷한 문제를 푼 적이 있었다.

아니, 아니다. 그 문제보다 훨씬 더 비슷한 모양을 아주 최근에 푼 적이 있었다.

아벨라는 미간을 좁힌 채로 한참을 쳐다보다 '아' 하고 입을 틔웠다. 닮은 삼각형이 두 쌍 보였다. 설마 이건.

"조화점열!"

아벨라가 눈을 반짝이며 소리쳤다. 조화점열이었다!

이 도형의 각도를 분석해 보면 네 개의 점이 한 원 위에 있는 점이고, 그 원은 원래 마법진에 내접하는 삼각형의 방접원에 해당할 게 분명했다.

아벨라는 기구 없이 다짜고짜 손가락을 펼쳐 길이를 재어 보았다. 아무리 봐도 꼭짓점과 내심, 그리고 그 꼭짓점을 지나는 각의 이등분선이 외접원과 만나는 점, 그리고 각 내부에 존재하는 방심까지.

확실히 조화점열이었다. 짜릿하게 등골이 울리는 느낌에, 아벨라는 이를 악물고 주먹을 꾹 쥐었다.

세상에. 이게 무슨 우연이람. 어디서 봤나 했더니!

아벨라는 이 문제를 기억하고 있었다. 왜냐하면 자신이 트럭에 치이기 직전, 학원에서 홀로 야근할 때 마지막으로 풀던 문제였으니까!

아직도 기억난다. 올해 KMO 1차 19번, 6점짜리 기하 문제. 아벨라는 자신도 모르게 씨익 웃었다.

이 문제라면 풀 수 있다.

아벨라는 생각에 잠긴 채 문제를 풀어 나가기 시작했다. 꽤

나 단순하지만 여러 이론이 섞여 있어서 하나하나 증명해 나가야 했다.

그러나 결국 모든 기하 문제는 각 분석과 닮은 도형 찾기로 수렴하기 마련이다.

얼마가 지났을까? 펜을 바쁘게 놀리던 아벨라의 손이 팔랑대며 뒤에 있을 체하트를 불렀다.

"체하트, 혹시."

"여기요."

체하트는 말이 떨어지기도 전 품 안에서 자신이 만들었던 아티팩트를 꺼냈다. 아벨라가 제롬을 수색할 때 마티나와 함께 사용했던 그 아티팩트였다.

"황궁의 좌표를 사용하시려는 거지요? 제가 적어 둔 게 있으니 이걸 사용하세요."

"고마워라. 맞아요."

아벨라의 표정이 문득 화사해졌다. 하지만 그것도 잠시였다. 다시 눈동자가 가라앉고, 표정은 진지해졌다. 아벨라는 몇 번 더 숫자를 끄적이곤 마침내 펜을 내려놓았다.

"답이 나왔습니까?"

"음, 대강요. 수가 딱 떨어지니까 느낌이 좋아요. 맞는 것 같기도 하고요."

반신반의하며 뒤에서 지켜보던 딜리온과 주켈타가 서로를 마주보았다. 어리둥절한 표정이었다.

그들로서는 당연했다. 정말로 그들의 공녀가 마법을 쓰는지도 실감할 수 없는데, 이미 실전된 마법까지 한 번에 술술 풀어낼 정도라니 믿기 어려웠다.

"그런데 확실히 다른 마법들과 다르게 소모되는 마력의 양이 클 것 같아요. 보통 접근하는 식의 범주에 따라 소모되는 양이 달랐거든요. 이건 아무래도 단숨에 원거리를 이동하는 마법이다 보니까 그만큼 마력도 더 많이 필요한 거 같아요. 제가 레줄을 갖고 있긴 하지만, 버텨 줄지는 모르겠어요. 더 나아가서 제가 선천적으로 갖고 있는 마력의 양을 다 써 버릴지도 몰라요."

그냥 그런 느낌이 들었다. 확신할 수는 없는 막연한 예감. 자신이 완성한 마법들은 지금까지의 마법들과는 궤가 달랐다.

지금까지 행해 왔던 마법들은 레줄 덕분인지 아벨라의 원천 마력을 털끝만큼도 건드리지 않았지만, 이 마법은 다르다. 자신에게 오는 부담도 만만찮으리라.

그녀의 말을 들은 딜리온이 침음을 흘렸다.

"그렇다면."

"이 기회뿐이라는 거죠."

체하트가 걱정스러운 표정으로 아벨라를 바라봤다.

"만일 형수님이 영영 마법을 못 쓰게 되면 어떡해요? 위험하지 않을까요?"

"에이, 설마요."

아벨라는 대수롭잖은 듯이 그를 똑바로 바라보며 웃었다. 뭔가 다른 계획이 있는 걸까?

체하트와 제롬이 그녀의 여유 넘치는 미소를 보며 한결 긴장을 덜었다. 아벨라가 다시 입을 열었다.

"그렇지만 영구적으로 마력이 되돌아오지 않는데도 괜찮아요."

"……예?"

하지만 그 뒤 이어진 폭탄 발언에 그녀를 둘러싼 사람들이 눈을 크게 홉떴다. 사람들이 놀란 신음을 흘리는데도, 아벨라는 아랑곳 않고 공작을 바라보았다.

"아버지, 나머지 준비가 되었을까요? 전 얼른 이동했으면 좋겠어요."

주위에서 눈을 휘둥그레 뜬 채 놀라고 있음에도, 공작은 그녀를 향해 미소 띤 얼굴을 굳히지 않았다. 오히려 다정한 목소리로 그녀를 향해 물었다.

"거울과 같은 매개체를 사용해서 아티팩트를 만드는 방법은 어떻겠느냐?"

"아티팩트를 만들어 본 적이 없어서 확답을 드리긴 어렵지만, 인간의 기술로는 불가능할 것 같아요."

아벨라가 고개를 저었다.

"아버지, 저 거울 아티팩트엔 마정석이 없었어요. 마법을 쓸 수 있게 마력을 공급해 줄 공급원이 말이에요. 대신 거울 뒤 목판에 그려진 마법진의 색이 검붉은 게, 제 생각엔 용의 피가 아닐까 생각해요."

"용의 피라고?"

공작이 미간을 찌푸리며 천천히 되묻자, 아벨라가 그의 말에 한번 크게 고개를 끄덕였다.

"고귀한 용의 피이니 얼마나 많은 양의 마력이 흐르고 있겠어요. 저 아티팩트의 구조를 보아하니 그렇게 되는 것 같아요. 아티팩트의 출처도 마침 백룡 카셀란이라니까, 제 추측이 아마 맞지 않을까요?"

"그렇겠구나."

공작의 동조에, 아벨라도 고개를 끄덕였다.

"하지만 제 피로 마법을 부리면 되는 용과 인간은 다르잖아요? 인간은 고작 마정석에 마법진을 덧대거나 새길 수 있을 뿐이에요. 하지만 이 마법은 매우 고차원적인 마법이고, 일반 마정석으로는 턱도 없어요."

'결국엔 완전 불가능하다.'는 걸 돌려 말한 아벨라가 작게 한숨을 내쉰 채 빙그레 웃었다.

"그러니 어쩔 수 없어요. 왼손에는 레줄, 오른손엔 마법진, 그리고 마법을 시전하는 저. 이걸로 충분해요."

"……그래, 네가 그렇다면 어쩔 수 없지."

공작은 아벨라의 대답에 천천히 수긍하는 듯이 대답했고, 아벨라는 크게 고개를 끄덕였다.

이제 공작이 준비해 준 군사들과 함께 황궁에 가서, 펠리체를 찾으면 되지 않을까?

마음에 걸리는 게 한 가지 있다면, 자신의 마력이 고갈되면 공연히 이들에게 방해가 되지 않을까 하는 부분이지만…….

"그럼 나도 함께 가마."

"예, 그럼 믿음직스럽고 딱 좋겠어요. ……예?"

머릿속으로 다른 생각에 취해 건성으로 대답하던 아벨라의 고개가 갑자기 홱 돌아갔다.

아니, 이게 무슨 소리야? 아벨라가 당혹으로 물든 얼굴을 한 채 공작을 바라보았다.

"공작 전하, 그게 무슨 소리십니까?!"

당황한 딜리온이 놀라 소리쳤다. 공작은 태연한 얼굴로, 잠시 시선을 아래에 두었다가 다시 주변을 둘러봤다.

"나 또한 황궁으로 가겠다는 말이다."

"당치도 않은 말씀입니다! 대공께선 공국의 중심이십니다. 이번 계획은 그저 저희 정예 군사들과 제국 출신의 다른 분들에게 맡기심이!"

"아니, 내가 가겠어."

딜리온의 급박한 말이 들리지도 않는다는 듯, 대공은 천천히 고개를 저은 채 설명했다.

"귀공은 아직도 모르겠는가? 내 딸의 말대로라면, 이 작전에서 모든 승기는 우리 공국이 잡네. 게다가 마법은 반드시 성공할 테고, 나는 딸과 함께 공국에서 8황자의 신병을 인수해오겠네. 더불어서 황제의 목도 말이야."

"너무 위험하단 말씀입니다!"

"내 딸이 가잖나."

"공과 사를 달리 생각해 주십시오!"

"공, 나는 공과 사를 착각할 만큼 아둔한 자가 아니야."

대공의 말에, 그에게 읍소했던 주켈타가 입을 굳게 다물었다. 자신이 불충한 표현을 했다는 것을 자각한 표정이다.

한결같은 작자들이네. 하지만 아벨라는 그게 기분 나쁘게 느껴지지 않았다. 오히려 이들의 공국에 대한 충성심에 대한 발로처럼 느껴졌다.

아까 그 간신배 수염을 하고 있었던 자작 또한 아벨라 자신에 대한 호감은 몰라도 공국에 대한 충성심은 확실하리라. 왜냐면, 자신의 아버지가 데리고 있는 이유가 분명히 있을 테니까.

아벨라가 눈을 깜박이는 사이에, 대공은 계속 말을 이었다.

"만일 고작 그런 이유였다면 공들은 나를 잘못 보고 있었다고 말해 주고 싶군. 내 딸은 전략적으로 아주 중요한 역할을 하고 있지만, 전문적인 군사 훈련은 받지 못했기 때문에, 여러 상황으로 그녀가 흔들릴 수 있어. 그녀의 마력이 완전히 소진될 경우엔, 그녀 자신도 어떻게 될지 정확하게 알지 못해. 이럴 때 계획을 능동적으로 주도할 사람이 필요하네. 그게 나고."

"전하, 하지만—."

딜리온은 말을 이으려다가 다시 입을 다물었다. 순간 비장한 표정이 그의 얼굴에 맺혔다.

"그럼 저도 따르겠습니다."

"신 주켈타, 저도 따르겠습니다."

두 사람은 공작의 앞에 엄숙하게 무릎을 굽혔다. 순간, 공작과 아벨라가 동시에 짜증스러운 표정을 지어 보였다.

'정말 어지간히도 시간 끄네.' 같은 표정이었다. 물론 둘의 짜증스러운 표정은 순식간에 갈무리되었지만 딜리온과 주켈타를 제외한 모든 이들이 두 사람의 표정을 보았다.

공작이 엄한 목소리를 내었다.

"둘 다 불허하네."

"전하!"

원성이 자자한 외침에도, 공작은 태도를 바꾸지 않은 채 말을 이어 나갔다.

"알겠나? 내가 움직이는 것은 극비일세. 자네들은 이곳에 남아 내가 계속 이곳에 있는 것처럼 꾸며야 하네. 보고 시각에 맞춰 자네들만 드나들게. 시간을 정해 두지. 다섯 시간 내에 통신 아티팩트를 통해 연락을 보내겠네. 그 안에 연락이 되지 않으면, 비상사태를 선포하고 그간 훈련해 왔던 대로 일을 진행하도록."

"전하, 잠시만 시간을 내주십시오 전하, 전하?"

"주켈타."

공작은 딜리온의 절박한 외침에도 아랑곳 않고, 그 옆에서 황망한 표정으로 옆에 서 있는 주켈타를 불렀다. 주켈타가 공작을 보며 다시 허리를 굽혔다.

"군사가 준비된 곳은?"

"제3 연무장입니다. 가장 무위가 뛰어난 자들을 선별하여 정예 인원으로 추렸습니다."

"가지."

그 말이 자신에게 하는 것이라는 것을 안 아벨라는 자리를 박찬 채 일어섰다.

제롬과 단장, 마티나가 아벨라가 일어남과 동시에 움찔거렸다. 장소가 장소고 시기가 시기이니 함부로 입을 열 수 없지만, 아벨라에겐 그들이 가고 싶다고 절실하게 외치고 있는 듯 보였다.

"단장님만 모시고 다녀올게요. 마티나, 넌 이곳에서 다른 사람들을 지켜줘. 이곳 사람들이 알아서 챙겨 주겠지만."

"당연하지, 필요한 대처를 할게다."

공작이 옆에서 말을 받았다. 그때였다. 어디선가 조그맣게 '잠깐만.'하는 소리가 났다.

모두의 고개가 소리가 나는 곳을 향해 돌아갔다. 그리고 본 광경에 아벨라의 입이 떡 벌어졌다.

렌티아였다.

그래, 까맣게 잊고 있었다. 쟤도 있었지. 분명히 일이 시작

될 때 렌티아도 이곳으로 데리고 왔었다.

지금까지 흘러가는 일이 너무 급해서 기억의 한구석에 밀어두고 신경 쓰지 않고 있었지만!

"너도 있었지."

아벨라가 놀란 얼굴로 얼결에 속삭이자, 렌티아가 미간을 찌푸린 채 아벨라를 노려봤다.

"네가 데려왔잖아!"

"아니, 까맣게 잊고 있었지. 너무 바빴으니까."

아벨라가 변명조로 말을 늘이다, 그녀의 옆에 마티나를 흘긋댔다. 마티나의 표정이 곤혹스러워 보이는 것으로 보아, 지금까지 렌티아를 조용히 시키고 있었던 사람은 그녀였음이 분명했다.

아벨라는 눈짓으로 마티나에게 감사 인사를 전하고는 렌티아를 바라보았다. 가만있어 봐, 그런데 왜 자신이 얘한테 변명하고 있는 거람? 지금 한시가 바빠 죽겠는데.

"그래서, 왜 불렀어? 이곳으로 데려온 이상 쫓아내지는 않을 거야. 네가 무슨 죄를 저질렀건 간에, 일단 망명한 귀족의 대우를 해 줄 테니까."

"그게 아니야!"

렌티아가 씩씩대면서 아벨라의 말을 막았다. 아벨라가 렌티아를 바라보며 미간을 좁혔다. 갑자기 이렇게 나오는 이유를 이해할 수가 없었다.

"그럼 뭔데?"

"만일, 만일 황제가 무슨 일이 있어서 모습을 감췄다면 제3 연무장의 왼쪽 벽부터 들어가야 해. 그곳이 황제가 숨는 방공호 같은 곳이니까."

"……뭐라고?"

"지금 황궁으로 다시 돌아가는 거잖아? 황족들은 유사시에 무조건 황궁 안으로 숨도록 교육을 받아. 황궁에 수많은 비밀 통로가 있는 건 알고 있어? 황족들은 그 수많은 비밀 통로 중 자신의 처소와 이어지는 단 하나의 통로만을 알고 있어. 제롬 오라버니도 알고 있죠?"

렌티아가 제롬을 똑바로 바라보자, 제롬이 당황한 기색이 역력한 채 고개를 끄덕였다.

그랬다. 제롬 또한 알고 있었다. 도서관과 자신의 처소 바로 앞까지 이어지는 길이다. 하지만 모든 황족이 한 통로를 알고 있을 거라는 생각은 한 적 없었다. 그저 자신만 알고 있는 통로라고 생각했을 뿐이다.

"그리고 황제와 황제가 인정한 후계는 비밀 통로에 대해 모두 알고 있어. 황궁 구석구석의 비밀 통로까지. 그리고 더 나아가 황제는 황궁 어딘가에 아무도 모르는 방공호를 설치했다고 전해져. 유사시에 목숨만큼은 건지려고. 황제가 살아만 있다면 제국의 명맥은 이을 수 있게 되니까."

렌티아가 말하는 비밀에, 아벨라는 놀란 채 눈만 깜빡거렸다. 렌티아가 말하고 있는 비밀이 얼마나 귀중한지 알고 있었기 때문이다.

렌티아는 한숨을 내쉬곤 말을 이었다.

"나는 만일 펠리체…… 오라버니가 세 개 이상의 통로를 안다면 지금도 살아 있을 거라고 생각해. 수세에 몰렸다면 무조건 통로에 뛰어들 테니까. 그리고 그렇게 되면 펠리체를 따라

잡을 수 있는 자는 황제밖에 없어."

렌티아가 말을 이었다.

"왜냐면 통로는 매우 복잡하거든. 황제의 수하들은 그 비밀 통로에서 한 사람도 제대로 길을 찾을 수 없어. 그렇게 되면 펠리체가 수세에 몰렸다고 하더라도 펠리체에겐 더없이 유리하게 되겠지. 상대할 사람이 황제밖에 남지 않을지도 모르니까."

아벨라의 눈이 순간 반짝였다. 펠리체는 황제를 따라 모든 통로를 꿰뚫고 있었다. 그렇다면……. 아벨라의 얼굴에 희망이 어렸다. 그런 그녀를 지켜보던 렌티아가 천천히 나머지 말을 맺었다.

"그리고 그렇게 시간을 끌다가 당연히 너와 딜루어의 지원군이 간다면 형세가 바뀌겠지. 황제가 당연히 불리해질 거야. 내가 알기로도 현재 제국의 군사력은 형편없는 수준이고, 갇힌 황실 안에서 얼마나 버틸 수 있을지도 알 수 없으니까. 그리고 그렇게 된다면 반드시 황제는 혼자 방공호로 숨겠지. 방공호엔 성 밖으로 이어지는 탈출로가 있을 거야."

"거짓일 가능성도 있습니다. 걸러 들으십시오."

렌티아의 말에 제롬이 황급히 말을 붙였다. 그의 눈엔 경계심이 팽배해 있었다. 그도 그럴 것이, 렌티아는 몇 시간 전까지만 해도 그들과 목숨을 걸고 싸우고 있었으니까.

제롬의 말에, 렌티아는 잠시 입술을 다물었다. 그 순간 아벨라는 그녀의 눈에 형언할 수 없는 감정이 스쳐 지나가는 것을 보았다.

그리고 그때 아벨라는 직감했다. 아벨라의 감각이 말하고 있었다. 그녀를 믿어도 된다고.

"아니오. 괜찮아요."

아벨라는 고개를 저으며 말한 뒤, 물끄러미 렌티아를 바라보았다. 이제 와서, 여기까지 와서 좀 우스운 이야기지만 아벨라는 렌티아의 속내를 이해할 수 있을 것 같았다.

지금까지 악에 받혀서 권력만을 원하고 권력을 위해 투쟁했던 삶이 아닌가.

자신을 도구로만 봐 왔던 친혈육에게 배신당하고, 그 와중에 제 친아버지에게 목숨도 위협당했다.

렌티아의 인생 자체도 엄청나게 굴곡져 있었다.

하하호호 웃으면서 대하진 못하겠지만……. 아벨라는 렌티아를 물끄러미 바라보다가 그 자리에서 등을 돌렸다.

기다리고 있던 대공이 문을 열었다. 둘 모두 말하지 않았으나, 아벨라는 대공이 이미 자신이 렌티아의 말을 믿고 있다는 사실을 알아챘음을 알았다. 그리고 대공이 자신의 말에 따라 줄 거라는 사실도.

———⊛———

"……."

펠리체는 한숨을 삼킨 채로 검을 들었다. 어둡고 축축한 공기, 그 안에 도사리고 있는 살기 덕에 그의 목덜미의 솜털이 바짝 일어났다.

이곳은 제3 연무장. 정확히는 황제의 방공호로 들어서기 바로 직전의 통로였다.

렌티아의 말이 맞았다. 펠리체는 살아 있었다. 그녀의 말대로 비밀 통로를 이용했기 때문이다.

거울을 깨부수고 난전에 참전하자마자 펠리체는 곧바로 비밀 통로로 뛰어들었다.

곧 황제와 황제의 로열 가드들이 들이닥쳤다. 그리고 그게 바로 펠리체가 원하는 바였다.

통로가 좁은 곳에서 한 명 한 명 상대하는 거라면, 펠리체가 압도적으로 유리했으니까.

펠리체는 조금씩 원하는 공간으로 그들을 유인하며 한 명씩 해치웠다. 그리고 당황해 굳은 표정의 황제만이 남았을 땐 이미 그는 자신이 원하는 곳에 서 있었다.

"……용케 이곳을 알았구나."

황제는 숨 한 번 몰아쉬지 않은 채 펠리체에게 입을 열었다.

펠리체는 검을 든 채로 황제를 똑바로 바라봤다. 모든 게 계획대로 돌아가고 있었지만, 황제의 체력을 너무 낮잡아 보고 있었던 게 유일한 흠이라면 흠이었다.

"혹시나 이곳 말고 또 다른 대피로를 마련할지도 모른다고 생각했는데, 다행입니다."

펠리체는 고개를 끄덕이며 황제에게 대답했다. 의례적으로 비웃음이라도 걸어 주고 싶었지만, 비웃는 데 힘을 쏟느니 차라리 일격을 날리기 위해 힘을 아끼는 게 나았다.

그를 바라보던 황제가 문득 공격자세를 취하다 팔을 내렸다. 그의 표정이 온화하게 변해 있었다.

아, 또 시간을 끌 요량이군. 그의 속셈이야 뻔히 알고도 남았다. 함정이 있는 쪽으로 유인할 셈이겠지. 펠리체는 이곳,

방공호에 설치된 모든 함정을 알고 있었다.

하지만 시간을 끄는 것은 펠리체에게도 나쁘지 않았다. 지금쯤 리시안이 황문 안에서 대기 중인 황군들 중 하나로 위장해 문을 개방하고 있을 테니까.

"……네가 날 배신할 줄은 몰랐구나."

"전 폐하가 절 배신하리라 알고 있었습니다."

"네 어미 때문이겠지."

어미.

로칠라 귀비를 이르는 그의 말에 펠리체가 얼굴을 굳혔다. 이미 그녀가 인간이 아니라는 사실을 안다. 정체는 용이고, 사실 그녀야말로 이 모든 촌극의 한 축이라는 사실도 알지만…….

황제의 입에서 그녀의 이름을 듣는 순간, 펠리체는 자신도 모르게 어머니의 죽음을 다시 떠올렸다.

얼마나 참혹했던가. 행복할 줄 알았던 황궁이 사실은 단 한 명의 의도로 이루어진 기가 막힌 지옥도라는 것을 깨달았다.

펠리체의 눈이 문득 가라앉았다. 그의 홍채 사이에 문득 빛이 일렁였다.

황제는 그를 뚫어지게 바라보고 있었다. 마치 펠리체가 무슨 생각을 하는지 알고 있다는 듯한 얼굴이었다.

"……그때부터 이미 알고 있었습니다. 폐하께서는 아무도 지킬 의향이 없으셨지요."

"눈치가 빠르기도 하지. 내가 너무 방심했다. 네가 충직한 신하 행세를 할 때부터 알아봤어야 했는데 말이다."

"어차피 믿지도 않아 샬롯과 샬롯의 귀족들을 움직이셨던 것을 알고 있습니다."

그때였다. 펠리체가 가볍게 왼쪽으로 발을 움직였다. 기다렸다는 듯이 화살이 펠리체가 있던 곳으로 쏟아졌다.

"……그럴 줄 알았지."

펠리체는 한숨을 내쉬었다. 황제가 눈을 휘둥그레 뜬 채 그를 바라보고 있었다. 이젠 신물이 난다. 정말로 끝을 낼 차례였다.

"폐하, 아직도 모르시겠습니까? 이곳에 있는 함정은 모두 파악했습니다. 예까지 와서도 일대일로 승부를 낼 수 있다고 생각하셨던 지점에서 이미 판세는 기울었습니다."

펠리체의 말에, 황제가 이를 악물었다. 허를 찔린 표정은 진심이었던 모양이었다.

"내 마지막까지 널 쉽게 봤구나."

"예."

펠리체는 건조한 어조로 대답했다. 황제가 눈을 빛냈다.

"그렇게 이 나라의 황제가 되고 싶더냐."

"황제요?"

"그렇지 않고서야 이런 미친 짓을 벌일 이유가 없겠지. 정말 어미를 잃은 원한일 뿐이라면–."

황제가 다시 말을 이을 때였다. 펠리체가 입을 열어 그의 말을 끊었다. 더 이상 이런 영양가 없는 말들로 실랑이하기 지쳤다.

황제는 마지막까지 도망갈 생각뿐이리라. ……저 품에 진짜 옥새를 품고서, 재기할 마지막 희망을 꿈꾸면서.

하지만 그도 이제는 끝이다.

"폐하, 저는 이 나라에 더 이상 미련이 없고, 그간 이 나라를 끝내기 위해 노력했습니다. 황제라니요. 저는 그저 지도에서 이 나라를 없애고 싶을 뿐입니다."

펠리체는 길게 말을 이으며 한숨을 쉬었다.

펠리체가 제국에 갖는 소회를 대체 뭐라고 정의할 수 있을까. 애증은 지나치게 감미로운 단어였다.

그와 그녀의 어머니가 단순한 궁중 암투에 희생된 거라면, 그리고 희생자가 그들뿐이었다면 펠리체는 이런 짓을 시작하지 않았을 것이다. 그저 평생을 화상 환자인 채 살면서 재야에 파묻혀 살았으리라.

펠리체는 제국을 떠돌아다니면서, 이상하리만치 비현실적으로 고통받는 백성들을 보았다. 수도와 타 지역 간의 괴리를 알게 되었다.

그리고 이 나라를 지탱하는 것이 순전히 백룡 한 마리의 애정이라는 것, 병든 나라를 일으켜 세워야 할 자들이 맹목적으로 백룡만을 믿는 모습이 싫었다.

"네 이놈."

황제가 이를 악문 채로 그를 향해 뇌까렸지만, 펠리체는 그저 침착한 표정으로 그를 주시했다.

이상했다. 끝이 다가올 때 어떤 생각이 들까 궁금했었는데, 막상 이렇게 닥치니 아무 생각이 나질 않았다.

아니, 한 가지 떠오르는 게 있다면 아벨라뿐이다.

"이제 그만 항복하십시오. 제 손으로 친아버지를 죽인 자가 되고 싶지는 않아서요. 이곳으로 폐하를 이끈 것도 폐하의 도망을 막기 위해서라는 것, 이제 잘 알고 계시지 않습니까."

그녀를 생각하던 펠리체는 한숨을 삼키며 검을 들었다. 지금쯤 아벨라는 무얼 하고 있을까. 공국에서 잘 있겠지. 펠리체를 욕하면서 이를 부득불 갈고 있을지도 모른다.

자신을 욕하는 아벨라의 모습이 지나치게 잘 상상되어, 펠리체는 슬쩍 미소를 머금다 그만두었다.

이런 상황에서 웃음이라니, 아무리 생각해도 어딘가 나사 하나가 빠진 게 분명하다.

아벨라를 만나지 않았더라면, 펠리체는 이곳에서 반드시 목숨을 버렸을 것이다. 황제를 베고 자신도 죽거나 뭐 그랬겠지.

"이렇게 된 이상, 널 반드시 벤 채 가야겠구나."

황제가 눈을 부릅뜬 채로 그를 향해 내뱉었다.

이 나라에 대한 집착은 정말 대단하구나. 펠리체는 한숨을 쉬면서 검을 들었다.

"아버지를 죽이는 패륜을 용서해 주십시오."

"이놈!"

황제가 그에게 악을 쓰며 검을 들고 짓쳐드는 때였다.

"잠깐!"

응?

황제와 검을 맞대기 위해 검을 횡으로 베던 펠리체가 눈을 휘둥그레 떴다.

황제의 뒤에 누군가 있었다. 어디서 많이 보던 얼굴이었다. 방금 전까지만 해도 펠리체가 생각하고 있었던 얼굴 말이다.

"내 남편한테—."

저게 뭐지. 펠리체가 미간을 좁혔을 때였다. 자기가 이제 환각도 보는 모양이었다. 아니, 이젠 환청도 들리는군.

"그 손—."

아벨라가 씩씩대면서 무언갈 느리게 휘두르고 있었다. 뭔가 하고 보는 순간, 펠리체의 눈이 완전히 크게 떠졌다. 검집이었다.

"당장 떼지 못해?!"

아벨라가 검집을 휘두르고 있었다. 산발이 된 머리채와 함께였다. 누가 보면 춤추는 망나니라고 폭소했을지도 모르지만, 펠리체는 그런 아벨라에게서 눈을 뗄 수가 없었다. 멋있잖아.

"내 남편한테서, 손, 떼라고!"

퍼어어억, 하는 소리가 공간을 울렸다. 그리고 그 소리와 함께, 넋을 놓고 있던 펠리체의 정신도 함께 다시 돌아왔다.

"……아벨라?"

이게 대체 어떻게 된 일이야. 펠리체가 맥이 풀린 얼굴로 입을 벙긋거렸다. 귓불이 붉어진 채였다.

뒤늦게, 뒤에서 그녀에게 손을 뻗어오는 딜루어 대공이 보였다. 그도 온 건가.

펠리체는 순식간에 아벨라 쪽으로 돌아갔다. 황제가 아벨라를 공격할까봐, 그녀의 앞을 막아서기 위해서였다.

가까스로 아벨라의 앞을 막고, 다음 공격을 본능적으로 받기 위해 검을 세웠지만, 황제의 다음 공격은 날아오지 않았다. 응?

대신 펠리체는 제 움직임을 피하다 휘청이는 황제를 발견할 수 있었다. 정확히는, 제 움직임을 피한 직후 아벨라에게 정통으로 뒤통수를 맞고 휘청이는 황제의 모습이었다.

곧 털석, 하는 소리와 함께 황제가 뒤로 넘어갔다.

황제가 쓰러진 것이다.

"……잠깐, 진짜로?"

펠리체가 어처구니없는 표정으로 중얼거렸다. 지금 갑자기 난입한 아벨라가 검집을 휘둘러서 상황이 종료된 게 맞나?

아니면 지금 자신이 꿈을 꾸고 있는 건가?

어디선가 소리가 들리는 것 같았다. 수없는 병사들이 우레와 같은 함성을 지르며, 마치 강물처럼 이곳 황궁으로 짓쳐들어오는 듯한 소리였다. 그러니까, 정확히는…… 상황이 끝나는 소리였다.

대공이 재빨리 쓰러진 황제의 목과 팔을 묶어 고정했다.

"사위를 패륜아로 만들 순 없지."

"어, 저, 그."

고맙다고 해야 되는 건가? 펠리체는 잠시 난처한 표정을 지었다. 아직도 모르겠다. 이게 지금…….

펠리체가 천천히 고개를 돌려, 제 뒤에서 여전히 씩씩대고 있는 아벨라를 바라보았다.

이걸 뭐라고 설명해야 할까? 후련하지만 찝찝하고 황망한 이 기분을. 그리고 그 모든 기분 가운데에서 울컥하고 치솟아오르는 이름 모를 감정까지.

"정말 아벨라, 너야?"

그가 얼떨떨하게 중얼거렸다. 황금색으로 빛나는 눈동자가 제 앞에서 금발을 쓸어 넘기는 아벨라를 가만히 바라보았다.

믿을 수가 없었다.

이제 '믿을 수 없다'고 말하는 것조차 식상하다는 것을 안다. 그동안 펠리체는 몇 번이고 그녀에게 놀랐기 때문에. 하지만 펠리체의 입장에선 할 수 있는 말이 이뿐이었다.

왜 항상 아벨라는 이렇게 기막힌 순간에 나타나는 걸까? 생각하지도 못했던 곳에서, 항상 예측조차 하지 못할 이야기를 하며 제 손을 잡아끈다.

펠리체는 어리둥절한 표정으로 제 뒤의 아벨라와 그 옆의 대공, 그 뒤로 뒤따라오는 익숙한 얼굴들을 마주 보았다. 서늘하게 빛나고 있던 그의 눈에 문득 아련한 빛이 어렸다.

"아벨라, 정말로 너……."

형언하지 못할 감동에 벅차 펠리체가 다시 한번 그녀를 불렀을 때였다.

그 순간, 펠리체는 반사적으로 뒤로 한 보 물러났다. 검고 긴 무언가가 제 눈앞을 스치고 지나갔기 때문이었다.

펠리체는 그 물건을 놀란 듯이 바라보았다. 검집. 검집이었다. 방금 제국의 황제를 쓰러뜨렸던 그 검집 말이다. 아벨라는 이제 펠리체에게 검집을 휘두르고 있었다.

"그래, 나지, 당연히!"

아벨라가 매섭게 소리쳤다. 그렇지. 당연히 아벨라겠지. 자신이 얼빠진 질문을 했다.

펠리체가 속으로 얼결에 동의하자 아벨라가 씨근대면서 그를 향해 다시 한번 검집을 휘둘렀다.

'훙' 하는 바람 스치는 소리가 들렸다. "이크." 하는 소리를 하면서 펠리체가 그 검집을 다시 한번 용케 피했다.

"두 눈이 먼 것도 아니고, 그럼 이 시점에서 구하러 오는 작자가 나지 누구겠냐고!"

아벨라는 무척 화가 난 것처럼 보였다. 펠리체가 재빨리 주변을 훑었다. 그리고 아무리 생각해도 주변의 사람들은 자신과 아벨라를 말릴 생각이 없어 보였다.

대공은 아예 팔짱을 낀 채로 아벨라가 불같이 화를 내는 상황을 방관하고 있었다.

"어쩜 그렇게 사람이 하나만 생각해? 우둔하기 짝이 없어! 아무리 좋은 뜻이래도 일언반구 없이 거울로 밀어? 그리고 언제부터 날 그곳으로 밀어 넣으려고 작정하고 있었던 거야? 거기다가 약삭빠르게 거울까지 깨고!"

"아니, 저기."

'우둔하다'와 '약삭빠르다'라니, 앞뒤가 안 맞는 비난이다. 하지만 펠리체는 그를 지적하는 대신 아벨라를 진정시키려 애썼다.

오히려 아벨라가 얼마나 화가 났는지 짐작이 갔다. 큰일 났군.

등 뒤로 흐르는 땀에, 펠리체가 주춤 뒤로 물러나려 할 때였다. 순간, 아벨라가 휘두른 검집이 펠리체의 어깨를 거세게 내리쳤다. 퍽 하는 소리가 작게 울렸다.

"흡."

펠리체가 가볍게 숨을 들이쉬며 튀어나오려는 비명을 참았다. 생각보다 엄청 아팠다! 펠리체는 휘청거리면서 다급하게 왼쪽 손을 들어보였다.

"아벨라, 잠깐만!"

"내가 얼마나……!"

아벨라가 고개를 들어 펠리체를 맹렬하게 노려보았다. 아벨라를 본 펠리체의 입술이 얌전히 다물렸다. 눈빛 때문이 아니었다. 그녀의 얼굴이 온통 눈물범벅이었기 때문이었다.

"내가 얼마나 겁이 났는데, 아무도 말을 들어주지 않았는데, 혹시라도 못 구할까 봐, 내가……!"

아벨라가 버럭 소리치곤 그에게 다시 검집을 거세게 휘두르기 시작했다.

"옛날 일은 기억 못 한다고 말했는데도 멋대로 옛날 이야기나 하고!"

잠깐만. 뭐라고? 그녀의 말을 들은 펠리체의 움직임이 우뚝 멎었다. 하지만 아벨라는 아랑곳하지 않은 채로 계속 울음을 토해 냈다.

"아픈 척 하라는 게 대체 뭐가 그렇게 좋은 조언이라고! 멋대로 은인이라고 하고! 진짜 기가 막혀서! 원래 기억이 고스란히 남아 있었어도 기억 못 했을걸, 너무 사소한 일이니까!"

아벨라가 말하는 소리에 펠리체의 뒷목이 뻣뻣하게 굳었다. 그는 순간 믿어지지 않는 얼굴을 한 채로, 천천히 아벨라에게 시선을 고정했다.

하지만 넌 기억했잖아.

금방이라도 튀어나올 것 같은 말을 억눌러 삼키며, 펠리체가 제게 불같이 화를 내는 아벨라의 얼굴을 살폈다.

아벨라가 지금 그녀와 자신과의 옛날 일을 기억하고 있다고 말한 게 맞는 걸까?

펠리체의 변화를 눈치채지 못한 채, 아벨라는 그를 향해 계속해서 거세게 소리치고 있었다.

"멍청이, 진짜 구제불능이야! 처음엔 그렇게 온갖 잘난 척을 하면서 여유 있는 척해 놨잖아?! 모든 계획을 다 알고 있는 것처럼, 압도적으로 준비해 놓은 것처럼 굴더니, 결국엔 이렇게 황제한테 죽기 직전까지나 가고…… 너는, 너는 정말!"

아벨라가 다시 와락 소리쳤다.

이젠 도저히 참을 수가 없었다. 펠리체는 휘두르려는 아벨라의 팔을 덥석 잡았다. 그리고 그대로 그녀를 제 쪽으로 당겼다.

그 바람에 아벨라는 펠리체의 품에 와락 안기고 말았다.

"이거 안 놔! 나쁜 놈!"

"일단 그 전에 하나만. 황제한테 당하기 직전 아니었어. 내가 무찌르고 멋지게 네게 돌아가기 직전이었다고."

"거짓말하시네!"

"거짓말 아니……."

아벨라가 변명하는 펠리체에게 뭐라 소리치려던 때였다. 그녀의 눈에서 다시 굵은 눈물이 흘러내리고 있었다.

이런. 펠리체가 다급하게 아벨라를 다시 끌어안았다.

"아냐, 네 말이 맞아. 그래. 거짓말했어. 제발 울지 마."

펠리체가 다급하게 속삭였다. 그녀의 등을 그의 두껍고 큰 두 손이 가만히 어루만졌다.

하지만 아벨라는 아랑곳하지 않았다. 두 팔의 움직임은 막혔고, 다시 엉망진창이 된 금실 같은 머리칼이 볼에 달라붙는데도 아벨라는 포기하지 않은 채 기어코 두 발을 들어 펠리체의 발을 밟고 걷어차기 시작했다.

그녀를 끌어안은 채, 펠리체는 제 열 발가락과 정강이가 으스러지는 듯한 고통을 삭제 감내해야 했다.

"놓으라고! 끌어안으면 다야!"

"알았으니까 울지 마. 내가 다 잘못했어."

"잘못했으면 다냔 말이야, 너는……."

"몇 대든 때려도 돼, 아벨라. 내가 잘못했어. 울지 마. 내가 멍청했어. 널 떼놓기만 하면 된다고 생각했던 내가 천치야. 응? 내가 미안해."

펠리체는 아벨라가 잦아드는 틈을 타 그녀에게 재차 사과했다. 하지만 절대로 아벨라를 안은 팔만큼은 풀지 않았다. 다시 그를 걷어차려던 아벨라가 끅끅거리며 울먹였다.

"이거나 놓고 말해……. 안으면 다야? 어?"

"아, 미안해. 이건 내가 너무 좋아서…….."

"너 정말 나랑 장난하니?! ……읍!"

펠리체의 대답에 아벨라가 다시 뺨 소리쳤을 때였다. 펠리체가 허리를 굽히곤 그녀의 붉은 입술에 제 입술을 맞췄다.

눈물이 잔뜩 배어 있는 입술이 달았다. 말도 안 되는 소리다. 하지만 펠리체에겐 정말로 그렇게 느껴졌다.

얼마나 입을 맞췄을까. 가볍게 살이 부딪히는 소리와 함께 펠리체가 입술을 떼었다.

"장난 아니야."

"……."

"아까 거울 안에서 내가 무슨 마음으로 널 보냈는데. 이렇게 다시 만났으니까 나는 이제 절대로 못 놔."

펠리체가 점점 잠기는 목소리로 그녀의 귓가에 삭제 속삭였다.

아벨라가 감았던 눈을 천천히 떠 그를 바라보았다. 펠리체의 눈동자가 금색으로 빛나고 있었다. 햇살처럼 따뜻한 색이었다. 그 눈동자가 말하고 있었다. 진심이라고.

문득 아벨라의 얼굴이 다시 일그러졌다. 그녀가 다시 눈물을 글썽이기 시작했다. 펠리체는 아벨라가 울먹이는 것을 보자마자, 다시 그녀를 꼭 끌어안았다.

제 시야에 가득 차는 금발에, 펠리체가 가볍게 숨을 내쉬었다. 아벨라가 자신에게 화를 내고 있는 상황이라는 걸 알지만,

그래도 그녀가 제 품에 있다는 게 기뻤다.

"사랑해."

펠리체가 작게 그녀에게 속삭였다. 아주 오래전부터 계속 품어 온 말이었다.

아벨라가 무심코 숨을 길게 토했다. 일순 아벨라의 입술이 벌어지고 붉은 혀가 드러났다. 펠리체의 입술이 다시 그녀와 포개어졌다.

"……큼."

……가 다시 떨어졌다.

벼락을 맞은 듯이, 아벨라가 펠리체를 밀친 채로 품 안에서 빠져나왔다.

대공이었다. 대공이 무척이나 삐딱한 표정을 지은 채로 펠리체를 노려보고 있었다.

"……지금은 아닐세."

'앞으로도 아니었으면 좋겠고.' 같은 표정을 지은 채로 대공이 말했다. 아벨라가 히끅거리며 머리를 다시 고쳐 묶기 시작했다.

펠리체는 대공의 시선을 피한 채로 이곳에 남은 사람들을 바라봤다. 대공의 병사들, 그리고 대공, 그리고 단장과…….

"……죄송합니다."

얌전히 사과할 밖엔 도리가 없었다. 펠리체는 헛기침을 하며 얌전히 눈을 깔았다.

"순간이동을 했다고?"

결론적으로 대공의 말이 맞았다. 설명 들어야 할 이야기가 너무 많았다.

대표적으로는 분명히 딜루어 공국에 있어야 할 아벨라가 어떻게 이곳까지 다다랐느냐 같은 이야기였다. 그리고 듣게 된 사정은 그야말로 기절초풍할 만했다.

"응."

아벨라는 고개를 끄덕이고는 펠리체에게 제 목에 걸려 있던 줄을 빼내 보여 주었다.

원래라면 레줄이 달려 있어야 했을 목걸이의 줄 끝엔, 형편없이 쪼개진 잔해만이 남아 있었을 뿐이다.

"그야말로 박살이 났구나."

"레줄이 다른 마정석의 몇 배나 되는 마력을 갖고 있다는 걸 생각하면 이 마법이 마력을 어마어마하게 소비하고 있는 것은 맞는 것 같아. 그래도 다행인 건 내가 원래 보유하고 있던 마력은 완전히 소모되지 않았다는 거야."

아벨라는 조금 부은 눈가를 매만지며 아까를 떠올렸다.

마법을 시전했을 때, 그런 감각을 느끼는 건 처음 있는 일이었다. 마치 진공청소기가 먼지를 빨아들이는 것처럼 아벨라의 마력이 들고 있던 마법진으로 빠져나갔다.

덕분에 그 전엔 느끼지도 못했던 마력의 존재를 알게 되었다. 머리 전체에 이명이 울릴 정도였다.

만일 마력은 마력대로 다 쓰고 정작 마법이 제대로 시전되지 않으면 어쩌지? 몸의 반만 제국으로 가 있다거나 하는 건 아니겠지?

아벨라가 이를 악문 채 심호흡을 이었다. 아니다. 그렇게 될 수는 없다. 반드시 제국에 도착해 있을 거라 믿으며 아벨라가 다시 한번 눈을 꼭 감았다가 떴을 때였다.

눈을 뜨니, 아벨라가 아주 잘 알고 있는 공간이었다.

카셀란 제국의 백영궁. 항상 보아 익숙했던 붉은 바닥과 금장, 흰색의 벽을 본 아벨라의 눈이 크게 떠졌다. 그리고 동시에 저절로 제 손과 발을 쥐어 보았다.

다행이다. 반만 이동한다거나 하는 불행한 사태는 일어나지 않은 것 같다.

"맙소사."

"정말로…… 이동했어."

아벨라가 주변을 둘러보는 사이, 아벨라와 함께 이동한 자들은 나지막이 환호성을 터뜨렸다.

다들 크게 놀란 표정이었다. 마법을 시전한 아벨라조차 놀랐으니 오죽할까.

아벨라가 이마에 손을 짚으며 주변을 둘러보았다. 갑자기 오한이 들고 무척 어지러웠다.

하지만 아벨라는 본능적으로 알 수 있었다. 자신의 마력은 완전히 고갈 되지 않았다.

다행이라고 안심하던 그때였다. 아벨라의 꽉 쥔 손 안에서 '버적' 하는 소리가 났다. 황급히 아벨라가 손을 펼쳤을 때였다.

레줄이었다. 바짝 마른 나뭇가지가 갈라지듯이 그렇게 조각나 있었다. 색도 검게 변해 있었다.

"이제 두 번 다시 그런 위험한 마법은 하지 마."

사정을 모두 들은 펠리체가 그녀에게 조심스럽게 말했을 때였다. 아벨라의 눈썹 한쪽이 들려 올라갔다.

"뭐? 싫어. 네가 지금 나에게 해야 할 말은 '좀 더 좋은 레줄을 구해 줄게.'라고."

"좀 더 좋은 레줄을 구해 줄게. 하지 마."

"싫어."

"그럼…… 좀 더 좋은 레줄을 구해 줄게. 수많은 사람들을 상대로 하지 말고 나와 널 위해서만 쓰자."

"싫…….."

다시 고개를 저으려던 아벨라가 멈췄다. 순간 아벨라의 눈에 장난기가 돌았다. 펠리체의 이야기를 모두 알아들었기 때문이었다.

"그건 좋아."

아벨라는 배시시 웃으며 아벨라가 수줍게 대답했다. 그래, 생각해 보니까 순간이동마법의 난이도도 난이도지만, 한 번에 너무 많은 사람들을 옮겨서 이렇게 힘들었던 것 같기도 했다.

앞으로 펠리체와 자신을 위해서만 쓴다면 그렇게 힘든 일이 없을 것 같기도 하고 말이야.

펠리체가 씨익 웃어 보였다. 완벽한 미소였다. 눈동자에 담겨 있는 것은 온전히 아벨라뿐이다. 아벨라가 그를 향해 마주 웃어 주며 고개를 들었다.

"지금은 안 된다고 말했을 텐데."

이크, 대공이 아직도 앞에 있다는 걸 잊고 있었다.

"죄송합니다."

펠리체와 아벨라가 얌전히 입을 모아 사과했다.

이 뒤의 이야기는 한 문장으로 설명할 수 있었다. 카셀란 제국은 멸망했다.

그야말로 최단 기간 무혈입성이었다. 게다가 주체는 황궁에서 괴물이라 불렸던, 하지만 놀라운 반전을 보여 최근 영향력을 늘려 가던 8황자다.

심지어 제국의 주변 국가를 적극적으로 끌어들여 제국을 침공하게 만들었기 때문에, 아벨라는 내심 제국민들의 반발이 무척 심할 것이라고 생각했다.

'자고 일어나니 국기가 바뀌어 있더라.'의 실례로 남을 만큼이나, 매우 갑작스럽고 극렬한 변화가 아닌가.

게다가 카셀란의 귀족들이나 친황제파 귀족들, 혹은 나라를 사랑하는 국민들에겐 하루아침에 나라를 빼앗긴 것이나 다름없었다.

8황자를 매국노라 지탄하며 들고 일어나도 전혀 이상할 바 없는 전개였다.

하지만 정말 이상한 일이었다. 카셀란 제국의 이름은 착실하게 지워지기 시작했다. 그 누구도 카셀란 제국이 사라진 데에 대해서 의문을 품지 않았다.

황궁의 잔여 황제파 귀족들도, 영세한 영지의 변방 귀족들과 심지어 제국의 백성들까지도.

처음엔 말이 되지 않는다고 생각했다. 아벨라가 다른 세계에서 배웠던 역사는 대체로 이런 식으로 흐르는 경우는 거의 없었으니까.

끝까지 싸우거나 타국에서 세력을 도모해 나라의 복권을 희망하지 않던가.

하지만 모든 게 평화로웠다. 황궁에서 연기가 피어오르고, 황궁에 걸려있던 카셀란의 국기가 끌어내려졌는데도, 제국의 모두가 제국의 쇠락에 아무렇지도 않게 반응했다.

마치, 자신들이 지금까지 카셀란 제국의 국민이 아니었다는 듯한 태도였다.

제국은 얌전히 그들의 운명을 기다리고 있었다.

"카셀란 때문이지."

도저히 궁금증을 해소하지 못한 아벨라의 물음에, 펠리체가 짧막하게 대답했다. 당연하다는 얼굴이었다.

하지만 대답을 듣는 아벨라의 표정은 오묘하게 변했다. 왜 그 이름이 여기서 나와?

소요가 끝나고, 아벨라와 펠리체는 일단 공국의 공저로 거처를 옮긴 상태였다. 펠리체와 아벨라의 일행들 또한 공저로 거처를 옮겼다.

"카셀란이라고? 백룡?"

"네가 말했잖아. 카셀란이 제국은 멸망할 거라고 공언했다며."

"……그랬지."

근데 제국의 백성들에 대한 반응이 그것과 대체 무슨 상관……. 잠시 미간을 찌푸리던 아벨라가 '아.' 하고 탄성을 내뱉었다.

"그럼 지금 백성들의 반응은 카셀란이 만들어 낸 거라는 거야?"

"애초에 카셀란의 가호 아래 세워진 나라야. 유별날 정도로 아무런 사건 사고가 일어나지 않았지. 언제나 강건했고, 나라는 항상 폭발적으로 발전해 왔어. 이 자체로도 이상하지 않아?"

펠리체가 한쪽 입꼬리를 올린 채 그녀에게 말을 이었다.

"내가 너를 데려올 때에도, 제국은 다시 전성기를 맞이하기 직전이었어. 카셀란이 마법 외엔 가호를 남겨 두고 있었기 때문이지. 귀족이 백성들의 피고름을 짜냈어도, 심지어 전성기 이전의 혹독한 가뭄에도 제국은 쇠락할 기미가 안 보였어. 이상하지 않아?"

"이상해. 당연히 이상하지."

"응. 그러니 이는 모두 카셀란 때문이야. 애국심 같은 건 애초 제국의 백성들에겐 굉장히 약한 개념이었을 거고, 황제에 대한 믿음도, 귀족에 대한 믿음도 약했어. 지금 그들은 차라리 카셀란의 존재에 대해 불안해할 뿐이지 황실이 사라진 데엔 아무렇지도 않을 거라고 생각해."

"그래서 지금 이렇게 된 와중에도 이들이 가만히 있는 거라고?"

"나는 그렇게 생각해. 그리고 카셀란을 지배하려는 세력들 또한 이들을 과도하게 착취하거나 범죄를 저지르지 않을걸. 이 수많은 백성들의 생존과 이들의 재산권을 침범하려는 생각조차 못하고 있을 거야."

"그것도 역시 카셀란 때문일 거고?"

"음. 아무래도."

"허어."

아벨라는 펠리체의 설명에 어이없다는 듯한 표정을 지으면서도 고개를 천천히 끄덕여 보였다.

그러니까 애초에 말도 안 되는 세계였다. 모든 게 용의 의사로 결정되었던 세계였던 것이다. 사람이 결정할 수 있는 의사는 거의 없었던 모순적인 사회.

하긴, 따지고 보면 마법과 용이 실제로 존재하는 개념부터 이상하다. 결국 모두 카셀란이 원흉이었던 게 맞았구나.

아벨라가 이 자리에 없는 카셀란에게 마음속으로 온갖 욕을 퍼부을 때였다. 펠리체가 천천히 말을 이었다.

"그래서 이 회의가 끝난 이후 일단 최우선으로 해야 할 일은 흉흉한 민심을 달래고, 카셀란 없이도 잘 돌아갈 거라고 확신시키는 일이야."

아, 지금 펠리체가 말하는 '이 회의'라는 것은 다름 아닌 카셀란 제국에 대항했던 연합군인 사므텐과 딜루어 공국, 크톤 연합국이 제국의 실효적 지배에 대해 의논하는 회의였다.

말이 회의지, 제국을 어떻게 갈라 먹느냐에 대한 모임이나 다름없었다.

아벨라와 펠리체 또한 이 회의에 참여할 예정이었다. 공국의 입장에서 사정을 대변하고 회의에서 주도권을 잡게끔 돕기 위해서였다.

수도를 뒤엎었던 반군과 사므텐 국을 비롯한 연합군은 뒤늦게 들이닥쳤고, 이미 성 안에 들어와 있는 공국의 세력들을 본 뒤 매섭게 항의했던 바가 있는 만큼 무척 신중해야 했다.

"잘 돌아갈 수 있을까?"

"글쎄, 적어도 카셀란의 황족들보단 잘 돌아가지 않을까."

"차라리 펠리체, 네가 그냥 황제가 되는 게 제일 좋았을지도 몰라."

"하하, 아냐. 그건 싫어."

아벨라의 말에 펠리체는 강하게 고개를 저었다.

"나는 이 계획이 모두 끝나면 떠나 버리려고 했어. 떠나서, 마음껏 방랑하면서 꿈꾸는 대로 살다 죽으려고 했지. 물론 네가 의식을 되찾지 않았을 때의 이야기지만."

아벨라는 잠시 펠리체의 얼굴을 바라보며 펠리체가 살았을 거라고 말하는 삶을 상상해 보았다.

간소하고 편한 옷차림, 바람을 피하기 위한 터번을 얼굴에 두른 채, 자루의 검만을 허리에 차고 나아가는 모습. 꽤 잘 어울렸다.

자신이 공연히 펠리체의 자유를 막은 걸까? 아벨라의 표정이 씁쓸하게 변할 때였다. 펠리체가 순간 아벨라의 뺨에 손을 댔다.

"이상한 생각하는 건 아니겠지? 지금은 네가 옆에 있는 것만으로도 정신을 차리지 못할 정도로 행복해."

귀신같은 눈치. 아벨라가 그를 보며 빙그레 웃었다.

"어떻게 알았지? 조금 걱정하고 있었거든."

"하하. 내가 하고 싶은 말은, 나는 절대로 정치에 참여하지 않겠다는 거야. 그리고 내가 정치에 참여하지 않고, 평생 원하는 대로 살기 위해선."

펠리체의 눈빛이 진지하게 빛났다.

"반드시 딜루어 공국이 제국을 흡수하는 형태로 가야 해."

"딜루어 제국이 된다고?"

아벨라가 농담인 줄 알고 엷게 웃으며 되물었다. 펠리체와 눈이 마주친 순간, 아벨라는 웃음을 거뒀다. 펠리체의 눈이 전혀 웃지 않고 있었다.

"내가 원하는 형태로 모두를 행복하게 만들 사람은 딜루어 대공 전하뿐이거든. 네 아버님이라서가 아니야. 아주 오래전부터 깨달은 거야."

펠리체는 그렇게 이야기하곤 아벨라를 똑바로 바라보았다.

"난 대공 전하가 가진 자질을 너도 갖고 있다고 생각해."

갑작스러운 이야기에, 아벨라의 눈동자가 동그랗게 떠졌다. 뭐?

"……나?"

"응. 그래서 내 계획은 네게 반드시 정치를 시키고, 나는 널 외조하는 방향으로 인생을 사는 거야."

"뭐라고?"

들은 귀를 의심하며 아벨라가 되물었다. 펠리체는 빙그레 웃으며 아벨라의 손을 들어 그 손끝에 가볍게 입술을 맞췄다.

"그러니까 잘 부탁합니다, 부인."

"……그냥 편하게 둘이 사는 건 어떨까요, 서방님?"

아벨라가 허망한 표정으로 그에게 말했을 때였다. 펠리체는 일어서면서 아벨라의 허리를 부드럽게 끌었다. 그가 고개를 숙여, 아벨라와 부드럽게 이마를 맞댔다.

"부인, 제 생각에 부인은 주머니 속의 송곳이란 말이지요? 부인이 생각이 없어도 부인을 두려워하는 자가 나타날 것이고, 부인은 의미 없는 일을 했다 한들 반드시 그 행동에 의미를 부여하는 자가 나타날 겁니다."

"하지만—."

아벨라가 황급히 다시 대꾸하려 할 때였다. 갑자기 무거운 노크 소리가 울려 퍼지고, 문 사이로 베티가 총총 걸어들어왔다.

아벨라와 펠리체가 후다닥 떨어졌다. 베티는 펠리체와 아벨라가 뭘 하고 있었는지 알겠다는 듯 엷게 웃었다.

그리고 베티를 따라 누군가 들어왔다. 머리칼을 하나로 단정히 묶은 딜리온이었다.

"회담에 참석하셔야 할 시간이십니다."

딜리온이 허리를 굽히며 정중하게 말하자, 펠리체가 웃으며 고개를 끄덕였다.

"곧 가겠네."

"예."

딜리온이 아벨라와도 눈이 마주치곤 옅게 웃으며 먼저 나섰다. 펠리체는 아벨라의 옆에 다시 붙으며, 그녀의 귓가에 속삭였다.

"최선을 다해 외조할게. 싫으면, 그냥 아픈 척해도 되고."

"뭐? 펠리체, 너 정말!"

황당한 표정으로 되묻던 아벨라의 앞에, 펠리체가 손을 정중하게 내밀었다. 어휴 정말, 한 대 때릴 수도 없고.

아벨라는 그런 그를 가만히 바라보다가 결국 작게 소리 내 웃었다. 그냥, 이쯤 되니 그냥 웃기기만 했다.

"아, 몰라."

몇 번 소리 내어 웃던 아벨라가 그렇게 말하곤 펠리체의 손을 단단히 마주 잡았다.

모르겠다. 그냥 펠리체의 얼굴을 보니 어떻게든 되겠지 하는 생각이 든다.

그래, 어떻게든 되겠지. 뭐가 되든 아벨라가 생각하고 계획한 것과는 전혀 다르게 전개되어 왔다.

그래도 생각해 보면 후회 없이 언제나 행복했으니, 앞으로는 정말로 그렇게 되겠지.

"뭐, 아무리 그래도 지금까지처럼 힘들까."

잠시 지난날을 생각하던 아벨라가 허공을 바라보며 중얼거렸다. 그랬다. 지금까지도 어찌어찌 잘 헤쳐 나왔지 않은가.

사실, 앞으로 닥칠 일도 이대로라면 별로 무섭지 않다. 아벨라는 그 자리에서 한숨을 내쉬곤 펠리체와 천천히 걸어 나갔다.

하지만 아벨라는 아직 알지 못했다. 펠리체의 외조다운 외조가 그야말로 온 대륙을 뒤흔드는 외조임을.

머리부터 발끝까지 보석을 걸친 채로 공저를 누비고, 그녀를 의심하는 공국 대신들의 콧대를 누르고, 펠리체 자신을 노리는 자들 앞에서 이를 드러내며 스스로 존재감을 드러낼 것임을.

그리고 세계로 흩어진 카셀란의 황족들과 다시 재회하게 되고, 이미 잠든 줄 알았던 카셀란은 아직도 깨어 있는 채 아벨라의 아주 가까운 자리에 위치해 있었음을.

그리고 지금 이 모든 모험은 아직 끝난 게 아님을.

그녀의 드레스 자락이 빠져나가고 곧 문이 천천히 닫혔다.

외전

외전

아벨라는 천천히 주변을 둘러보았다.

백영궁. 수호룡 카셀란이 선물했다던 전설이 전해지는, 카셀란 제국의 주궁이었던 곳. 건물의 외관 전체가 화려한 백영으로 장식되어 있는 이 건물은 카셀란 제국의 상징이나 다름없었다.

이전의 백영궁이 어땠는지 아벨라는 똑똑히 기억하고 있다. 당연하지, 정신을 차려보자마자 이곳에 떨어졌고, 이곳에서 온갖 일들을 겪었으니까.

제국의 영화를 상징하는 백영궁의 붉은 카펫은 보란 듯이 짙푸른 카펫으로, 우아하고 고풍스러웠던 크림색의 벽은 백영궁의 원래 색이었을 흰 색으로 변했다. 카셀란 제국의 백영궁일 적엔 분명히 막혀 있었던 천장이다.

하지만 딜루어 공작은 백영궁에 입궁하자마자 곧바로 이 홀의 개조부터 지시했다. 뿐만 아니라, 공작이 기거하는 동선의 방들엔 모두 큰 창문이나 천장을 뚫고 돔을 달았다.

그 이유에 대해, 딜리온은 이렇게 설명했다.

"간단합니다. 딜루어를 다스리는 자는 그 위에 반드시 하늘을 이고 있어야 하거든요."

딜리온의 말뜻은 명백했다. 딜루어는 해상 무역으로 국가의 반석을 닦았고, 국가가 직접 상단을 운영하고 있었다. 지금도 국가 소속의 상선 중 6할이 바다에 나가 있는 상황이었다.

딜루어를 다스리는 자라면 하늘을 읽고 날씨를 수시로 살펴야 한다. 천장에 뚫어 놓은 이 창들 또한 그 상징성의 일환이었다.

딜리온의 말을 되새기던 아벨라가 다시 눈빛을 되찾았다.

"하늘 아래에서 대관식을 할 거라면 실외에서 해도 됐잖아요?"

"상황 통제가 힘드니까요. 구태여 밖에서 변수를 늘릴 필요가 없지요."

아벨라의 속삭임에, 옆에서 두 손을 모은 채 시립해 있던 딜리온이 작은 목소리로 대답했다.

"백영궁을 이렇게 바꿀 줄 몰랐어요."

"이미 우리나라의 소유가 되었는데 조금 바꾼들 뭐가 어떻습니까?"

"조금이라기엔 엄청 화려한 변화 아니에요?"

아벨라가 소곤댈 때였다. 펠리체가 조심스럽게 아벨라의 손가락 끝을 만지곤 헛기침을 울렸다. 아벨라가 재빠르게 정면을 바라보았다.

백영궁의 넓은 홀 가운데는 투명한 유리 돔이 자리 잡고 있었다. 아주 넓고 큰 유리 천장으로는, 마치 스포트라이트라고 착각할 법한 강하고 아름다운 햇빛이 쏟아지고 있었다.

그리고 그 가운데, 자신의 아버지가 있다. 그는 오늘로서 딜루어 '왕국'의 왕이 된다.

오늘은 딜루어 공국이 왕국이 되는 역사적인 승격일이자, 딜루어 초대 왕의 대관식이었다.

카셀란 제국의 멸망 이후, 약 6개월이 지났다.

그동안 카셀란에서는 제1차 앙겔 조약이 진행되었다. 카셀란의 앙겔 지역에서 진행된 이 조약은 밖으로는 평화 조약이라는 이름을 달고 있었으나 실상은 딜루어, 사므텐, 크톤 등 연합군의 주요 국가가 모여 카셀란의 실효 지배 및 통치 범위를 정하는 땅따먹기에 가까웠다.

딜루어 공국은 치열한 외교 싸움 결과, 딜루어 공국과 근접한 카셀란의 남부 해협과 동부, 카셀란의 수도까지 차지할 수 있었다. 이는 카셀란 제국의 국토 삼분의 이에 달하는 크기로, 실로 훌륭한 성과라고 할 수 있었다.

물론 타국의 반발이 없는 것은 아니었다. 특히 군사력의 상당 부분을 작전에 할애했던 사므텐의 경우엔 외교적으로 중대한 수위의 항의 서한과 외교관 철수, 그리고 군사 조치를 언급할 정도였다.

하지만 황제의 신병을 제일 먼저 구속해 협상의 우위를 점한 것은 딜루어국이었다.

뿐만 아니라 펠리체 카셀란 8황자의 제안을 가장 먼저 받아들여 타국에게 연합을 제안한 당사자였다. 게다가 작전에 있어서 모든 자금을 지원했으며, 제국을 경제적으로 압박한 것 또한 딜루어였다.

　결국 다른 나라들이 한 걸음 물러서는 방향으로 조약이 마무리될 수밖에 없었다.

　또한 조약의 성공적인 체결엔 딜루어 공국 대신들의 유능함도 한몫 단단히 했다. 딜루어 공국의 대신들은 마치 이날을 기다리며 하루하루를 살아온 사람들처럼 행동했다. 타 국가의 사람들을 교묘하게 띄우면서, 딜루어국이 해낸 일들은 절대로 과장하거나 축소하지 않으면서도 효율적으로 어필했다.

　사실 타국들은 카셀란 제국을 마치 얼결에 얻은 횡재인 것처럼 생각하고 있었기 때문에 여기에 대해서 아무런 대책을 세워 두지 않았다. 딜루어 공국의 외교대신들이 승승장구하는 것을 보며, 뒤늦게 미리 준비를 했어야 했다고 후회했지만, 이미 때는 늦은 직후였다.

　결국 모두가 합의하는 도장을 찍었으나, 합의된 내용만을 미루어 보자면 딜루어국 일방에게만 유리한 내용이 대다수였다. 한마디로 외교전쟁에서도 딜루어가 대승했다는 소리였다.

　대륙의 패자가 된 딜루어는 그 즉시 다음 단계를 준비했다. 바로 공국에서 왕국으로의 승격이었다. 딜루어 공국이 누구보다도 기다리고 있었던 단계이기도 했다. 공국이라는 이름으로 눈 가리고 아웅 하며 눈치 볼 제국은 이제 없다. 그들의 왕이 이제 올바른 이름으로 불릴 차례였다.

　지난날을 떠올리던 아벨라가 다시 힐끔 정가운데의 단상에 시선을 두었다. 햇빛을 받으며 서 있는 아버지의 앞으로, 정복을 차려입은 시종 둘이 짙푸른 방석을 든 채로 천천히 다가섰다. 방석의 위엔, 저 멀리서도 알아볼 수 있는 휘황찬란한 왕관이 놓여 있다.

대륙에서 손꼽히는 금속 세공사들이 모여 만들었다는 왕관. 푸른 비로드 왕관의 주위로 다이아몬드와 에메랄드가 촘촘히 박혀 있었다. 그리고 왕관의 첨단, 가장 크고 아름답게 박혀 있는 저건……. 보석을 발견한 아벨라의 눈이 절로 동그래졌다.

"저 가운데엔-."

"맞습니다. 레줄입니다."

아벨라가 조그맣게 탄성을 지르자, 딜리온이 마주 대답했다. 저게 레줄이라고? 아벨라가 입을 쩍 벌렸다. 아버지의 왕관에 장식되어 있는 레줄의 크기는 자신의 손바닥보다도 훨씬 큰 크기였다.

자신이 갖고 있던 손톱만 한 레줄도 천문학적인 가격이라고 들었는데, 저게 대체 얼마야. 자신도 완성되었다고 지나가는 말로만 들었지 직접 보는 것은 또 처음이었다.

대관식의 절차는 간단했다. 딜루어 공작이 나아가 저 왕관을 스스로 들어 쓰면 된다. 아벨라는 아버지의 앞에 방석이 다다르는 순간, 자신도 모르게 침을 꿀꺽 삼켰다. 왜 이렇게 떨린담. 아벨라가 두근대는 가슴을 잡은 채, 시선을 주변으로 돌렸을 때였다.

아벨라의 눈이 동그래졌다. 그곳에 모인 수많은 귀족들이 자신처럼 아버지만을 바라보고 있었다. 숨 막힐 정도의 정적이 흐르고 있었다. 어느 하나 허투루 숨 쉬는 이가 없었다. 무서우리만치의 집중력으로, 오로지 자신의 아버지만을 바라보고 있었다.

아벨라의 등골이 순간 서늘해졌다. 희미한 적대감, 호기심, 열렬한 호응과 찬미들이 뒤섞인, 그저 고요한 시선들일 뿐인데도 겁이 난다. 숨이 막히고 부담스러운 이 공기.

이 자리의 분위기가 바로 왕이 될 자가 견뎌야 하는 무게의 실체라는 것을 깨달았다. 그들의 시선을 구경하는 자신조차 숨이 막힐 정도인데, 홀 한가운데서 사람들의 시선을 한 몸에 받고 있는 아버지는 어떨까.

이게 바로 만인의 위에 선다는 의미일까.

아벨라가 그 광경에 압도당해 있을 때였다. 딜루어 공작은 그저 무표정한 얼굴로 자신의 코앞에 놓인 왕관을 바라보고 있었다. 곧 그가 천천히 두 손을 뻗어, 방석 위에 놓인 왕관을 두 손으로 들었다.

용의 도움도, 신이 준 권력도 아닌, 스스로 갖게 된 권력임을 천명하는 순간, 모두가 한층 더 숨을 죽였다.

아버지는 고개를 숙이지 않은 채, 제 머리 위에 왕관을 엄숙하게 올려놓았다. 뒤의 시종이 아버지의 어깨에 담비와 여우로 만든 모피를, 그리고 양옆의 또 다른 시종들이 그의 오른손에 홀을 올려놓았다. 시종들이 물러나고, 빛이 쏟아져 내리는 가운데 딜루어 왕이 그 온전한 모습을 갖추었다.

그리고 그 순간, 그 자리의 모든 이들이 무릎을 꿇은 채로 허리를 깊숙이 조아렸다. 아벨라와 펠리체 또한, 정중히 무릎을 꿇었다.

딜루어 대공, 딜루어 공국의 합법적인 통치자가 딜루어 왕국의 초대 왕이 되는 순간이었다.

……라고 모든 상황이 마무리 지어질 수 있으면 얼마나 좋을까만은.

며칠 뒤, 아벨라는 정원 테이블에 앉아 있었다. 옆엔 편안한 차림의 펠리체가, 그리고 그 앞엔 궁정복을 갖춰 입은 딜리온이 굳은 표정으로 아벨라를 바라보고 있었다. 딜루어 왕국의 궁정복은 짙푸른 색과 녹색으로 구성되어 있었는데, 딜리온의 외모와 꽤 잘 어울렸다.

"지금 상황을 간단히 설명드리면 다음과 같습니다."

딜리온은 짤막하게 말하며 마시던 찻잔을 내려놓았다. 아벨라도 얼결에 찻잔을 내려놓은 채로 딜리온의 얼굴에 시선을 두었다. 반듯한 이마와 선해 보이는 눈, 그리고 빙그레 웃고 있는 입술까지 참 곱다.

이 사람이랑 나랑 얼굴이 비슷하단 말이지. 둘의 생김새에 대해선 아벨라의 친부인 딜루어 왕마저 인정할 정도였으니, 그 닮음의 정도는 굳이 설명할 필요 없겠다.

하지만 아벨라는 사실 딜리온이 훨씬 더 예쁜 것 같았다. 자신의 얼굴은 보다 보니 적응되어 버렸단 말이지.

아벨라가 딜리온의 얼굴을 잠시 바라보는 그 순간, 딜리온이 다시 입을 열었다.

"원래 딜루어 왕국이 공국일 적엔 전하의 뒤를 이을 후계자가 결정되지 않은 상태였습니다. 전하의 소생은 왕녀 저하만이 유일한데, 아시다시피…… 왕녀 저하가 공녀이실 때엔 몸이 무척 좋지 않으셨기 때문입니다."

'백치였다'는 말을 저렇게 순식간에 둘러대다니, 정말 대단하다. 아벨라가 애매한 뉘앙스에 눈썹을 모으는 사이, 딜리온은 다시 이야기를 이었다.

"하지만 지금은 상황이 좀 많이 변했습니다. 왕녀 저하께서는 제국을 무너뜨리는 데 일조하였고, 황제까지 생포하였으며, 이로 인해서 딜루어가 제국의 영토 대부분 차지하는 데 큰 공을 세우셨습니다. 회담에서의 활약은 말할 것도 없고요. 현재의 저하께서는 다른 이들보다 강력한 딜루어의 후계자나 다름없지요."

느껴지는 미묘한 뉘앙스에 아벨라는 한숨을 삼켰다.

"이런."

"왜요?"

딜리온이 짐짓 아무것도 모르는 양 시치미를 뗐지만, 아벨라는 이미 눈치챘다. '다른 이들 보다'라는 말이 나온 이상 모를 수가 없잖은가. 지금은 왕국이 된 딜루어의 후계자로 이미 유력한 자가 있었다는 소리다.

아벨라가 잠시 심란한 듯이 허공을 바라보았다. 카셀란 제국에서의 일을 이미 겪었다. 딜리온이 이야기 뒤로 무엇이 기다리고 있을지는 안 봐도 뻔했다.

"누군데요."

아벨라가 물었다. 그 순간, 딜리온의 눈썹이 위로 잠깐 들리는 것처럼 보였다.

"……뭘 말씀이십니까?"

짐짓 모른 척 눈을 깜박이는 딜리온을 바라보며, 아벨라는 일부러 눈을 반만 뜬 채 그를 흘겨보았다. 속이 뻔히 들여다 보인다. 그래도 제국에서 산전수전 다 겪었더니 이 정도는 애교로 보인단 말이지. 아벨라가 한숨을 쉬면서 다시 입을 열었다.

"경이 말씀하시고자 하는 바는 충분히 알았어요. 결정된 후계자가 없었어도 유력한 후보자가 존재했다는 거죠? 그리고 제가 그자와 결과적으로는 경쟁구도를 이루게 되었다는 이야기 아닌가요? 제발 그 후계 후보가 누구인지 좀 알려 주시겠어요? 그냥 깔 거 깝시다."

"……큼큼. 그럴까요."

잠시 민망한 듯이 헛기침을 삼킨 딜리온은 시선을 잠깐 다른 곳에 두었다. 어떻게 말을 꺼내야 할지 잠시 저어하던 그가 다시 입을 열었다.

"전하께서는 사촌 동생이 한 분 계시는데, 바로 노아드 후작이십니다. 노아드 후작가에는 두 명의 자녀가 있는데, 딜루어 공국내의 귀족들은 그 노아드 후작의 적장자인 칼리스 데 노아드가 후계자가 되지 않을까 조심스럽게 점쳤습니다. ……지금까지는요."

"노아드 가문이라면……."

분명히 며칠 전 수업할 때에 들었다. 딜루어 건국 당시에 큰 공을 세웠던 가문들 중 하나였다. 아벨라가 운을 떼자, 딜리온이 고개를 끄덕였다.

"개국공신들 중 하나입니다. 딜리온 공국 내에선 명망이 높은 집안이지요. 그리고 돌아가신 왕비 전하와 노아드 후작 부인은 크톤 연합국 출신이라는 공통점이 있어, 노아드 가와도 왕래가 잦았습니다. 왕녀 저하와 노아드가는 먼 친척이 됩니다."

그렇군. 아벨라가 고개를 끄덕였다.

"그럼 칼리스를 지지하던 귀족들은 제가 멀쩡한 게 불만이 겠네요."

"직접적으로 말씀드릴 수는 없겠지만, 그런 분위기입니다."

아벨라는 비딱하게 한 손으로만 턱을 괸 채 딜리온을 바라보았다.

"칼리스가 단독 후계자나 마찬가지였을 테고, 이미 그에게 충성하는 귀족들의 지지층도 공고하겠고요. 그럼 전 현재 분란의 씨앗이란 소리 아닌가? 이게 의미가 있나요?"

아벨라의 날카로운 말투에, 딜리온의 얼굴이 희미하게 굳어졌다. 입술을 완전히 다문 딜리온이, 시무룩하게 시선을 내려깐다. 금색의 긴 속눈썹이, 그의 눈동자를 완전히 가렸다.

언제 봐도 참 아름답게 생긴 얼굴이었다. 선이 곱고, 이목구비가 화려한 미남. 물론, 자신의 남편 펠리체도 외모로는 빠지지 않겠지만 딜리온은 펠리체와는 조금 다른 류의 미남이었다.

흠흠, 잠깐 한눈팔 뻔했네. 아벨라가 표정을 수습하려는 때였다. 타이밍 좋게도 딜리온이 마침내 운을 뗐다.

"그렇습니다. 하지만 저는…… 저하께서 반드시 후계자가 되어야 한다고 생각합니다."

"왜요?"

"간단합니다. 딜루어가 번영하기 위해서는 저하께서 제일 군주에 적합하기 때문입니다."

"오로지 딜루어의 번영을 위해서예요?"

"예. 딜루어의 백성과 앞으로 딜루어가 나아가야 할 방향을 보았을 때, 저하의 마법과 통찰력, 그리고 정통성은 그 누구보다도 딜루어의 후계자에 적합한 분이니까요."

"허어."

오, 이건 좀 신선한 대답이다. 아벨라의 한쪽 눈썹이 가볍게 까닥였다. 카셀란 제국 때를 떠올려 보면 딜리온의 이 대답이 생경하게 느껴질 수밖에 없다. 카셀란에서 황위를 탐내던 모두의 목적은 개인의 영달이었으니까.

"그리고…… 저하께서도 왕위에 오르셔야 할 이유가 있지 않습니까?"

딜리온의 말에 아벨라는 딜리온과 눈을 마주 봤다. 아벨라의 눈이 순간 흔들리고 있었다. 딜리온은 아벨라를 향해 빙그레 웃고 있었다. 마치 아벨라의 속내쯤은 짐작하고도 남았다는 표정이었다.

"저하, 혹 저하께서는 펠리체 경의 입지를 걱정하고 계시지 않습니까?"

딜리온의 말에, 아벨라는 짧게 숨을 내쉬었다. 역시, 이미 눈치채고 있었다.

아벨라가 미간을 찌푸렸다. 아벨라의 심기가 불편함을 알아챈 딜리온은 황급히 말을 이었다.

"펠리체 경은 제국을 무너뜨리는 데 큰 도움이 되셨고, 딜루어를 왕국으로 끌어올리는 데 큰 도움이 되신 분이지만, 그뿐입니다. 딜루어 국민들의 신임은 평생 얻지 못하실 겁니다. 나라를 등졌다는 비난과 함께 그를 끊임없이 의심하고 경계하는 자들이 생길 테지요. 부군을 지킬 분은 저하뿐입니다."

아벨라의 입술이 꽉 다물렸다.

타당한 지적이었다. 지금 딜리온이 말하고 있는 부분은 아벨라도 절절하게 느끼고 있던 부분이었다. 지금 이 시점에서 가장 입지가 불안한 사람은 펠리체였다.

그리고 이 사실은 펠리체 본인도 잘 알고 있겠지. 펠리체는 일전에 자신에게 은연중에 딜루어의 후계자가 된다는 가정으로 말한 적이 있었다. '외조'라는 농담을 섞어 말했었지만, 어떻게 눈치채지 못할 수 있겠는가.

펠리체는 아벨라와 만난 이래로, 단 한 번도 아벨라의 앞으로의 거취에 대해서 먼저 이야기한 적 없었다. 언제나 아벨라 네 마음대로 해, 하고만 말했었지.

물론 억측일 수도 있었다. 펠리체는 이미 다 계획이 있을 수도 있고, 아벨라에게 말했던 내용들은 순전히 농담일 수도 있지. 하지만 무의식적으로, 농담으로라도 이런 이야기를 했다는 자체가 마음에 걸렸다.

그러니 더더욱 아벨라는 펠리체를 돕고 싶었다. 자신이 도울 수 있는 최대한의 방법으로, 그러니까 말하자면.

이 나라의 왕이 되고 싶었다.

이번엔 자신이 펠리체를 지켜 주고 싶었다. 자신은 딜루어국 소속이고, 자신을 극진히 사랑하는 아버지와 다른 이들이 있는 것을 알지만, 솔직히 말하자. 펠리체보다 중요하지 않았다.

그리고 아벨라는 펠리체 또한 그럴 것이라고 확신할 수 있었다.

"……경의 말이 맞아요."

골똘히 생각에 잠겨 있던 아벨라가 입을 연 것은, 딜리온이 말을 끝낸 뒤로도 한참 후의 일이었다.

"맞아요, 저에게도 왕이 되어야 할 이유가 있죠. 하지만 경이 그 부분을 먼저 말씀하시다니 의외예요. 경은 딜루어 왕을

섬기는 신하이니만큼 제게도 딜루어민으로서의 의무를 먼저 입에 담을 거라고 생각했거든요."

아벨라의 말에 딜리온이 작게 웃음을 머금었다. 일견 다정한 눈빛이 그의 눈에 감돌았다.

"제가 그렇게 딱딱해 보였습니까?"

"그런 건 아니지만, 왕국의 단 하나 뿐인 왕녀에게 '나라를 위한 명분이 아니어도 괜찮다'고 말할 만큼 융통성이 넘치시는 분이라고도 생각한 적이 없네요."

"하하하."

짧게 웃던 딜리온을 향해, 다짜고짜 아벨라가 손을 뻗었다. 손등을 위로 한 채였다.

"좋아요. 이해관계가 맞고, 목표를 위해서 우리는 최대한 협력해야 한다는 것을 잘 알았어요."

"이런 이야기를 나누게 되어 영광입니다, 저하. 최선을 다해 보필하겠습니다."

"저도 최선을 다해 임할게요. 잘 부탁해요."

아벨라의 말에, 딜리온이 정중하게 아벨라의 손을 잡은 채 고개를 숙여 그 손등에 입을 맞췄다.

"잘 부탁드립니다."

……하지만 그때 당시의 아벨라는 몰랐다. 왕이 되기 위한 후계자 트랙에 들어서는 일은 생각보다 어려웠다. 그것도 아주, 꽤, 많이.

"그때로 돌아갈 수 있다면, 그런 호쾌한 대답은 하지 않을 거야."

아벨라가 짜증스럽게 중얼거렸다.

딜리온과 모종의 합의를 이룬 지 벌써 한 달이 다 되어 간다.

그리고 그 한 달 동안 아벨라는 왕이 되기 위해, 후계자의 과정을 속성으로 밟았다.

후계자 과정을 밟는답시고, 교육을 받기 시작한 후로 자신을 정말 철저히 굴렸다. 하루에 들어야 하는 수업만 여덟 강의, 자는 시간과 밥 먹는 시간 빼면 모두 학자들과 함께하는 강습 시간이었다.

"차라리 수학 문제가 나아."

눈썹을 까닥이며 이름들을 들여다보던 아벨라가 한숨을 푹 쉬었다.

아벨라는 지금 침실의 카펫 위에 주저앉아 있었다. 그녀의 앞엔 방의 반 정도를 가리는 커다란 종이가 펼쳐져 있었는데, 딜루어 왕국에 소속되어 있는 가문들의 특징, 주요 인사들, 그리고 그들의 프로필이 쭉 쓰여 있었다.

"잘 안 되어 가는 모양이네."

침대 쪽에서 들려오는 소리에 아벨라가 고개를 들었다. 펠리체였다. 침대 위에서 책을 읽고 있다고 생각했는데, 언제부터인가 아벨라를 구경하고 있었다.

"이걸 다 외워?"

"내일까지."

"힘든걸."

"그래도 외워야지."

아벨라가 한숨을 삼키며 시무룩하게 대답했다. 이름만 외워야 하는 게 아니었다. 아직 파악해야 할 국정 기관들의 수와 최근 문제가 되고 있는 국정 정책의 논점들에 대한 문서도 파악해야 한다.

딜리온과 후계자 과정을 밟기로 결심한 후, 아벨라의 일상은 하루하루가 고달팠다. 아니, 고달프다는 네 글자로 끝날 만한 수준이 아니었다. 그야말로 지옥 같았다.

"정 힘들면 천천히 진도를 나가는 게 좋지 않을까."

펠리체가 걱정 어린 기색으로 그녀에게 말했지만, 아벨라는 고개를 저었다.

"안 돼, 왜냐하면……."

아벨라는 한숨을 간신히 삼키곤, 지금 딜루어 왕국의 상황을 떠올렸다.

딜루어 공국에서 왕국으로 스스로의 국격을 상승시킨 뒤, 공국은 공국의 수도인 딜루어를 내륙으로 옮겼다. 카셀란 제국의 수도였던 곳의 이름이 딜루어가 되었다. 공국의 오랜 숙원이 이루어지는 순간이었다.

대공은 스스로를 왕이라고 칭하던 날, 제국민과 공국민을 차별하지 않겠다 스스로 선언했다. 주변 국가들의 이견은 없었다. 딜루어 공국의 자본력은 상상을 초월하기 때문이다.

그것으로 끝났으면 좋았겠지만.

가장 지난하며, 고된 작업이 남아 있었다. 바로 딜루어와 카셀란의 행정 통합 작업이었다. 그리고 이를 처리해야 하는 자들은 다름 아닌 기존 딜루어 공국의 가신들이었다.

결국 이 모든 일들을 그들이 처리해야 하는 데다, 기존의 업무까지 병행해야 하다 보니 지금 공국의 가신들 모두 초인적인 업무량을 견디고 있었다.

이런 분위기 가운데에서 공부량을 줄여 달라고 어떻게 말하겠냔 말이다. 기존의 환경이었다면 아벨라가 익혀야 할 것들을 조금 더 천천히 익히도록 배려해 줄 수 있었겠지만, 지금 같은 상황에선 절대 불가능이다. 여기서 못하겠다고 드러눕는 건 자신의 양심이 아픈 일이다.

자신에게 숙제를 내주던 딜리온의 실핏줄 터진 눈을 떠올리던 아벨라가 다시 한번 고개를 저었다.

"안 돼. 그래도 하기로 했으면 해야지."

"괜찮겠어?"

"……."

아벨라는 말없이 펠리체를 바라보았다. 당연히 괜찮지 않았다. 하지만 아벨라가 하기 싫다고 말한다면, 펠리체는 분명히 "하지 말라"고 할 것이다. 그러곤 은연중에 그런 뉘앙스를 흘렸던 자신을 깨닫고는 자책할지도 모르지.

"응, 괜찮아."

잠시 생각하던 아벨라가, 이내 크게 고개를 끄덕였다.

생각해 봤지만, 역시 펠리체에겐 자신이 힘들다고 내색하지 않는 게 좋겠다. 가뜩이나 자기 나라도 제 손으로 없애 버린 펠리체에게 더 이상의 부담을 안기고 싶지 않았다.

제국에 갓 떨어져, 뭐가 뭔지 하나도 모르던 아벨라를 지켜 준 것은 그 누구도 아닌 제 옆의 펠리체였다.

이내 속으로 불끈 다짐한 아벨라는 펠리체의 걱정 어린 시선을 모른 척한 채로 다시 입을 열었다.

"그나저나, 펠리체 너야말로 요새 뭐 해? 앙겔 조약도 마무리

됐겠다. 난 후계자 수업을 받는다지만 넌 여유가 있을 거 아냐."

지나치게 밝고 과장된 어조였다. 화제를 돌리려는 노력이 고스란히 느껴졌다. 아벨라가 억지로 화제를 돌리려는 것을 알아챈 펠리체 또한, 언제 자신이 걱정했냐는 듯 웃으며 그녀에게 고개를 끄덕였다.

"맞아, 그동안 나 혼자서 푹 쉬었지 뭐야. 좀 눈치가 보이긴 했어도, 딜루어 국민으로서 알아야 할 필수적인 상식 같은 것들을 공부하는 것 외엔 쭉 쉬면서 계획을 세웠지."

"계획?"

바닥을 바라보던 아벨라의 고개가 다시 들렸다. 지금 자신이 무슨 소리를 들은 거야? 계획이라고? 아벨라가 되묻자, 펠리체가 다시 한번 고개를 끄덕였다. 아벨라가 잘못 들은 게 아니라는 듯이.

"이제 모든 일이 마무리되었으니까, 나도 내가 어떻게 살아야 할지 대략적인 계획은 세워 봐야 할 것 같아서."

"……그건 그렇지."

아벨라는 펠리체의 말에 고개를 끄덕였다. 아벨라가 생각하기에도 지금 펠리체에게 무엇보다 필요한 것은 미래에 대한 계획과 동기 부여였다.

"그래서 계획이 뭔데?"

아벨라의 물음에 펠리체의 눈이 반짝 빛났다.

"난 상단을 만들 거야."

"상단, 좋다. 넌 잘할…… 뭐?"

아벨라가 눈을 동그랗게 떴다. 상단이라고? 의외였다. 뭔가 독자 활동을 할 거라고 생각했지만…….

펠리체는 어리둥절한 표정의 아벨라를 바라보며 방긋 웃어 보였다. 산뜻한 표정이었다. 언제 봐도 아름다운 황금빛 눈동 자에 빛이 반짝 어린다. 그 얼굴을 보는 것만으로 어디선가 미 풍이 불어오는 것 같았다. 창문은 열려 있지도 않은데.

아니지, 정신 차려야지. 홀리지 말자.

잠깐 딴청을 부리던 아벨라가 간신히 정신 줄을 잡은 채로 물었다.

"내가 지금 뭘 들은 거야. 상단이라고?"

"맞아. 상단."

펠리체는 고개를 끄덕이곤 주저앉은 아벨라의 바로 위에서 턱을 괸 채 설명하기 시작했다.

"이전에 카셀란 제국에서, 내게는 제국의 황족으로서의 지 원은 조금도 주어지지 않았어. 내가 어떻게든 혼자서 해야 했 지. 그래서 뒤로 여러 가지 사업을 시도했었어. 이 부분은 이 미 알고 있지?"

"응. 정확하게는 모르지만 용병단 하면서, 상단도 겸했었다 는 건 알아."

그리고 그 규모가 꽤 컸다는 것도.

제국 때를 떠올려 보면, 펠리체는 황실의 돈을 한 푼도 받지 않고, 꽤 풍족하게 생활하고 있었다. 허름해 보였던 것은 오직 겉모양뿐으로, 아벨라가 황실의 그 누구보다도 아름답게 꾸밀 수 있게 온갖 지원을 아끼지 않았었다.

그러고 보니 철마다 옷도 꼬박꼬박 맞췄었고, 보석도 아벨 라가 공국에서 가져오거나 맞춘 것 외에도 계속 늘어났었지. 밥도 맛있었고……

제국에서의 생활을 떠올리던 아벨라를 앞에 둔 채, 펠리체가 고개를 끄덕였다.

"사실, 그때 황실의 다른 이들에게 꼬리가 잡힐까 봐 큰 수익이 나는 사업은 피했었거든."

"뭐? 그 규모가?"

아벨라가 놀라 큰 소리로 반문했다. 그 규모가 큰 규모가 아니었다니? 황실의 다른 이들과 견주었을 때도 뒤처지지 않을 규모였다고 기억하는데?

하지만 펠리체는 아벨라의 반문에 아랑곳 않은 채 말을 이어 나갔다.

"내가 황실에서 살아남기 위한 자금을 조달하기 위한 목적이었다지만, 상단이 아니더라도 용병단이나 용병단이 가져오는 귀한 보물들을 파는 것만으로도 충족되는 형편이라 상단을 크게 키울 필요는 없었지. 하지만…… 욕심이 나더라고."

청산유수였다.

"네가 생각하는 욕심의 정도가 어떤데?"

"돈은 생기면 생길수록 욕심이 나는 거니까 한계를 두고 싶진 않지만, 그래도 막연하게 한 나라를 돈으로 살 정도는 되어야 한다고 봐."

"허어."

가면 갈수록 말릴 수도 없게끔 규모가 더 커지는 것처럼 느껴진다. 아벨라는 이제 반문조차 못한 채로 눈만 깜박였다. 펠리체는 계속해서 말을 이어 갔다.

"허무맹랑하지만, 그래도 그렇게 될 거라고 생각해. 왜냐면, 나는 장사에 엄청 소질이 있어, 아벨라. 하나하나 곧 괜찮을 것 같은 분야에 투자하면서 두 배로, 네 배로, 열여섯 배로, 삼백 배로 불려 나가는 거야. 예측이 맞아떨어질 땐 미래를 읽은 것 같고 기분이 얼마나 좋던지. 그래서 언젠가 자유로워지면 꼭 장사를 해 보겠다고 생각했지."

이 말을 하는 자가 펠리체가 아니었다면 분명히 사기꾼이라고 생각했을 것이다. 아벨라는 심각한 표정으로 펠리체의 말을 들었다. 웬만하면 자신의 남편이 하는 일을 믿어 주고 싶지만, 미심쩍은 표정을 감출 수가 없었다.

하지만…… 아벨라는 펠리체의 열띤 변을 한 귀로 흘리면서 생각했다. 펠리체의 눈이 저렇게 아름답게 반짝이는 걸 보는 것도 꽤 오랜만인 것 같다. 그가 뭔가에 관심을 가지고 자신에게 열변을 토하는 모습이 좋았다.

"……그래서 상단을 꾸릴 거야. 내가 알고 있는 모든 용병들이 상단원이 될 거고, 확보한 유통로를 고수함과 동시에 딜루어와 제국의 해상유통을 새로 확보하는 거지. 그리고 무엇보다, 내 이름을 숨기지 않을 거야."

"뭐라고?"

대체 이 말을 몇 번째 하는 거야? 하지만 이번엔 정말로 쓸 수밖에 없었다. 아벨라는 아예 몸을 펠리체 쪽으로 돌려 앉기까지 했다.

아벨라의 기억으로는 카셀란의 귀족들은 귀족이 영리 활동을 하는 것을 배척하는 분위기였다. 하지만 영지가 없는 귀족의 경우엔 어쩔 수 없이 영리 활동을 해야 했고, 개중엔 상단을 운영하는 가문도 있었다.

그렇게 장사를 하게 된 귀족들 또한 가문이나 자신의 이름을 밝히는 일은 거의 없다시피 했다. 명예 때문이었다. 귀족들은 돈과 관련하여 이름이 오르내리는 자체가 제 이름이 더럽혀진 것으로 생각했다.

간혹 플로바 백작처럼 제 가문을 상단에 붙이는 경우가 있었지만, 그는 어디까지나 예외였다.

딜루어의 분위기는 어떨지 모르겠다. 물론 딜루어의 국업은 장사로, 카셀란과 다르게 귀족들도 자신의 이름을 걸고 사업하는 걸 꺼려하지 않았다.

그렇지만 걱정이 되지 않을 리 없었다. 딜루어에서 펠리체에 관한 여론도 아직 모르는 상태가 아닌가. 혹여 펠리체가 이곳에서 정말로 환영받지 못하고, 도리어 공격이라도 받으면 어떡한단 말인가.

"걱정돼."

잠시 수많은 감정이 어린 얼굴로 펠리체를 응시하던 아벨라가, 이내 조그맣게 속삭였다. 아마 끝이 살짝 떨렸을지도 모른다. 펠리체가 웃음을 멈추곤 진지하게 그녀를 바라보고 있었으니까.

"많이 걱정할 필요 없어."

그가 슬쩍 손을 뻗어 아내의 볼을 어루만졌다. 마주 닿는 손끝이 따뜻해, 아벨라가 펠리체의 손바닥으로 고개를 기울였다. 아벨라의 눈이 자동으로 스르르 감겼다. 그런 그녀의 볼을 부드럽게 어루만지며, 펠리체가 속삭였다.

"아벨라, 내가 이 안에서 제일 빨리 자리를 잡으려면, 독자적인 경제 기반도 필요해. 그래서 내린 결정이기도 하고. 그리고 사실."

펠리체가 목소리를 한층 더 낮춰 속삭였다.

"나, 너무 오래 숨어 살았더니, 차명을 쓰는 것도 정체를 숨기는 것도 지루해졌어."

"⋯⋯." 지루하다는 말에, 아벨라가 감았던 눈을 떠 펠리체를 올려다봤다. 펠리체는 아벨라에게 뻗었던 팔을 제 턱에 괴곤 근사하게 웃고 있었다.

"그래서 뒷일은 유능한 내 부인에게 맡기고, 나는 장사를 하겠어. 심지어 이 나라는 장사가 국업인 나라니, 망설일 일도 없지."

"⋯⋯네가 하고 싶으면 그걸로 좋긴 한데⋯⋯."

정말 괜찮을까? 턱 끝까지 차오르는 말을 간신히 삼킨 채, 아벨라가 대답했다. 펠리체의 이 생각이 좋은 생각인지, 나쁜 생각인지 모르겠다.

하지만 최소한 펠리체의 저 결정이 아무 생각 없는 결정이 아니라는 것은 확신할 수 있었다. 본인과 아벨라를 위해 생각하고 또 생각한 결정이겠지.

사실, 그게 아니라 이 모든 게 도피용일 수도 있지만. 아벨라는 쉽게 대답하지 못한 채로 길게 끄는 음을 냈다. 불안했지만 아벨라는 턱을 당긴 채 펠리체를 바라보았다. 자신의 이 모호한 불안보다는 눈앞의 사랑하는 사람을 존중하고 싶었다.

"펠리체."

"예, 부인."

장난기 어린 말투로 대답하는 펠리체의 손을 맞잡았다. 손을 잡힌 펠리체의 안색이 설핏 굳더니, 아벨라가 잡은 손을 가만히 내려다보았다. 아벨라는 그런 펠리체의 표정 변화를 놓치지 않은 채 강한 어조로 입을 열었다.

"두 가지만 약속해 줘. 첫 번째는 네가 다치지 않아야 하고, 두 번째는 네가 행복해야 해. 그 두 가지만 만족시키면 난 네가 뭘 해도 좋아. 알았어?"

아벨라가 말하는 중에도 펠리체의 시선은 아벨라에게 잡힌 손에 고정되어 있었다. 펠리체의 시선이 아벨라의 손과 아벨라의 얼굴을 여러 차례 오갔다. 얼마간의 시간이 지났을까.

"좋아."

펠리체가 엷게 웃었다.

"그 두 가지는 반드시 지킬게. 하지만 부인도 지켜 주셨으면 하는 약속이 있습니다."

"약속?"

펠리체를 응시하는 놀란 두 눈이라니. 그 얼굴이 몹시 귀여워, 펠리체는 자신도 모르게 제 몸을 침대 아래로 끌어 내렸다. 순식간에 아벨라의 얼굴이 가까워졌다.

"바람은 절대로 피우지 않길 바랍니다."

"뭐라고? 참나, 날 뭘로 보고!"

펠리체의 말에, 아벨라가 미간을 찌푸린 채로 항의할 때였다. 펠리체는 아벨라의 들썩임에도 아랑곳 않고, 그녀를 다정한 눈으로 바라보았다. 그 안에 흐르고 있는 감정이 사랑임을 모르는 자는 이곳에 아무도 없었다.

들썩이던 아벨라의 움직임도 어느새 멈췄다. 금세 조용해진 공간 사이에서, 둘만이 서로를 바라보고 있었다. 두 눈이 허공에서 맞부딪히는 순간이었다. 부싯돌에서 불꽃이 터지는 듯한 스파크가 일었다. 펠리체는 마치 무언가에 홀리기라도 하는 것처럼 고개를 천천히 숙였다.

입술이 포개졌다.

오랜만에 취하는 아내의 입술이었다. 처음엔 분명히 장난이었는데. 이렇게 마주 닿으려는 의도가 아니었다.

펠리체는 자신도 모르게 꽤 진지하게 그녀의 입술을 머금는데 열중하기 시작했다. 아벨라에겐 수많은 스케줄이 있다는 걸 알지만, 제 욕구를 참을 여유가 없었다. 그때였다. 그의 조급증을 알아채기라도 한 듯이, 아벨라가 키득대며 웃었다.

"괜찮아. 금방 다 외웠어. 못 외우면 틀리고 말지 뭐."

그리고 그 말이 떨어지는 순간, 펠리체가 그녀의 얼굴을 두 손으로 감싸 안은 채, 좀 더 깊게 입 맞추기 시작했다. 그 어떤 사인보다도 지금 이 순간의 전진 신호가 가장 반가웠다.

며칠 뒤.

상단을 만들겠다. 차명은 없다.

펠리체의 폭탄 발언에, 예상외로 딜루어 왕, 아니 아버지는 아무렇지도 않은 표정이었다. 물론 식사하던 손이 멈추기는 했지만, 그조차 곧 자연스럽게 다시 식사를 이어 나간다.

"상관없지. 응원하마. 정식으로 창단하는 날은 언제지?"

"아직 확실하진 않지만, 다음 달 초에는 반드시 첫 거래를 시작하려고 합니다."

"시장 확보에 대해선 좋은 계획을 세웠겠구나."

"역시 가장 쉬운 방법은 기존의 상단을 인수하는 게 아닐까 해서, 돈이 급하지만 신뢰도는 확실한 상단을 알아보고 있습니다."

"그렇게 말했다는 건 이미 몇 군데 정해 뒀다는 뜻이겠지. 네게 맡기마."

왕의 말에, 펠리체는 대답 대신 빙그레 웃기만 할 뿐이었다. 일견 수줍어 보이는 모습이기도 했다.

하지만 아벨라는 알고 있었다. 사실은 수줍은 게 아니라 계획에 대해 말을 아끼려는 거다. 펠리체를 따뜻한 시선으로 바라보던 왕의 시선이 아벨라에게로 돌아왔다.

"아벨라."

"네에."

예법대로라면 '왕녀'라 불러야 한다. 하지만 아버지는 서슴없이 아벨라를 이름으로 부르고는, 아벨라와 시선을 마주치며 씨익 웃어 보였다.

"수업은 힘들지 않더냐."

펠리체에 이어 자신의 차례인가 보다. 아벨라는 시간을 벌기 위해 물을 다시 한 모금 머금고는 천천히 대답했다.

"가짓수가 많아 그렇지, 난이도 자체는 그렇게 어렵지 않은 편이에요. 딜리온이 잘 보살펴 주고 있고요."

"그런가."

"네."

사실은 거짓말이다. 진짜 힘들었다. 딜리온은 본인도 허구한 날 과로로 코피가 나니, 다른 사람들도 응당 그래야 한다고 믿는 모양이었다. 환장할 노릇이다.

배우라니까 일단 이를 악물고 따라가고는 있는데, 아무리 생각해도 이 강행군은 문제가 있다. 옛날에 자신이 처음 취직했을 때 매일매일 밤새서 수학 문제 풀던 그때보다 더 심한 것 같았다.

하지만 그렇다고 여기서 '아, 저는 못해 먹겠고요. 그냥 여기서 쌍욕을 하라면 할 수도 있겠습니다.'라고 대답할 수는 없잖은가. 보는 눈도 많은 데다, 제 옆엔 펠리체가 있다.

이럴 때의 최선은 그냥 입을 다무는 거지. 아벨라는 새침하게 대답한 채로, 하지만 우울하게 제 앞의 잘 훈제된 햄 조각에 집중하는 척했다.

하지만 아벨라는 아직도 모르고 있었다. 이곳에 모인 두 남자는 절대로 아벨라에게서 시선을 떼는 법이 없었다. 두 명은 아주 순간이지만, 아벨라의 얼굴에 우울함과 짜증스러운 표정이 스쳐 지나가는 것을 절대로 놓치지 않았다.

그의 시선은 어디까지나 심상한 표정으로 포크를 들어 음식을 헤집는 아벨라에게 고정되어 있었다.

펠리체의 눈이 천천히 가라앉았다.

"어쨌든."

그때였다. 아벨라가 다시 고개를 들어 제 앞의 남자들을 바라보았다. 펠리체와 딜루어 왕이 그 자리에서 황급히 다시 안색을 고쳤다.

"그래도 열심히 해 보려고요."

아벨라는 그렇게 말하곤 다시 포크로 음식을 찍어 입에 넣었다. 더 이상 말을 하지 않겠다는 은연중의 의사 표현에, 두 남자는 다시 조용히 눈을 마주쳤다. 펠리체가 왕에게 조심스럽게 고개를 끄덕여 보였다. '자신에게 맡겨 달라'는, 조심스러운 의사였다.

왕과의 식사 이후, 펠리체와 아벨라는 조용히 본궁 옆의 잘 만들어진 소정원을 산책하기 시작했다. 둘만의 이야기를 하고자, 주위의 사람들을 스무 발자국 이상 떨어뜨려 놓은 채였다.

"옛날엔 이렇게 뒤에 따라오는 사람들을 걱정하지 않아도 되었는데."

아벨라가 입을 열었다. 제국에 있을 적 아벨라와 펠리체의 뒤를 따르는 건 베티 정도였다. 서로를 너무나 허물없이 대했었지. 예절과 법도가 존재하지 않아, 펠리체와 베티가 함께 한 티테이블에 앉아 같이 차를 마신 적도 있었다.

"그랬지."

펠리체가 선선히 대답했다. 그러곤 자연스럽게 아벨라에게 손을 내밀어, 그녀의 손을 단단히 깍지 꼈다. 손이 붙들린 채, 아벨라는 펠리체를 보며 아쉬운 듯이 미소지었다.

"지금은 꿈도 못 꾼다. 지금 이렇게 손깍지만 해도 좀 이따가 주의 들을걸. 품위에 어긋난다고, 소년 소녀가 아니니 주의하라고."

"이곳의 주인이 될 자는 너야, 아벨라. 네 마음대로 할 수 있어."

펠리체는 바로 반박하듯이 그녀에게 대답했지만, 아벨라는 콧방귀를 끼며 고개를 저었다.

"주인처럼 보이겠지만 사실은 아니야. 모든 사람들의 위에 선다는 무게가 얼마나 무겁냐고. 모든 이에게 모범이 되어야 해. 너도 알다시피, 아버지가 백영궁을 딜루어의 주궁으로 삼으시고 수도도 옮기실 거야. 후계자가 된다면 이제 시범으로 딜루어 섬의 통치를 맡기시겠지. 그때까지 절대로 어긋남이 없어야 돼."

순간 손깍지가 풀렸다. 아벨라가 깍지를 풀어 버린 것이다. 손이 허전해지자, 펠리체가 당황한 표정으로 아벨라를 바라보앗다. 아벨라는 시무룩한 채로, 그와 두어 걸음 떨어진 채 걷고 있었다.

"너랑 산책이 끝나면, 다시 들어가서 역대 딜루어 왕이 해 왔던 정책들의 주요 요점을 외워야 돼. 딜루어 섬의 가장 큰 문제는 균형 개발이 잘 안 된다는 거야. 그리고 왕국으로 영토가 확장되었으니, 곧 얼마 지나지 않아 공신들끼리의 연공서열로 다툼이 생길 게 뻔하고. 카셀란 제국과의 전투에서 공을 세운 대신들과 공국 시절부터 뿌리 깊은 지도 세력이었던 개국공신들과의 신경전도 생길 거고……. 제도들도 뜯어고치는 데 나는 여기에 의견을 보태야 할 거고……."

그 순간 펠리체는 확신했다. 뭔가 잘못되어 가고 있었다.

아까 식사 때도 느꼈던 거지만, 펠리체는 아벨라가 이토록 우울한 표정을 짓는 일을 본 적이 없었다. 심지어 제국에서도 마찬가지였다. 아벨라와 펠리체를 괴롭히는 모든 것으로부터 분노하거나 짜증을 내면 냈지, 이렇게 우울하고 체념한 적이 없었다. 좋지 않은 신호다.

아무래도 후계자 과정에서 엄청난 부담을 느끼고 있는 모양이었다. 쉽게 알 수 있다. 지금 아벨라가 후계자가 되려는 이유는 자신의 의사가 아니다. 분명했다. 그렇다면 아벨라가 왜 이렇게 행동하고 스스로 괴로워하고 있단 말인가.

이 모든 행동의 이유에 대해 펠리체는 쉽게 눈치챌 수 있다. 다름 아닌 펠리체 자신이 그 이유겠지. 아벨라의 세상에서, 아벨라가 친히 관심을 두고 사랑하는 대상이 그렇게 많지 않다는 것을 펠리체는 잘 알고 있었다.

이걸 어쩐다.

펠리체는 잠시 고민하다가 곧 그녀의 뒤를 바짝 따라붙었다.

그때였다. 펠리체가 뒤를, 정확히는 떨어져 있는 시종들을 돌아봤다. 아벨라를 볼 때와는 완전히 다른 무감정하고 사무적인 표정이었다. 그들과 눈이 마주쳤다고 생각한 순간, 펠리체가 가볍게 고개를 끄덕였다. 그들을 따라오고 있던 시종의 무리가 그 순간 멈춘 채, 돌아섰다.

아벨라는 모르겠지. 보는 눈이 많다지만, 그 보는 눈을 피할 수 있는 방법도 분명히 있었다. 펠리체는 지금 그들에게 지금 보는 것들을 기억하지 말라고 무언으로 명령했다.

그리고 장담컨대, 이는 지켜질 것이다.

배울 때라면야 그 보는 눈을 위해 자신을 다듬어야 한다, 에서 그치겠지만 그는 어디까지나 이상론이다. 입을 다물게 하기 위해선 그 보는 눈들을 뽑을 수도 있어야 하는 게 실제가 아닌가.

아벨라는 이 부분, 배운 이론을 실제로 적용하는 과정이 부족했다. 당연했다. 군주론을 배운 적도 없고, 이를 적용한 적도 없으니 그저 배운 것을 실천하기 위해 무던히 노력할 뿐이다.

하지만 펠리체는 그 점이 정말로 좋았다. 그게 아벨라의 장점이었다.

책임감이 넘치고 자신이 사랑하는 것들을 위해 희생할 줄도 알고 있다. 그녀는 좋은 왕이 될 수 있었다.

하지만 그게 아벨라가 원치 않는 바라면 사실은 전혀 그럴 필요가 없는 일이었다. 펠리체를 위해서 행동하고 있다면 더더욱.

펠리체의 눈이 가늘어졌다.

그녀가 무슨 생각을 하고 있는지 알아야겠다.

그 순간 펠리체가 팔을 벌린 채 그녀를 뒤에서 끌어안았다. 아벨라가 화들짝 놀라 자신을 뒤돌아보았다. 아벨라의 걸음이 멎고, 그녀가 그 아름답고 푸른 눈에 자신을 담았다. 그 눈에 흐르는 당혹스러움에도 불구하고 펠리체는 그녀를 무시한 채 천천히 고개를 내렸다.

"미리 무례함에 사죄드립니다, 부인."

코가 닿고, 입술이 바로 앞에 놓인 거리. 펠리체가 부드럽게 속삭였다.

"손깍지를 싫어하는 부인께 입을 맞추고 싶은데, 불허하더라도 행동하겠습니다."

아벨라의 눈이 좀 더 동그랗게 떠졌다. 그녀가 대답하려는 때, 기세 좋게 펠리체가 그 입술을 덮듯 입 맞췄다. 입술이 마주 닿는 순간, 펠리체가 아벨라의 입술이 벌어진 틈을 부드럽게 파고들었다.

닿고 엉키는, 녹진한 입맞춤이었다. 대낮에 하기엔 민망할 정도의 그런 입맞춤. 아벨라는 크게 당황해 두어 번 그를 밀었지만, 펠리체는 쉽사리 움직이지 않았다.

아니, 애가 왜 이래?

아벨라가 분명히 하지 말라고 한 일을 일부러 하는 사람이 아니다. 아벨라는 당황해하면서도 재빨리 펠리체의 등 뒤를 살폈다. 아벨라의 눈이 조금 크게 뜨였다. 사람들이 모두 돌아서 있었다.

아벨라는 어떻게 된 건지 연유를 알 수 있을 것 같았다. 펠리체의 짓이었다. 지금 펠리체의 행동은 의도가 다분했다. 자신을 진정시키려는 것일 수도, 너무 몰려 있다고 경고하려는 것일 수도, 혹은 이런 방법도 있으니 스트레스 받지 말라고 안심시켜 주는 것일 수도 있다.

왜 이런 짓을 하느냐고, 펠리체에게 따져야 할까?

답은 단번에 나왔다. 아니. 잔뜩 긴장하고 있던 아벨라의 전신이 풀어졌다. 사실은, 펠리체가 보듬어 주길 누구보다도 원하고 있었다. 너무 신경이 날카로워져 있었어.

스스로를 반성하며, 아벨라가 천천히 눈을 감았다. 펠리체가 다른 손으로 제 등을 받치는 게 느껴졌다. 입맞춤은 한참이나 이어졌다. 해가 움직이는 게 보일 정도로, 그렇게 오랜 입맞춤이었다.

그리고 어느 순간, 살이 맞닿았다 떨어지는, 젖은 소리와 함께 입술이 조심스럽게 떨어졌다. 부드러운 입술을 문지르며, 펠리체가 고개를 뗀 채 아벨라를 바라보았다. 눈매가 부드럽게 휘어져 있었다.

"송구합니다, 부인."

"용서하와요, 부군."

아벨라는 달콤한 숨을 내쉬며, 천천히 펠리체의 품 안에서 몸을 일으켰다. 다리에 힘이 잘 들어가지 않아, 펠리체가 끝까지 그녀가 일어설 수 있게끔 몸을 지지해 주었다.

아벨라가 두 발을 완전히 디딜 수 있게 된 것은 그로부터 몇 분 더 지나서였다. 이제야 걸음을 옮긴 그녀가 다시 그를 올려다보았다.

푸른 눈이 촉촉하게 젖어 있었다. 붉게 달아오른 뺨은 어떤

가. 그녀가 숨을 내쉴 때마다, 들쩍지근한 단내가 났다. 펠리체가 자신도 모르게 불타는 눈을 숨기지 못하고 그녀를 바라볼 때였다.

드디어 아벨라가 입을 열었다.

"너무 긴장해 있었다고, 부담가질 필요 없다고, 주변 사람들도 너무 어려워할 필요 없다고 몸으로 알려 준거지? 정말……좋은 수법이다."

아벨라의 말에 펠리체가 달콤하게 웃어 보였다.

"맞아. 그리고 그런 부담감을 정 이길 수 없다면, 아예 버리는 것도 좋다고 말하고 싶었어."

'버린다'고 말하며 펠리체는 눈을 느리게 깜박였다. 사실은 이쪽이야말로 정말로 펠리체가 말하고 싶었던 메시지였다. 자신이 그녀의 의무감을 자극한 것인지는 모르겠지만, 자신 때문에 그녀를 불행하게 만들고 싶지 않았다.

하지만 아벨라는 좀 다르게 받아들인 모양이었다. 펠리체의 손을 꼭 잡고는, 다시 한숨을 쉬며 등을 꼿꼿하게 폈다.

"그럴 순 없지. 힘낼 거야. 그때마다 이렇게 위로해 주면 오늘처럼 힘낼 수 있어."

"응?"

어째 이상한 쪽으로 빠지는 것 같은데. 펠리체의 한쪽 눈썹이 들렸을 때였다. 아벨라가 두 주먹을 꼭 쥐며 결연한 표정이 되었다.

"나 힘낼게, 펠리체. 꼭 왕이 될게."

"아니, 굳이 그렇게 힘을……."

내지 않아도 된다고 말하고 싶었는데.

펠리체가 대답하다 말끝을 흐렸다. 아벨라의 얼굴이 너무나도 환하게 빛나고 있었다. 아벨라는 어쩐지 자신의 행동의 원인을 단순한 격려로만 받아들이고 있는 것 같았다.

정정해야 할까? 펠리체가 잠시 고민에 빠졌다. 금색의 눈동자가 어둡게 잠겨 들었다.

지금 이 자리에서 그게 아니라고, 솔직하게 말하라고 아벨라에게 물어야 할까? 아니, 답은 쉽게 나왔다.

알고 있었다. 아벨라의 성격상, 아벨라에게 말해 보라 한들 쉽게 대답하지도 않거니와, 오히려 그녀를 존중하지 않으려 한다고 오해할 수도 있었다.

애초에 펠리체는 아벨라의 생각을 알아내려고 그녀를 채근하거나 제 의견을 강요할 생각은 없었다.

"……줄 필요는 없어. 넌 잘할 거야, 아벨라."

결국 펠리체는 혀끝까지 나오는 말을 가까스로 삼킨 채, 격려만을 사근사근하게 말했다.

일단 오늘은 그녀가 그렇게 이해했고, 저렇게 흡족한 표정을 지은 것으로 만족하는 게 좋을 것 같았다. 대신 제 목표를 좀 더 폭넓게 잡을 필요가 있었다. 만일 아벨라가 왕이 싫다고 말한다면 얼마든지 그녀의 수정된 계획까지 포용할 수 있게끔 말이지.

"잊지 마, 제일 중요한 건 너야, 아벨라."

펠리체는 다시 한번 힘주어 그녀에게 속삭였다. 사실은 펠리체 자신에게 하는 말이기도 했다.

펠리체는 제국에서 아벨라를 다시 만났을 때를 생생하게 기억하고 있었다. 이전 아벨라에게 갖고 있던 아련한 첫사랑 같은 감정들과 제 목숨을 빚졌다는 부채감 같은 감정들은 그녀가 눈을 뜨고 말하고 행동하는 순간 고스란히 애정으로 변했다.

분에 넘치는 사랑이었다.

이를 지키기 위해서, 펠리체는 자신은 얼마든지 희생해도 괜찮다고 생각했다. 아벨라와 마찬가지였다. 어쨌든 펠리체는 그녀의 눈 안에서 사랑만을 확인하면 됐다. 아벨라가 그에게 그렇듯이.

부부가 서로 마주 보았다. 서로를 위해 무엇이든 하겠다고 다짐하는 애정 어린 시선 끝, 동상이몽이 깊어지고 있었다.

그로부터 몇 달 뒤.

"저하!"

문이 쾅, 열리며 주켈타가 황급히 들어섰다. 아벨라는 서류에서 눈을 떼지 않은 채로 그에게 손을 들어 보였다.

"주켈타 경."

"큰일입니다, 정말 큰일!"

주켈타의 목소리가 무척 다급하게 느껴진다. 무슨 일이지? 아벨라가 고개를 들어 그를 흘끗거렸다. 주켈타는 거친 숨을 몰아쉰 채, 다른 한쪽 손에 구겨진 종이를 들고 있었다.

오늘도 여느 때와 다름없이 딜리온과 함께 정치학을 공부하던 중이었다. 후계자 과정을 밟는 동안 아벨라의 성취는 월등했다.

지금은 실제로 국책조정회의에서 올라오는 보고서들을 실례 삼아 현 정책에 대해 토론이 가능할 정도였다. 딜리온은 주켈타 같은 현직 대신들과 함께 토론해 보길 권했고, 주켈타의 일정을 조정해 만나기로 한 게 바로 오늘이었다.

그런데 왜 저렇게 급하게 등장해선……. 아벨라가 다시 무슨 일인지 묻기 위해 입술을 열 때였다. 그녀보다 먼저 주켈타가 입을 열어 크게 소리쳤다.

"부군께서 정신을 놓아 버리신 것 같습니다!"

"뭐라고요?"

"미쳤단 말입니다!"

이게 무슨……. 황당한 소리란 말인가.

아벨라가 보고 있던 서류를 내렸다. 아벨라의 표정이 일그러져 있었다. 푸른 눈에 담긴 짜증스러움에 주켈타가 어깨를 움찔거렸다.

아벨라는 미간을 찌푸린 채로 그를 노려보았다.

"다시 한번 말해요."

아벨라의 싸늘한 말투에도 굴하지 않고, 눈앞의 주켈타는 발을 한번 구르며 더없이 정확한 발음으로 아까와 똑같은 문장을 말했다.

"부군께선 미쳤습니다."

미친 건 너 아니고요?

이 대담하디대담한 일갈에, 아벨라는 잠시 눈을 깜박였다. 아니, 몇 달 동안 대신들의 집중 과외를 받다시피 하며, 그들의 멍청한 학생이 되길 자처했지만 그 이전에 그녀는 왕녀. 이렇게 뻔뻔하게 불경죄를 말할 수 있다고?

하지만…… 불경죄를 따지기 위해 입술을 열던 아벨라는 잠시 망설였다. 그런데 원래 주켈타가 이런 사람이었나? 주켈타는 원리원칙에 충실하고 절대로 규칙을 어기지 않는 대쪽 같은 작자라고 생각하고 있었는데, 캐릭터가 좀 이상하다.

순간 아벨라가 눈동자를 굴려, 자신의 옆 책상에서 서류를 검토하던 딜리온을 살폈다. 딜리온의 반응은 간단했다. 이마를 짚고, 모르는 척 서류로 고개를 숙이고 있었다. 하지만 표정은 '결국 말했군요' 같은 얼굴이었다.

어라, 요것 봐라. 아벨라의 한쪽 눈썹이 치켜졌다.

이상하다. 지금 이 순간 주켈타가 밑도 끝도 없는 소리를 한 거라면 누구보다도 먼저 화낼 사람은 딜리온이었다. "왕녀 저하께 그 무슨 불경한 소리입니까?" 따위를 말하면서 말이야.

그런데 딜리온마저 '아 결국엔…….' 같은 표정을 짓고 있단 건, 주켈타의 말이 완전 거짓은 아니라는 소리다.

상황 파악을 끝낸 아벨라는 태세를 바꿔 침착한 목소리로 질문했다.

"……걔가 왜 미쳐요?"

"미치지 않고서야 이럴 수는 없습니다."

주켈타는 비장한 표정으로 성큼성큼 다가와 그녀의 앞에 종이를 내려놓았다.

"이게 뭐에요?"

"팬 사인회입니다."

그러니까 누구의? 아벨라는 주켈타가 내려놓은 종이를 내려다보다 그 내용을 입으로 읊어봤다.

"[펠리체 상단 수도 35호 분점 개소, 고급 마정석을 집 앞까지! 프리미엄 구매 라인 개설, 우정국 가실 필요 없습니다, 손쉬운 대륙 간 택배서비스 오픈…….]"

이게 왜? 아벨라가 미간을 다시 좁히면서 주켈타를 바라봤다. 하지만 주켈타는 그녀에게 도리어 눈을 부라렸다.

"그 밑을 읽어 보십시오, 저하."

"아니 진짜 보자 보자 하니까 아까부터 어디서 그렇게 눈을 부라리……."

따지면서 종이를 바라보던 아벨라의 눈이 한곳에 멎었다.

"허."

자신도 모르게 탄식에 가까운 신음을 토하며, 아벨라가 종이를 자신의 눈앞으로 가까이 당겼다. 지금 자신이 뭘 보고 있단 말인가?

"[딜루어 왕국 장안의 화제 펠리체 드 카셀란 팬 사인회]…… 팬 사인회?"

"그렇습니다, 저하!"

문제가 되는 부분을 아벨라가 망연한 목소리로 읊자, 주켈타가 울분에 차 소리 질렀다.

"아니 이게 대체 무슨 소리예요? 팬 사인회라뇨?"

"그게 말입니다, 저하……."

아벨라가 어리둥절한 채 대답할 때였다. 구석에서 딜리온이 대답했다. 회피하려는 듯이 이마에 손을 가리고 있더니, 이제야 대답할 용기가 생긴 모양이었다.

"부군 저하께서 지금 실명으로 상단을 운영하고 계시지 않습니까? 그런데 그 방식이…… 생각보다 훨씬 더 공개적입니다."

"공개적이라고요?"

딜리온의 눈동자가 이리저리로 구르고 있었다. 아벨라가 딜리온에게 사사한 시작한 이후로, 딜리온이 이렇게 난감해하고 당황해하는 모습을 본 적이 있었던가 싶다.

"얼굴을 드러내고 직접 운영하기 시작한 겁니다. 예를 들면 상단의 배가 들어오는 날 환영 무리를 데리고 항구에 직접 얼굴을 비치며 기다리고 있다던가, 시장의 상인들에게 통성명을 하며 그들과 친해진다던가……. 그런데 문제가 있다면 부군 저하의 외모가 대단히 뛰어나신 고로, 엄청난 반향이 일어났다는 겁니다."

딜리온은 자그마하게 한숨을 내쉬었다. 이걸 정말로 설명해도 되나 싶은 얼굴이었다. 아벨라는 채근하지 않은 채, 딜리온이 다시 입을 열기를 묵묵히 기다렸다.

"그…… 사람들이 부군 저하를 친근하게 생각하고 받아들이는 과정에서 부군 저하의 뒷배경이 공공연히 다시 오르내리기 시작한 겁니다. 자신의 나라를 스스로 등질 수밖에 없었던 비운의 귀공자…… 라든가, 운명적인 사랑에 빠져 딜루어를 선택한 망국의 황자…… 라든가 하는 식으로 말입니다. 그리고 이걸 캐치한 부군 저하의 상단 측에서 부군을 위시하여 상단을 홍보하기 시작한 겁니다. 부군을 배우나 가수라도 되는 것처럼, 꽤나…… 소비적으로……."

"너무 부드러운 해석이시오, 경!"

딜리온의 말을 끊듯이 가로막으며 주켈타가 다시 소리쳤다.

"아시겠습니까, 저하? 저 정도가 아닙니다. 부군께서는 지금 미친 듯이 딜루어 공국을 후리…… 아니, 홀리고 계십니다! 장안의 부인들이 난리입니다. 상단 본사무소로 음란한 연서를 보내 추태를 보이는 귀부인들도 있을 정도란 말입니다! 부군의 화첩도 발매한다고 합니다. 상단에서 말입니다! 일국의 하나뿐인 왕녀의 부군의 화상이 마음대로 뿌려지고 있다고요!"

주켈타는 말하다 말고 "끄아아!" 하는 소리와 함께 제 머리를 헝크러 뜨려 놓았다. 반백에 가까운 그의 보기 좋게 정돈된 머리카락이 엉망진창으로 흐트러졌다.

아벨라는 간신히 눈꺼풀만 깜박였을 뿐이었다. 모두 이해가 가지 않았을 뿐더러 쉽게 이해할 수 있는 내용도 아니었다. 펠리체가, 뭐라고? 아벨라는 펠리체의 팬 사인회 부분을 다시 한번 바라보았다.

"이걸 왜 여태껏 저만 몰랐던 거죠?"

아벨라의 물음에 다시 주켈타가 빠르게 대답했다.

"국정을 승계받기 위하여 최선을 다하시는 저하께는 드리기 어려운 말씀이라 지금까지 말을 아꼈습니다. 딜리온 경이 저하의 심기가 어지러워지실까 주변 인물들에게 주의를 주기도 했고요. 하지만 이건 말해야겠습니다. 이런 식으로 지배계층, 그중에서도 특히 왕족이 이런 식으로 권위를 내려놓으신 일은 전례가 없던 일입니다. 가뜩이나 공국에서 왕국으로 격상된 지 얼마 되지 않아 왕족에 대한 개념이 희미한 지금 상황에서는 저하의 후계자 승계 과정에 무슨 방해 요인으로 작용할지도 모르는 일이고요! 그리고 오늘! 아침! 제 부인이! 저한테 왕녀 저하를 통해서 고유 서명을 받아 달라고 부탁했단 말입니다! 이게 대체 무슨 일입니까 펠리체 님의 서명을! 대체 왜 귀부인들이 갖고 싶어 합니까?! 남의 부인들이 말입니다!"

"주켈타 경, 경의 부인은 그래도 경을 사랑하실 겁니다. 일단 진정하시고……."

"미혼은 조용히 입을 다무시오!"

"……예."

딜리온이 대답함과 동시에, 집무실에 싸늘한 정적이 흘렀다.

주켈타의 분노의 직접적인 원인은 아무래도 가장 뒤에 붙은 말이겠지. 하지만 그렇다 해서 지금 주켈타의 이야기를 흘려듣거나 무시할 수는 없었다. 아벨라는 곰곰이 생각에 잠겼다.

딜리온은 '상단 측'이라고 펠리체와 상단을 분리해 말했지만, 사실은 펠리체가 상단이나 다름없으니, 펠리체가 그렇게 홍보하기 시작했다는 말이다.

모두가 펠리체를 알고, 펠리체를 사랑하고 있는데, 가히 그 방식이 대중적인 연예인을 대하는 방식과 다를 게 없다고. 그리고 이 모든 홍보는 상단의 부흥을 위해서다.

아벨라의 미간이 완전히 좁혀졌다. 입술은 살짝 벌어진 채 하얀 이가 드러나 있었다. 어느새 주켈타와 딜리온은 아벨라의 표정에 주목하고 있었다.

아벨라는 무척 불쾌해 보였다. 딜리온이 주켈타에게 눈을 부라렸다. '작작하시지 그러셨어요?' 같은 눈이었다.

찔리는 건 주켈타도 마찬가지였다. 주켈타는 언젠가부터 아벨라의 눈치를 보고 있었다. 처음에야 불같이 화를 냈었지만, 지금은 수그러든지 오래다. 이성이 돌아오고 나니 자신이 불경죄를 저질렀다는 자각이 생긴 모양이었다. 게다가 상대는 아벨라가 아닌가.

주켈타는 아벨라와의 첫 만남을 아직도 기억하고 있었다. 카셀란 제국의 함락 직전, 거울에서 튕겨 나오듯이 튀어나와선 공국의 대신들을 상대로 담판을 벌이던 모습은 흡사 한 마리의 호랑이와도 같았다.

그때 주켈타는 자신도 모르게, 현재의 딜루어를 잇는 아벨라의 모습을 떠올렸다. 제가 생각하는 이상적인 후계자 상에 더없이 어울리는 사람이었다.

그런데 그런 그녀의 앞에서 지금 자신이 무슨 말을 했단 말인가? 게다가 아벨라는 무려 마정석이 없어도 마법을 영창해 사용할 수 있는 능력자였다. 코앞에서 통구이가 될 뻔했다.

두려움에 찬 주켈타의 시선이 그 옆의 딜리온을 향했다. 이미 사태를 파악하고도 남은 딜리온은 주켈타를 향해 비난하는 시선을 보내고 있었다. 거북목을 하던 주켈타가 딜리온에게 입을 벙긋대며 사과하고 있을 때였다.

아벨라가 한쪽 눈을 좁혔다. 고작 눈살을 찌푸리는 것만으로도 딜리온과 주켈타가 긴장한 채로 등을 똑바로 폈다. 그 얼굴로 허공을 한참 노려보던 아벨라가 입술을 달싹인 것은, 그 뒤로도 수 분이 지나서였다.

"음란한 연서를 상단 사무소로 보낸 귀부인이 누구예요?"

뜬금없이 튀어나온 소리에 주켈타가 휘청거렸다. 순간 잔뜩 힘주고 있던 다리가 풀렸기 때문이다.

팔꿈치를 책상에 괴고 있던 딜리온도 휘청하긴 마찬가지였다. 뻐끗한 채로 거의 서류 더미에 코를 박을 뻔한 딜리온이 재빠르게 다시 몸을 일으킨 채 반문했다.

"그쪽이 문젭니까? 그것보다는 좀 더……"

"그럼 뭐가 문젠가요?"

"……아닙니다."

아벨라와 주켈타의 표정을 살피던 딜리온은 "어휴" 소리를 내면서 서류에 얼굴을 파묻었다. "진짜 미혼은 말을 말아야지." 같은 소리가 들린 것 같기도 하지만, 그건 아벨라가 알 바 아니고.

어쨌든 아벨라는 진지했다. 펠리체가 백 미터 밖에서 전속력으로 말을 타고 지나쳐도 보이는 미남이니, 사람들이 그를 보고 싶어 할 수 있다. 그리고 그편이 상단 운영에 도움이 된다면, 얼마든지 펠리체가 미인계를 사용해도 된다고 생각했다.

하지만 펠리체가 그런 식으로 자신을 완전히 내보이다 못해서, 만인의 연인이 되는 건 다른 문제다. 모두가 펠리체를 미남이라고 칭송하는 건 좋지만, 그래도 이 미남이 이미 임자가 있다는 걸 모두가 똑똑히 알고는 있어야 한단 말이다. 아주 소박한 바람이잖아. 아니야?

아벨라가 혀로 입 안을 굴리며 눈살을 좁혔다.

"……안 그래도 기분 더러워 죽겠는데 아주 불에 기름을 끼얹네."

"저하, 원래 기분이 좋지 않으셨습니까?"

아벨라의 중얼거림에, 딜리온이 눈을 동그랗게 뜬 채 반문했다. 아니, 그럼 기분이 좋았겠니? 아벨라는 들고 있던 보고서를 흘끗대며 대답했다.

"아, 기분이 더러운 이유는 그냥 날이 궂어서예요. 어디까지나 지금 보고 있는 전국의 추수량을 총합해 분석한 출하량 보고서가 더럽게 어렵고, 분석에 도움을 줄 다른 보고서마저 짜증날 정도로 보기 힘들기 때문은 아니고요. 오해하지 마세요."

오해가 아니라 완전히 보고서 때문에 기분이 나빴노라고 온몸으로 외치는 모습이었다. 그러나 딜리온과 주켈타는 아벨라에게 뭐라 대답하지 않고 다만 침묵을 지켰다. 그렇게 또 몇 분이 지났다.

"무슨 일이 일어나고 있는지 알아야겠어요."

아벨라가 주먹을 꽉 쥐어 책상 위에 올려 둔 채 결연하게 중얼거렸다. 주켈타가 대답하기 위해 입을 열다, 잠자코 입을 다물었다. 그녀의 눈이 활활 타오르고 있었다. 무척 화가 나거나 몰입했을 때 보이는 특유의 눈이었다.

그리고 밤.

아벨라는 혼자 팔짱을 낀 채 아주 깊은 생각에 잠겨 있었다. 목욕까지 깔끔하게 끝마친 뒤, 잠옷으로 갈아입은 채였다.

아벨라는 시간을 가늠했다. 곧 펠리체가 돌아올 시간이었다. 요즘 펠리체는 사업 때문에 잠시 궁을 나가 있었다. 궁에서 아벨라와 있는 시간은 일주일에 두세 번, 그것도 밤뿐이었다.

의심하려는 건 아니지만, 불안했다.

아벨라가 다시 한쪽 눈가를 찌푸린 채로 아까 오후의 일을 떠올렸다.

딜리온과 주켈타에게 충격적인 사실을 들은 순간, 아벨라는 그 뒤로 도저히 다른 업무에 집중할 수가 없었다.

음란한 연서라니? 아벨라는 알 수 있었다. 주켈타와 딜리온이 따로 언급하진 않았지만, 이런 일이 적어도 한 번만 일어나진 않았을 것이다. 결국 해야 하는 일정을 다음으로 미룬 채 일찍 처소로 돌아왔다.

일찍 돌아오자마자 가장 먼저 한 일은 바로 리시안을 부르는 일이었다.

리시안, 한때 딜루어 공국의 정보국 소속으로 카셀란 제국에 가 있던 아벨라와 베티의 곁에서 딜루어 공국의 요원들을 관리하고 아벨라를 호위하는 역할을 했었다.

유독 아벨라와 함께 있을 때만 실수가 잦아 결국 지위에서 해임되었었지만, 이후 아벨라와 펠리체 주변의 측근으로 남아 지금은 펠리체의 일을 돕고 있었다.

현재는 펠리체 상단의 핵심 인물로 자리 잡았다고 한다. 아무래도 이전 공국에서 공무원 생활을 했던 점이 상당 부분 이점으로 작용하고 있는 모양이었다.

펠리체의 수하이기에 아벨라가 쉽게 부를 수 없을 거라고 생각하고 있었는데, 의외로 리시안과 쉽게 연락이 닿았다.

베티가 리시안과 개인적인 연락을 지속하고 있었던 덕분이었다. 대체 무슨 사이길래 개인적인 연락을 주고받고 있는지 궁금하지만, 캐물을 때가 아니다.

"저하!"

베티가 차를 따르고 있는 가운데, 문을 연 채 리시안이 당당히 걸어 들어왔다. 옛날과는 다르게 상당히 짧아져 있는 진저색의 머리칼과 아름다운 푸른 눈은 재기 넘치게 반짝이고 있었다.

장난기 어린 저 표정은 예나 지금이나 변함이 없군. 물론, 지금은 장난칠 기분이 아니라는 게 문제지만.

"왕녀 저하, 정말 오랜만…… 입니다?"

발랄하게 외치던 리시안이 아벨라의 표정을 보곤 급히 말투를 바꾸며 조심스럽게 인사했다. 아벨라의 저기압을 파악한 게 분명했다. 예나 지금이나 눈치 하나는 기가 막히게 빠르다. 그런 그를 바라보던 아벨라가 새침하게 입을 열었다.

"리시안 경, 그간 안녕했지요?"

"저야 건강…… 건강하죠, 네."

긴장한 기색의 리시안이 대답할 때였다. 아벨라가 일부러

달칵이며 찻잔을 내려놓았다. 리시안이 다시 입을 쾅 다물고 그녀의 눈치를 살폈다.

"물어볼 게 있어요."

아벨라가 눈을 빛내며 입을 열었다.

"정말 안 됩니다. 부군께서 이 일은 단단히 입을 다물어야 한다고 말씀하셨다니까요?"

그리고 아벨라의 물음에 리시안은 몇 번 대답을 거절했다. 처음엔 어물쩍 딴청을 부리기까지 했다. 결국 짜증이 난 아벨라가 미간을 좁힌 채로 그를 노려보았다.

"부부는 한 몸이니, 나에겐 괜찮아요."

"그런 억지가 어디 있습니까?"

"맞아요. 억지 맞죠. 그런데 잘 생각해 봐요. 억지라도 지금 나한테 말해 주는 게 그나마 수지타산에 맞을 걸요."

아벨라의 말에 리시안이 궁리하는 표정을 지었다. 흔들리는 게 분명했다. 하기야 여기서 펠리체에게 의리를 지킨다고 할지언정 아벨라와 펠리체는 부부다.

아벨라가 여기서 펠리체에게 자신에 대해서 나쁘게 평한다고 한다면 펠리체는 가차 없이 리시안을 쳐낼 게 분명했다. 펠리체에게 있어서 아벨라는 절대적이었으니까.

아벨라가 사감으로 영향력을 행사하는 성격이 아니라지만, 그건 또 모르는 일이 아닌가. 리시안의 고민하는 표정을 지켜보던 아벨라가 한쪽 입꼬리를 올리며 말을 이었다.

"그리고 이런 말 뭐하지만, 리시안 그대가 펠리체에게 충성 서약을 정식으로 한 것도 아니잖아요. 굳이 따지자면, 충성 서

약은 우리 아버지에게 한 거고."

"아니, 말이 심하십니다. 그리고 요새 충성 서약을 누가 합니까? 그런 요란하고 고리타분한 짓을……."

리시안이 말을 잇는 순간, 칼집이 닫히는 소리가 요란하게 났다. 마티나였다. 마티나가 리시안을 똑바로 쏘아보며 허리에 차고 있던 칼집을 여닫고 있었다.

아차. 그제야 마티나가 아벨라의 편으로 합류할 적, 그 '요란하고 고리타분한 짓'을 했다는 사실을 깨달은 리시안이 얌전히 눈을 내리깔았다. 망했다. 이곳은 자신한테 턱없이 불리했다. 얌전히 티타임이나 갖자고 해서 온 건데.

리시안이 원망스러운 눈으로 베티를 노려보았지만, 베티는 그런 그에게 눈길 한번 주지 않고 아벨라를 바라보고 있었다.

"정말 안 되는데."

마침내 이곳에 자신의 편이 한 명도 없다는 것을 깨달은 리시안이 풀죽은 듯이 어깨를 내렸다.

"아, 시간 없어요. 빨리 이야기해 봐요."

아벨라의 최후의 재촉에, 리시안이 에라 모르겠다는 듯이 두 눈을 질끈 감았다.

"로잔튼 백작 부인이십니다."

리시안의 말에, 다시 한번 재촉하려던 아벨라의 움직임이 일순 멎었다. 지금 자신이 뭘 들었단 말인가? 로잔튼 백작 부인이라고?

"로잔튼 백작 부인이라고요?"

아벨라의 되물음에, 리시안이 의외라는 듯이 눈을 깜박거렸다.

"아십니까?"

알다마다. 아벨라는 놀란 기색을 감추지 못했다. 후계자 과정에 처음 들어설 때 딜리온에 의해 달달 외웠던 귀족 가문 중 하나였다.

딜루어 왕국의 귀족들은 대략 세 갈래로 나뉘었다. 아벨라를 지지해 줄 친왕가파와 노아드 후작가의 칼리드를 미는 그 반대파들, 그리고 중도파. 개중에서도 이 중도파의 수장격인 가문이 바로 로잔튼이었다.

아벨라는 딜리온이 로잔튼에 대해 했던 말들을 기억해 냈다. 딜리온 왈, 앞으로 중도파를 설득하는 일이 가장 중요할 거라고 했었다.

로잔튼 백작가는 무척 신중하고 조용한 가문으로 중용을 최우선 기치로 삼는 것으로 유명했는데, 그런데 그 로잔튼 백작 부인이…….

"중도파의 수장 부인이 내 남편한테 추태를 부렸다고요?"

아니 이게 어떻게 돌아가는 꼴이야. 아벨라가 어처구니없다는 듯이 되묻자, 리시안이 곤란한 표정을 지었다.

"펠리체 경께서도 그걸 아셔서 기밀에 부치신 겁니다. 제가 말했다는 사실은 정말로 비밀입니다, 예? 저하, 약속해 주십시오."

"약속이야 하겠지만, 가문만 나오지 않았다뿐이지 이미 음란한 연서를 보낸 귀부인에 대한 소문 자체는 돌고 돈 지 오래예요. 내가 제일 늦게 들었을걸요."

아벨라는 냉소하곤, 다시 등에 의자를 기대었다. 왜 펠리체는 이런 이야기를 자신에게 해 주지 않았을까? 걱정을 끼치고 싶지 않았던 걸까? 왜 이런 방법을 선택했던 걸까?

"펠리체는 연서를 받고 어떻게 대처했어요?"

"채 다 읽지도 않고 바로 태워 버리셨습니다. 그러고는 방문하신 로잔튼 백작 부인을 에둘러 거절하신 걸로 압니다."

"그럼 로잔튼 백작 부인은 어떻던가요?"

"상단 사무소에서 크게 우셨지만, 그 뒤로도 부군께 계속 우호적이십니다. 며칠 전에도 꽤 귀한 보석을 우리 상단에서 사셨죠."

"그것참, 다행이라고 해야 할지."

아벨라는 그 이야기를 듣곤 한숨을 푹 내쉬었다. 아벨라의 얼굴이 개운해지지 않자, 리시안이 기묘한 표정을 지었다.

"다행인 게 맞지 않나요? 혹시 부정을 의심하시는 거라면 부군께서는 절대로 저하를 두고 부정을 저지르시지 않았습니다. 그건 여기 있는 이 리시안이 목숨을 걸고 보증을 할 수도 있고……."

"그런 부분이 아니에요."

"예?"

아벨라는 씁쓸한 표정으로 눈앞의 다 식어 가는 차를 바라봤다. 정말 공교롭기 짝이 없지.

"그녀가 펠리체에게 우호적인 건 정말 다행인데, 제게 우호적이리라는 보장은 없잖아요. 도리어 적대적일까 봐 걱정되네요."

"적대적이어도 상관없지 않나요? 당분간 면대면만 피하면, 그쪽도 귀족이니만큼 알아서 표정 관리 잘 할 거고 잇속을 잘 계산할 수 있는 관계로 돌아올 겁니다. 만일 다음 주에 왕녀 저하가 로잔튼 백작 부인을 만날 일이 있지 않고서야 별일 없……."

"……."

"설마."

말을 이어 나가던 리시안의 표정이 대번에 흐려졌다. 그래, 그 설마다. 아벨라는 그를 바라보면서 고개를 무겁게 끄덕였다.

"그것도 다음 주예요."

"어휴."

아까 대화를 회상하던 아벨라가 다시 가볍게 한숨을 내쉬었다. 가는 날이 장날이라고, 로잔튼 백작 부인을 위시한 중도파 가신들과 갖는 친목회가 다음 주에 잡혀 있었다. 중요한 자리라고 딜리온이 하도 이야기해서 귀에 못이 박이도록 들어 기억하고 있었다.

친목회는 오찬회의 형식으로 진행될 예정이었다. 원래는 부인들끼리 모이는 오찬회였지만, 가신들의 요청으로 인해 부부 동반으로 진행되는 오찬회같이 규모가 커졌다.

아벨라에게 있어서 로잔튼 백작 내외는 가장 중요한 사람들이었다. 이미 유력한 후계자가 있는 상황에서 가장 먼저 설득해야 하는 사람들이기도 했다.

아벨라는 내심 로잔튼 백작 부인을 먼저 제 편으로 만들 계획이었다. 부인들이 먼저 힘이 되어 주면, 예상보다 쉽게 귀족들을 회유할 수 있을 거라고 생각했기 때문이다. 그런데 꼬여도 이렇게 꼬일 줄 몰랐다.

로잔튼 부인이 자신에 대해 좋은 감정을 품고 있을 리가 없었다. 물론 아벨라도 마찬가지였다. 그 와중에 꾀어내야 한다니, 절대 불가능이지 뭐야. 만나기도 전부터 관계는 파투 난 것이나 다름없다.

"어렵네."

"뭐가?"

혼자 물은 말에 대답이 돌아온다. 아벨라가 재빨리 옆을 바라보았다. 펠리체였다. 편한 셔츠에 베스트, 코트를 걸친 차림으로 펠리체가 녹을 듯한 미소를 지으며 서 있었다.

펠리체를 본 아벨라도 덩달아 예쁘게 미소 지었다. 언제 자신이 고민했냐는 듯 천연덕스러운 태세 전환이었다.

"펠리체, 왔어?"

"아벨라."

아벨라가 다정하게 그의 이름을 부르자, 펠리체도 빙그레 웃으며 아벨라에게 고개를 숙였다. 펠리체의 입술이 아벨라의 볼을 스쳤다. 부드러운 새털 같은 입맞춤이었다.

그런데 제게 허리를 굽힌 펠리체의 두 손에 웬 상자들이 잔뜩 쌓여 있는 게 보였다. 납작한 색색의 비로드 상자들. 아벨라의 눈이 동그랗게 떠졌다.

"그게 다 뭐야?"

"아, 이거."

펠리체가 빙그레 웃어 보였다.

"꽤 좋은 게 들어와서 보여 주려고 가져왔어."

"꽤 '좋은' 거?"

"으흠."

펠리체는 고개를 끄덕이곤 여전히 꿀이 뚝뚝 떨어질 법한 달콤한 미소를 지었다.

"침대로 가겠어? 보여 줄 게 있는데."

일단 가라니 가겠는데, 수상쩍은 표정을 지으며 아벨라가 침대로 향했다. 펠리체가 성큼성큼 아벨라의 뒤를 따라왔다.

그때였다. 아벨라의 눈이 동그랗게 변했다. 침대 위에 웬 희고 고운 모피 카펫이 깔려 있었다. 어, 이상하다. 아까 자신이 씻고 방에 돌아올 때만 해도 그냥 평소의 침대 컨디션이었는데. 대체 언제 이런 걸 깔아 둔 거지?

"이게 뭐지? 베티가 깔아 놓은 건가?"

아벨라가 어리둥절하게 묻자, 펠리체가 작게 웃었다.

"베티에게 부탁하긴 했지."

자신이 가져왔음을 시사하는 말에, 아벨라가 다시 눈을 동그랗게 떴을 때였다. 펠리체가 입모양으로 그녀에게 '올라가' 라고 말했다.

아벨라는 슬리퍼를 벗곤 침대 위로 올라갔다. 이불을 걷어 내고 깔아 놓은 흰 모피는 더없이 부드러웠다. 손에 녹을 듯한 부드러운 감촉에 아벨라가 신기한 듯이 여러 번 카펫을 매만졌다.

"백여우야."

"백여우?"

"북쪽 지방에서 희귀하게 발견되는 개체들인데, 잡아서 모피로 만든 거야. 이들은 열을 품고 있는 특징이 있어서, 마법을 쓰지 않아도 따뜻한 온도가 유지되지."

펠리체는 침대에 올라오는 대신 침대 옆 협탁에 박스를 내려놓으며 설명했다. 아벨라가 신기한 듯이 카펫에 맨발을 비벼 보고 있을 때, 펠리체가 맨 위의 상자를 열었다.

아벨라의 시선이 펠리체가 여는 상자로 향했다. 펠리체는 상자를 바닥에 마음대로 내팽개치며 침대에 엉덩이를 걸치곤 아벨라의 발을 부드럽게 잡았다. 다른 손에 반짝이는 줄이 들려 있었다. 아벨라의 눈이 동그랗게 떠졌다.

"이건 옛적 바다로 떨어졌다는 큰 운석 조각들과 핑크 다이아를 가공해 엮은 발찌야. 가치는 이루 말할 수 없지. 그게 내 아내의 발목에 걸려 있다면 더더욱."

순식간에 벗은 발에 아름다운 발찌를 채우곤 펠리체가 다시 씨익 웃었다. 아벨라는 탄성을 터뜨리며 다리를 뻗어 제 발목을 감상했다. 낮은 조도에도 발찌는 끊임없이 반짝이며 빛을 토했다.

"상상했던 것보다 훨씬 아름다워."

펠리체는 한마디 하곤, 다시 그 아래의 상자를 열었다. 마찬가지로 내용물을 꺼내곤 바닥에 상자를 내팽개친다. 이제 펠리체가 뭘 하고 있는지 깨달은 아벨라의 눈이 조용히 기대로 빛났다.

"이건 팔찌야. 발찌와 같은 다이아로 만들어진 팔찌지, 가운데에 보이는 다이아는 발찌에 있는 핑크 다이아와 같은 원석인데, 이게 좀 더 캐럿이 크고 원석의 가운데 부분을 가공했기에 발찌보다 가치가 높아. 보여?"

펠리체는 아주 부드럽고 빠른 손놀림으로 팔찌를 채워 주며 가운데 부분을 가리켰다. 아벨라의 눈이 동그랗게 변했다. 가운데, 엄지손톱만 한 다이아가 빛나고 있었다. 하지만 그것뿐만이 아니다. 다이아 안쪽, 붉은빛이 은은하게 빛나고 있었다.

"한 원석 안에 두 가지 색이 있어. 인위적인 형성 과정을 거친 보석이 아니야. 완벽할 정도의 빛임에도 균열 하나 없어. 어디서 구할 수도 없는 희귀한 컬렉션이지…… 하지만 내가 구해 왔고……."

펠리체는 아벨라가 팔을 들어 보이는 순간을 구경하며 미소 지었다.

"무척 잘 어울려."

"정말 아름다워."

아벨라의 눈이 이번엔 팔찌를 향해 반짝였을 때였다. 아까와 마찬가지로, 펠리체가 다음 상자를 열었다.

"이건 크톤 연합국의 가장 남쪽에 있는 에메랄드 광산에서 나온 거대한 에메랄드를 가공해서 커팅한 목걸이야. 주변은 카셀란의 최대 다이아 광산인 일루어에서 캔 옐로우 다이아들을 가공해 장식했지. 이 에메랄드 자체가 현존하는 에메랄드 중 가장 큰 에메랄드야. 이걸 낙찰받았을 때, 날 노려보는 보석상들의 눈을 네가 봤어야 했는데."

펠리체는 너스레를 떨며 아벨라에게 목걸이를 채워 주기 위해 양팔을 뻗다가, 아벨라가 빠르게 머리를 넘기는 모습에 웃음을 터뜨렸다.

"마음에 들어?"

"당연하지. 어떻게 마음에 들지 않을 수 있겠어?"

"난 선물들을 마음에 들어 하는 네가 마음에 들어."

펠리체의 너스레에 아벨라가 다시 키득댔다. 펠리체의 눈이 어느 순간 부터 짙어지는 듯하더니, 결국 참지 못하고 아벨라의 목덜미에 입술을 묻었다.

"마음에 들어, 정말로. 서늘한 보석의 온도도, 고동 소리도……."

"푸하, 펠리체. 간지러워."

키득대며 아벨라가 벗어나려 몸부림칠 때였다. 도저히 참지 못하고 펠리체가 결국 이를 세웠다. 아벨라가 새된 소리를 내며 키득거렸다. 거울을 보지 않았지만 알 수 있었다. 내일은 목 위를 덮는 디자인의 드레스를 입어야겠는걸. 아벨라가 펠리체의 목에 팔을 두를 때였다.

"……잠깐만."

펠리체가 가까스로 이성을 찾은 듯한 얼굴로 속삭였다. 하지만 목소리가 잔뜩 쉬어 있다. 아벨라가 웃음 어린 얼굴로 펠리체를 바라볼 때였다.

"아직 남았어."

"또?"

"한꺼번에 걸치게 만들어 주고 싶었어. 젠장, 조금만 기다려 줘."

펠리체가 아벨라와 이마를 맞대고 있다가 입술을 내려 아벨라의 입술에 제 입술을 좀 더 진하게 눌렀다. 아벨라가 다시 구슬 굴러가는 듯한 목소리로 웃음을 터뜨릴 때였다.

펠리체는 침대 위, 아벨라를 제 아래에 가둔 상태로 상자들을 침대로 거칠게 가져왔다. 아벨라는 졸지에 펠리체의 품 안에 갇힌 모습으로 펠리체가 모든 상자들을 거칠게 열고 내용물을 꺼내는 모습을 지켜봤다.

펠리체는 거칠게 끊어지는 숨을 억누르려 노력한 채로, 아벨라의 손을 잡아당겨 아벨라의 손가락마다 반지들을 끼워 주었다.

"오팔, 다이아, 사파이어, 루비. 이중 하나는 크톤 연합국 소속인 무슨 왕국의 국보 중 하나라고 했어."

"정확히 뭔…… 간지러워!"

"모르겠어."

펠리체는 아벨라의 손가락 마디마디에 입을 맞춘 뒤, 아벨라를 똑바로 내려다보았다. 아벨라가 숨을 멈췄다. 밝은 대낮에 보여 준 아름답고 선량한 제 남편의 얼굴과는 완전히 다른 얼굴이었다.

거친 숨소리, 어두워지는 눈동자, 얼굴에 선연히 어려 있는 갈망. 제 짝을 갈구하는 수컷의 얼굴이 된 채, 펠리체가 중얼거렸다.

"네 웃음소리를 들으니까, 하나도 기억이 안 나."

펠리체는 알고 있을까? 지금의 자신이야말로 얼마나 매혹적인지. 자신도 모르게 아벨라가 침을 삼켰다. 꼴깍, 하고 침 넘어가는 소리까지 들릴 정도로 조용해졌다.

아벨라가 어색한 듯이 몸을 움직였지만 아무런 반응 없이 펠리체는 아벨라를 내려다볼 뿐이었다.

"……예쁘다."

얼마나 지났을까. 도저히 참지 못한 아벨라가 제 목을 매만지며 어색하게 입을 열었을 때였다.

"맞아. 예뻐."

펠리체가 곧바로 맞장구쳤다. 하지만 시선은 어디까지나 아벨라가 매만지고 있는 목걸이가 아니라, 아벨라의 얼굴에 멎어 있었다.

"네가 제일 예뻐."

얘가 정말 왜 이래? 오늘따라 느낌이 너무 다르다. 평소에도 언제나 사랑하는 마음을 거리낌 없이 드러냈다지만, 오늘의 펠리체는 평소와는 훨씬 달랐다. 훨씬 더 절박하고, 훨씬 더 거칠고, 훨씬 더 적나라한 감정.

아벨라는 보석이 주렁주렁 매달린 손으로 펠리체의 얼굴을 쓰다듬었다. 볼에 와 닿는 손에, 펠리체가 스르르 눈을 감았다.

"그동안 나 많이 보고 싶었구나."

"당연하지."

펠리체는 눈을 감은 채 즉답했다. 저 자신도 흥분했음을 알고 있는지, 눈을 감은 채 길고 가느다랗게 숨을 내쉬기 시작했다. 아벨라는 조그마한 소리로 말을 이었다.

"이런 선물도 많이 사 오고."

"오해하지 마."

펠리체가 단숨에 아벨라의 말을 끊었다. 중간에 말이 가로막힌 아벨라가 당황한 표정을 지었을 때였다. 펠리체는 뭔가를 억누르려는 듯이 이를 악물곤 아벨라를 똑바로 바라보았다.

"그냥 단순히 오늘 널 오랜만에 봤기 때문에 구해 온 선물들은 아니야."

목소리 안쪽, 느껴지는 열기에 아벨라의 눈동자가 이리저리 떨렸다.

"내가 가질 수 있는 모든 최고의 보석들을 구해서, 머리부터 발끝까지 네게 장식해 주는 게 내 최고의 판타지였어."

"맙소사."

이게 무슨 소리야? 아벨라가 순간 튀어나온 단어에 자신도 모르게 함박웃음을 지었다. 아벨라의 웃는 얼굴을 보던 펠리체가 한쪽 눈썹을 찌푸린다.

"정말이야. 항상 생각하고 소원했던 일이라고. 이마엔 눈 색과 같은 아름다운 사파이어 서클릿을 달아 주고, 팔엔 아름다운 희귀한 보석들을 잔뜩 달아 주고, 한 보석 안에 두 가지 색이 존재하는 팔찌를 달아 주고 발목까지 장식한 모습 그대로 내 아내가 나를 보면서 웃어 주는 거야."

펠리체는 눈을 느리게 감았다 뜬 채로 아벨라에게 미소 지었다. 아벨라는 펠리체를 다시 한번 부드럽게 쓰다듬었다. 오늘 하루 종일 불안했던 마음이 볕에 물이 된 얼음처럼 녹았다.

자신에게 극진히 대하는 펠리체의 모습을 보면 자연히 알 수 있었다. 모를 수가 없다. 펠리체는 자신을 사랑하고 있다.

어떻게 믿지 않을 수 있겠어? 너무나 당연히 모든 감정을 드러내는 얼굴을 보라. 이 얼굴에 대고 자신을 사랑하냐고 물을 필요는 더더욱 없다.

아벨라는 펠리체에게 이 사실을 알고 있다는 것을 말하지 않기로 했다. 지금 이 순간을 온전히 누리는 데에 집중하자. 그게 가장 현명한 결정 같았다.

"……그럼 넌 그 환상 안에서 항상 뭘 해?"

덩달아 아벨라가 낮아진 목소리로 물었다.

"아무것도 안 하고, 가끔 내 부인을 구경하거나 웃었는데. 실제로 이루어지니까 내 생각보다 훨씬 더 아름다워서 이성을 잃었어."

아벨라가 나지막하게 웃음을 터뜨리곤 제 손에 시선을 두었다.

"그러고 보니, 사실 나도 언젠가 머리부터 발끝까지 보석을 두르면 어떤 기분일까 상상했던 적이 있어."

"실제로 해 보니 어때?"

"처음은 생각보다 서늘한 감촉이었던 것 같고……. 글쎄, 돈밭에 뒹굴고 있는 기분이라 나쁘진 않지만, 좀 부족한 것 같기도 해."

"뭐가 부족한데?"

"너."

아벨라는 방긋 웃으면서 펠리체를 향해 손가락을 까닥여 보였다. 아벨라의 눈이 가볍게 좁혀졌다.

이리 와.

아벨라가 입을 벙긋거렸다.

그리고 그 뒤로 며칠이 지났다.

아벨라는 팔을 괸 채 창밖을 내다보고 있었다.

"내일이라니."

한참 창밖을 바라보고 있던 아벨라가 고개를 설레설레 저었다. 도무지 믿어지지가 않는다. 어느새 하루 이틀 흐르더니, 다음날이 바로 오찬회였다.

"그동안 대체 뭘 했더라."

뭘 하긴 한 것 같은데 말이야.

아벨라는 창문 밖의 아름다운 정원을 구경하고 있었다. 오찬회는 아벨라의 정원에서 하기로 예정되어 있었다.

주궁을 카셀란으로 옮긴 뒤, 아벨라는 공작에게 대정원의 한가운데 있는 장미정원을 하사받았다. 어딘고 하니, 아벨라가 그때 처음 이동해 카셀란의 황실 사람들에게 다과 테이블을 엎었던 바로 그곳이었다. 그 정원에 아벨라의 이름이 붙을 거라곤 꿈에도 생각 못했었지.

어쨌든 아벨라는 고개를 설레설레 저은 채로 마저 생각했다. 다시 오찬회를 생각해야지.

다행히도 오찬회 준비는 차곡차곡 잘되고 있었다. 이미 정원엔 깔끔한 원 테이블과 의자, 차양이 설치된 상태였다. 테이블보와 휘장은 다음 날 아침에 설치할 예정이다.

오찬회에서 먹을 요리도 모두 확정 지었다. 그 자리에 참여하는 귀족들의 입맛을 미리 조사해서, 되도록 못 먹는 음식이 없도록 적절하게 배분할 예정이었다.

채소만 먹는 이도, 고기 요리만 먹는 이도, 우유도 마시는 브랜드만 마시는 이도 모두 만족할 만큼 다양하게 메뉴를 선정했다.

"절대로 불만따윈 나오지 않게 하겠어."

참여하는 귀족들은 아벨라를 포함해 모두 열여덟, 소규모는 아니었다.

내일은 일찍 일어나, 수많은 시녀들의 보필 아래 치장해야 한다. 목과 팔에 걸린 보석은, 지난 밤 펠리체가 자신에게 걸어 준 보석이었다. 색이 서로 달라 어울리지 않을까 걱정했는데, 다행히 드레스를 연한 민트와 분홍 리본이 섞인 드레스로 고르니 둘 모두 어울렸다.

"……는 그렇다 쳐도."

아벨라는 고개를 가로젓고는, 다시 근심 어린 표정으로 턱을 괴었다. 애써 잊으려던 생각이 다시 머릿속에 자리 잡는다.

솔직히 말하자면, 요 며칠 아벨라는 속이 터질 듯이 답답했다. 어디엔가 토로하고 싶었지만, 아침의 티타임에 언제나 동참해 주는 펠리체는 이곳에 없다.

펠리체는 딜루어 섬에 가 있었다. 딜루어 본국에 있는 상단 지점들에 가벼운 문제가 생겨, 직접 이동할 예정이라고 했다. 그래도 금방 돌아오겠지. 대륙 간 텔레포트 마법을 아벨라가 복구해 낸 덕분이었다.

"아니, 아니지. 펠리체한테 말할 수도 없구나."

아벨라가 홀로 중얼거렸다. 어차피 펠리체가 있어도 지금의 고민은 토로할 수 없었다. 왜냐면…… 고민 자체가 펠리체에 대한 것이었으니까. 로잔튼 백작 부인 말이야.

"……으음."

아벨라는 턱에 손가락을 대곤 곤란한 듯이 끄는 음을 냈다.

그날 밤, 결국 아벨라는 펠리체에게 아무것도 말하지 않았다. 펠리체가 갖고 온 뜻밖의 선물 때문도 있었지만, 그보다는 펠리체에게 공연히 이런 이야기를 하기 싫었다.

혹시, 어쩌면 혹시 로잔튼 백작 부인이 자신에게 적대적일 거라는 건 자신만의 추측일 수도 있겠다는 생각도 들었고.

"……추측은 무슨."

아벨라가 다시 한숨을 내쉬었다. 그때까지만 해도 그렇게 생각했었지. 다시 돌이켜 생각해 보면 더없이 순진한 생각이었다. 로잔튼 백작 부인이 아벨라를 단순히 싫어하기만 할 거라는 생각 말이야!

로잔튼 백작 부인은 아벨라를 싫어하는 것은 물론, 아벨라를 실질적으로 위협할 행동을 이미 실행하고 있었다.

"……."

아벨라는 인상을 팍 쓴 채로 자신이 앉아 있는 집무실 책상의 두 번째 서랍을 열었다. 녹색 봉투가 들어 있었다. 리시안이 조사해 온 조사 내용이었다. 아벨라는 다시 녹색 봉투를 열어, 봉투 안의 내용물을 꺼내 눈으로 훑기 시작했다. 몇 번이고 읽은 내용이지만, 읽을수록 기가 찼다.

"로잔튼 백작 내외는 이미 노아드 가문의 적장자를 후계자로 선택했다."

몇 번이고 읽었던 대목을 읽으며 아벨라가 입술을 뒤틀었다.

이 자료의 내용은 다분히 충격적이었다. 로잔튼 백작 부인을 비롯해서 이번 오찬회에 참석하는 귀족들의 상당수는 이미 아벨라가 아닌 다른 임의의 후계자를 지지하기로 결정한 상태였다. 그리고 이들에게 가장 강한 영향력을 끼친 사람은 다름 아닌 로잔튼 백작 부인이었다.

정보를 읽으면 읽을수록 점입가경이었다. 로잔튼 백작 부인이 펠리체에게 보냈던 추파는 생각보다 본격적이고, 그 횟수도 상상보다 훨씬 많았다.

리시안은 작정한 듯이 자신이 알고 있는 상단 내의 구매 정보나 이력까지 별첨한 길고 자세한 보고서를 보냈는데, 거기엔 펠리체가 아벨라에게 선물한 팔찌를 로잔튼 백작 부인이 입찰하게 해 달라고 졸랐다는 부분까지 쓰여 있었다.

아무래도 펠리체가 귀한 보석들을 모으고 있는 것은 보석을 수집하는 취미가 있는 자들 사이에서 이미 유명한 모양이었다. 보석을 모으는 이유가 아벨라를 위해서라는 것도 알려져 있었고. 로잔튼 백작 부인은 아마 이 부분을 질투한 모양이라고, 리시안은 설명했다.

아무튼, 결과적으로 펠리체는 백작 부인의 제안을 단칼에 거절했고, 거절하는 과정에서 로잔튼 백작 부인의 연서까지 언급해 면전에서 그녀를 거절하게 된 모양이었다.

펠리체는 로잔튼 부인의 품위를 지키기 위해 최선을 다했지만, 로잔튼 부인은 아마 절대로 그렇게 생각하지 않겠지.

게다가 아벨라가 이번 오찬회를 준비하며 조사했던 중도파에 대한 정보들은 모두 틀린 정보들이었다. 정정해 주는 리시안이 스스로 송구스러워할 정도로 모두 문제투성이었다.

리시안이 바로잡아 주지 않았다면, 아벨라는 이 잘못된 정보들을 달달 외운 채 오찬회에 나가 망신을 당했겠지.

누가 중간에 아벨라에게 잘못된 정보를 전달했을까? 아벨라가 정보를 의뢰했던 정보원은 주켈타가 추천한 이였다. 그렇다면 주켈타도 의심하는 게 좋을까?

"아니야."

아벨라는 턱에 손가락을 댄 채 고개를 설레설레 내 저었다. 지금 가장 중요한 건 오찬회다. 누군지 모를 배신자를 찾기 전, 코앞에 닥친 오찬회를 바로잡는 게 급했다.

그 뒤로 남은 기간 동안 아벨라는 홀로 열심히 이번 오찬회를 준비했다. 로잔튼 백작 부인은 포기하더라도, 나머지 부인들은 열심히 회유할 수 있어야 했다. 그러려면 로잔튼 백작 부인을 필연적으로 눌러야 했다. 하지만 딱히 좋은 방법이 떠오르지 않았다.

망했다.

아벨라는 찻잔 속, 가라앉은 찻잎들을 구경하며 앞으로의 계획을 되새겼다. 내일 아침, 오찬회에 딜리온과 주켈타가 입궁한다. 형식적으로는 초대받은 자들만 들어올 수 있는 행사였기 때문에, 이들은 행사장 주변에 있을 수 없었다.

때문에 입궁해 이쪽으로 오자마자 오찬회가 가장 잘 내려다보이는 자리에서 아벨라를 지켜보기로 했다. 게다가 아벨라가 만들어 놓은 아티팩트를 통해 대화도 엿들을 계획이었다. 자리 배치부터 완벽하게 짜 놨으니, 남은 것은 오늘 오찬회를 성공적으로 이끄는 일뿐이다.

내일 오찬회의 목표는 간단했다. 좋은 인상을 남기는 것.

……실제로 할 수 있을지는 다른 문제지만.

아벨라가 차를 한 잔 더 마실까, 고민하고 있을 때였다. 베티에게 미리 다른 심부름을 시켜 두길 천만다행이었다. 베티가 이 광경을 봤다면 아벨라에게 차를 많이 마시면 불편할 거라고 잔뜩 겁줄 테니까.

"저하."

그때였다. 문이 열리고, 마티나가 걸어 들어왔다. 길고 붉은 머리칼을 하나로 높게 올려 묶고, 화장기 하나 없는 모습의 마티나는 아름답고 위풍당당해 보였다.

"마티나."

"오찬회 보안 설계와 아티팩트 설치 계획서를, 딜리온 경을 뵙기 전 다시 한번 보고 싶습니다."

"잠시만 기다리세요. 베티를 보냈으니까요."

"알겠습니다."

마티나의 깔끔한 대답에, 아벨라가 빙그레 웃었다. 마티나는 이 제국으로 넘어온 사람 중 그 누구보다도 딜루어에 적응하고 있는 사람이었다.

카셀란 제국이 멸망하고도 가문의 전원이 구명된 흔치 않은 사례 중 하나이기도 했다. 그 뒤, 마티나는 아벨라의 호위 기사이자 아벨라가 거처하고 있는 처소의 보안 담당을 일임하고 있었다.

"잘되어 가고 있나요?"

"예."

"좋아, 그럼 베티가 오면 보고를 같이 받을게요."

아벨라의 미소 어린 물음에 마티나도 같이 웃음을 머금었다. 퍽 자연스러운 모습이었다. 처음엔 웃음조차 보여 주려 하지 않았을 때도 있었는데. 아벨라가 어쩐지 감흥에 젖어 옛날 모습을 회상할 때였다.

"……저, 외람된 말씀이지만."

"응?"

그때였다. 마티나가 먼저 입을 열었다.

"저하는 괜찮으십니까?"

"……괜찮냐고요?"

마티나가 자신에게 질문하는 일은 정말로 흔치 않다. 생경한 소리에 아벨라가 눈을 깜박이며 물었을 때였다. 마티나가 그녀를 잠시 바라보더니, 허리를 꾸벅 숙였다.

"아닙니다. 제가 공연히 불경한 말씀을 드렸습니다. 마음에 두지 마십시오."

돌아서려는 마티나를 향해, 아벨라가 다급히 손을 뻗었다.

"경!"

"……."

"그렇게 말하고 가면 제가 어떻게 마음 편히 있나요? 어서 말해 주세요."

마티나가 아벨라를 알 수 없는 눈으로 바라보다가 입을 열었다.

"저하, 저하께선 가끔씩 먼 곳을 꽤 길게 쳐다보시곤 합니다. 요사이 부쩍 멍해지시는 일도 잦아지셨고요. 한숨도 정말

자주 쉬십니다. 머리가 아프다고 호소하시는 일도 느꼈지요. 펠리체 경과 사이는 예나 지금이나 행복해 보이시니, 아무래도 문제는……."

"……."

마티나는 뒷말을 흐렸지만, 뒤에 이어지는 말이 무엇인지는 아벨라도 알 수 있었다. 마티나는 아벨라가 본격적인 후계자 다툼에 뛰어드는 문제를 걱정하고 있는 거였다.

얼마가 지났을까. 마티나가 주저하는 기색으로 결국 입을 열었다.

"제가 걱정하는 건 다름이 아닙니다. 제국에서도 그렇고, 지금의 딜루어에서도 그렇고 저하의 본의가 아니라 타의에 의해, 사람들의 편의 때문에 움직이시는 게 아닌가 하는 생각에 걱정이 듭니다."

"내가 경을 공연히 걱정시켰군요. 이렇게나 걱정하게 만들다니. 정말 미안해요."

한참 고민 뒤에 아벨라가 잠긴 목소리로 입을 열었다. 그녀를 바라보는 마티나의 눈이 살짝 젖은 것 같기도 했다. 그 순간, 다른 쪽에서 날카로운 목소리가 끼어들었다.

"그런 말씀 말아 주세요, 저하."

"베티?"

놀란 목소리로 아벨라가 물었을 때였다. 베티가 한아름 종이 뭉치를 껴안은 채 찌푸린 표정으로 서 있었다. 방 안으로 들어오는 기색도 눈치채지 못했는데. 아벨라가 놀라는 사이, 베티는 빠른 속도로 말을 이어 나갔다.

"저흰 언제나 걱정해요! 저희는 항상 저하의 곁에서 저하

를 보필하는 사람들인걸요. 저도 이미 알고 있었어요. 저희야
말로 저하의 이상을 알아채지 못할 리도 없을뿐더러, 알아채
지 못한다면 그만큼 무능하다는 거 아닌가요? 그렇게 사과하
시면 저희는 저희가 미덥지 못한 것 같아 되레 죄송해요, 제발
그런 말씀 마세요."

빠르게 쏟아지는 베티의 말에 마티나가 조용히 고개를 끄덕
였다. 순간 당혹스러운 표정으로 베티를 보던 아벨라의 얼굴
이 어두워졌다. 그랬던가. 하기야 베티와 마티나는 지금 현재
아벨라의 최측근이다.

아벨라가 지금 울며 겨자 먹기로 후계자 과정을 밟고 있음
을 감추려 한다고 쉬이 감출 수 있을 리가 없었다. 그리고 보
면 예나 지금이나 자신을 생각하는 사람들은 이들뿐이구나.
자신을 걱정해 주는 이들을 보며 아벨라의 눈이 젖었다.

"언제나 괜찮으신지 걱정하고 있습니다. 혹여 원치 않는 일
을 하고 계시기 때문에 힘이 드신 게 아닐까 짐작하지만, 고작
짐작만으로 저하의 심기를 어지럽힐까 봐 더 걱정이 되어 쉽
게 여쭤볼 수 없었을 뿐입니다. 오늘은 제가 도저히 참지 못하
고 입을 열었지만……."

마티나가 베티의 말을 이어 설명했다. 그녀의 눈에 어린 애
정과 걱정에, 아벨라는 베티와 마티나의 얼굴을 번갈아 바라
보며 작게 웃음을 지었다.

"물론 힘들어요. 힘들지만, 그렇다고 책임에서 벗어날 수 없
는 노릇이니까요. ……게다가 그만두기엔 너무 늦었다는 생각
도 드네요."

"저하……."

끝에 달린 아벨라의 말에, 베티와 마티나 모두 안타까운 표정을 지었다. 하지만 아벨라는 어쩐지, 그녀들이 자신을 안타까워 할수록 어딘지 모르게 미안한 마음이 들었다.

저 사람들에게 걱정을 끼치는 자신에게 공연히 죄책감이 들고, 불편하기까지 했다. 자신이 왕이 되려고 노력하는 이 모든 과정을 벅차하는 모습을 이 사람들이 한심하게 여기면 어쩌지, 하는 생각들이 자꾸만 든다.

"아, 정말. 괜찮대도."

아벨라는 공연히 밝은 어투로 말하며 주위를 휘휘 손으로 내저었다.

"정말 신경 쓸 필요 없어요. 물론 요새 힘들긴 했지만, 원래 왕관을 쓰는 자가 되기 위해선 감내해야 하는 고통이잖아요. 성숙해지는 과정이라고 생각하고 견뎌 보려고요. 그냥 걱정만 고맙게 받을게요. 베티도 언제나 고맙고."

아벨라는 한 템포 쉬었다가, 다시 활짝 웃으며 말을 이었다.

"이제 그만 갈까? 주켈타 경과 딜리온 경이 점심식사 뒤 궁에 입궁할 때가 되었으니까. 나와 마티나 경은 오찬회에 설치해 둘 녹음 아티팩트 설치에 대해서 사전에 상의를 좀 해 둘게. 베티는 오찬회 쪽을 봐 주고."

"예."

베티가 허리를 깊게 숙였다. 앞으로는 좀 더 티를 내지 않도록 노력해 봐야겠다고 생각하며, 아벨라가 과장된 태도로 몸을 일으켰다. 가슴 어딘가가 강하게 조여 오는 기분이 든다.

마티나가 아벨라보다 앞서 문을 열었다. 아벨라는 마티나가 등을 돌리고, 베티가 허리를 굽힌 사이 눈에 띄지 않게끔, 빠르게 오른쪽 가슴에 잠시 손을 올렸다가 떼었다.

곧 아벨라와 마티나가 나간 뒤, 문이 닫혔다.

그리고 얼마가 지났을까.

허리를 깊이 숙였던 베티가 눈을 반짝였다. 허리를 통기듯이 세운 채로, 방의 어딘가를 향해 큰소리로 외쳤다.

"보셨죠? 이렇대도요."

아무도 없는 방에 베티의 소리만이 울렸다. 누군가가 베티를 봤다면 미친 사람처럼 생각하고 도망쳤을지도 모를 정도의 성량이었다. 그리고 바로 그 순간이었다.

"그렇군."

낮은 목소리로 누군가 대답하며 천천히 내실로 통하는 문을 열고 걸어 나왔다. 반짝이는 금발을 손질하지 않은 채, 간편한 셔츠와 팬츠 차림으로 서 있는 남자.

바로 펠리체였다. 이 궁의 주인인 왕녀의 하나뿐인 반려.

원래 지금 이 시간은 펠리체가 돌아올 시간이 아니었다. 하지만 펠리체는 리시안과 베티의 도움으로, 옆방에 먼저 돌아와 아벨라의 오늘 하루를 면밀히 살피고 있었다. 물론 마티나가 아벨라에게 말을 먼저 건 것은 펠리체의 계획이 아니었지만, 덕분에 아벨라의 생각을 좀 더 알 수 있었다.

펠리체는 말없이 턱을 당긴 채 생각에 잠겼다.

그리고 그 뒤엔 리시안이 시립해 있었다. 펠리체를 모신 지는 얼마 되지 않았지만, 리시안은 펠리체의 뒷모습만 봐도 알 수 있었다. 펠리체는 매우 화가 나 있었다. 리시안이 눈을 크게 굴렸다.

아벨라는 리시안이 그녀에게만 조사 결과를 보고한 줄 알고 있지만, 사실 리시안은 아벨라에게 명을 받자마자 곧바로 펠리체에게 아벨라의 지시 사항에 대해 알렸다.

물론 아벨라에겐 불충한 일이었지만 어쩔 수 없었다. 사무실에 돌아오자마자 펠리체가 그야말로 살기등등하게 눈을 부릅뜨고 추궁하는데 어떻게 불지 않고 배길 수 있단 말인가. 눈치가 어떻게 그렇게 빠른지, 무슨 귀신 뺨치는 것도 아니고.

리시안이 뒤에서 몸을 부르르 떨었다. 어쨌든, 그래서 불었다. 아무쪼록 아벨라도 이해해 줄 것이라고 리시안은 믿어 의심치 않았다.

펠리체는 천천히 한숨을 내쉬며 이마로 드리운 머리칼을 쓸어 넘겼다.

리시안의 짐작이 맞았다. 펠리체는 크게 화가 나 있었다.

펠리체의 머릿속은 복잡하기 그지없었다. 어떻게 해야 자신이 아벨라를 도울 수 있을까? 자신이 로잔튼 백작 부인을 좀 더 잘 거절했어야 했을까? 하지만 좀 더 잘 거절하는 방법이 있던가? 분노, 우울, 당혹, 걱정, 그리고 다시 분노. 감정들이 꼬리에 꼬리를 물고 휘몰아쳤다.

펠리체가 화가 난 가장 큰 이유는 무엇보다도 아벨라가 펠리체에게 이런 일들을 좀처럼 말하지 않으려 한다는 점이었다. 백작 부인에 대해 먼저 말이라도 해 줬다면 펠리체가 도울 방법이 있었을지도 모른다.

물론 아벨라는 자신을 위해서 이런 말들을 하지 않았던 것이겠지. 자신을 위하고 있으니까.

하지만 펠리체는 아벨라의 그 배려가 무척이나 마음에 들지 않았다. 아벨라에게 있어서 같이 앞을 바라보는 동반자가 아니라, 다른 이들처럼 아벨라가 책임져야 하는 사람들 중 하나라고 말하는 것 같았다.

펠리체는 잠시 눈을 천천히 감았다. 순간 미간에 큰 세로 줄들이 아로새겨졌다 사라졌다.

"……내가 잘 말해 볼게."

"부탁드립니다, 저하. 아무래도 아씨, 아니 왕녀 저하께서는 후계자라는 중압감에 너무 짓눌리고 계신 것 같아요."

베티가 말하면서 주먹을 꼭 쥐었다. 일어서려던 펠리체가 그 자리에서 멈춰서 베티를 물끄러미 바라보았다.

"과연 후계자의 자리 때문일까."

펠리체의 입술 새로 흘러나오는 말에, 베티가 눈을 동그랗게 떴다.

"네?"

"……아니야."

펠리체는 고개를 젓곤 다시 빙그레 웃었다. 항상 궁의 다른 이들에게 보여 주는 것과 같은 평온하고 다정한 웃음이었다. 하지만 웃음의 이면, 다른 격랑이 일렁이고 있음을 모르는 자는 이곳에 없었다.

한편 이 사실을 모르는 아벨라는 내일 할 일을 다시 한번 되새기고 있었다. 저녁을 어떻게 먹었는지도 기억이 안 난다. 은근히 긴장이 되니까 뭐라고 해야 할지도 모르겠고 말이야.

그냥 망했다는 세 글자밖엔 안 떠오른다. 아벨라가 시무룩한 얼굴로 침실로 들어섰을 때였다.

"어?"

아벨라의 눈이 동그래졌다.

펠리체가 먼저 침대에 있었다.

"펠리체?"

"응."

아벨라를 발견한 펠리체의 눈이 반달 모양으로 휘어졌다. 아벨라가 붉게 달아오른 뺨을 하곤 펠리체의 위로 뛰어올랐다. 두 눈이 일순 반짝인다. 그 아름다운 광경을 펠리체는 더 없이 기쁜 얼굴로 바라봤다.

"언제 왔어?"

"금방."

아벨라의 물음에 천연덕스럽게 대답한 펠리체는 아벨라의 입술에 가볍게 제 입술을 눌렀다. 아벨라가 부딪히는 입술 사이로 웃음소리를 흘렸다.

"내일 아침에나 돌아오는 줄 알았어."

"내일이 무슨 날인데."

펠리체는 아벨라의 희고 고운 얼굴을 부드럽게 쓰다듬었다. 아벨라가 그 손에 제 얼굴을 부빌 때마다, 펠리체의 위로 아벨라의 금빛 머리칼이 부드럽게 흩어졌다.

아벨라가 펠리체의 사랑을 실감하는 만큼, 펠리체도 그랬다. 아벨라는 자신을 볼 때마다 푸른 눈을 빛냈다. 둘이 있을 때면 부드럽게 제게 기대오곤 했다. 아벨라가 자신에게만 제 감정을 내보이는 순간, 환희로 제 마음이 가득 차올랐다. 평생의 사랑.

그 순간, 펠리체는 자신의 마음을 가득 채운 말을 더 이상

참을 수 없다는 것을 깨달았다. 아벨라를 더 이상 힘들게 할
수 없었다.

"미안해."

아벨라와 눈을 마주치며, 펠리체가 부드럽게 속삭였다.

아벨라의 푸른 눈동자가 의아함으로 물들었다.

"왜?"

"로잔튼 백작 부인 말이야."

"아, 이런. 리시안."

아벨라가 탄식했다. 망할 놈의 리시안. 절대로 리시안의 보
안을 믿는 게 아니었다. 대체 공국의 정보국에 소속되어 있을
적엔 어떻게 비밀 유지의무를 지켰던 건지 상상조차 되지 않
는다.

"괜찮아."

하나도 안 괜찮지만, 일단 아벨라는 그에게 거짓말을 하기
로 했다. 하지만 펠리체에게 통할 리가 없었다. 게다가 펠리
체는 오늘 꼭, 꼭 아벨라에게 전해야만 하는 말이 있었다. 펠
리체는 자신에게 거짓말을 하는 아벨라를 꽤 오랫동안 가만히
바라보았다.

"있잖아, 아벨라."

펠리체가 이렇게 뜸을 들인 적이 있던가? 아벨라는 펠리체
의 입술이 무거운 듯이 다물리는 걸 보았다. 입술이 떼어졌다,
물렸다 하는 게 퍽 하려는 말을 망설이는 것처럼 보였다.

뭘 말하려고 하는 걸까.

아벨라가 다시 한번 그에게 재촉하려는 때였다.

"……왕, 하지 않아도 돼."

귀를 스치는 펠리체의 말에, 아벨라가 그 자리에서 모든 동작을 멈췄다. 얼마가 지났을까? 가만히 서 있던 아벨라가 이내 몸을 일으켜, 펠리체를 똑바로 바라보았다. 마치 자신이 들은 말이 사실임을 확인하려는 것 같은 얼굴이었다.

얼마가 지났을까? 아벨라가 하하, 하고 웃어 보였다. 하지만 척 봐도 어색한 웃음이었다.

"무슨 말을 하는 거야. 긴장 풀어 주려고 하는 말이라면 역효과야, 펠리체."

아벨라가 애써 던지는 말에도, 펠리체의 굳은 표정은 좀처럼 변하지 않았다. 그때가 되어서야 아벨라의 얼굴도 펠리체처럼 딱딱하게 굳어졌다. 펠리체가 정말 진심으로 꺼낸 말임을 깨달았기 때문이었다.

"정말이야. 네가 원하지 않으면, 하지 않아도 돼."

"왜 내가 원하지 않는다고 생각해?"

"네가 지나치게 힘들어 보이니까."

그의 말에, 아벨라가 다시 과장스러운 기색으로 어깨를 들었다 놓았다.

"아, 오늘 무슨 날인가. 자꾸 왜 이러지."

"너를 걱정하는 사람들이 많은 거야. 저하도 걱정하고 계셔."

아벨라는 인상을 찌푸려 보이다가 다시 과장되게 웃어 보였다.

"이럴 수가, 아버지도 알 정도로 지금 상황이 심각해 보인단 말이야? 펠리체! 나는 괜찮아!"

"아냐, 괜찮지 않아 보여."

아벨라의 말에 펠리체가 고집스럽게 대답했다.

어둠 속에서, 조그마한 등불에 의지한 채 둘이 한동안 서로를 마주 보았다. 허공에서 불꽃이 튀길 만큼, 순식간에 허공에서 수많은 대화가 오갔다.

"하지만…… 펠리체, 심지어 너도 나한테 왕이 되면 좋을 거라고 말했잖아."

아벨라의 말에, 펠리체가 놀란 듯이 눈을 커다랗게 떴다. 아벨라가 말한 순간, 펠리체는 그제야 자신이 아벨라에게 그렇게 말한 적이 있었다는 게 생각이 났다. 흘러가는 말처럼, 그녀에게 이젠 네가 왕이 되라고, 얼마든지 외조하겠다고 농담처럼 그렇게 말했었다.

설마. 그를 신경 쓰고 행동하기 시작했던 걸까? 펠리체는 자신도 모르게 등골이 서늘해지는 것을 느꼈다. 자신이 한 말이 아벨라에게 어떻게 닿았을지 펠리체로서는 알 연유가 없었다. 제 말이 제가 생각하는 것과 얼마나 다르게 전해졌을지, 상상하는 것만으로도 무서웠다.

펠리체가 기대고 있던 등을 떼고 벌떡 몸을 일으켰다.

"그땐 그랬지. 왜냐면 네가 정말로 여왕이 되면 근사할 거라고 생각했으니까. 모두를 행복하게 할 수 있는 능력이 있으니까. 내 아내고, 나와 행복해 줬으면 좋겠지만, 네 재능은 나만 지켜보기엔 너무나도 빛나니까. 하지만 네가 싫으면 그런 건 정말 아무것도 아니야. 내가 원하는 걸 이뤄 주기 위해서 네가 힘들게 하루하루를 버티는 일은 보고 싶지 않아. 그건 정말로, 정말로 내가 원하는 일이 아니라고."

하지만 펠리체의 말에도 아벨라의 표정은 점점 더 어두워질 뿐이었다. 펠리체가 말을 끝내자마자, 아벨라가 입을 열었다.

"그게 있잖아, 펠리체. 나는 그걸 잘 모르겠어."

튀어나온 말이었다. 가만히 서 있는 아벨라의 입에서 튀어나온 말에, 펠리체가 입을 다물고 아벨라를 바라봤다.

"아벨라."

"너는 나한테 '요구'한 적이 없다고 하지만 나는 좀 다르게 느껴."

다시 펠리체가 입을 열어 무엇이든 말하려는 순간이었다. 턱 밑에서 아벨라가 똑바로 펠리체를 노려보았다.

"있잖아. 펠리체. 우리가 제국에 있는 동안, 내가 이지를 되찾고 움직이는 동안 그 누구도 나한테 먼저 대놓고 요구한 적은 없었어. 마법을 써서 뭘 해 보라고 막 압박 주는 사람들도 없었고. 하지만 아무 말도 하지 않아도, 뭔가 내가 이 사람들을 아우르는 책임감이라는 게 생기더라고. 뭔가 막 내가 나서서 해야 할 것 같고, 사람들을 지켜 줘야 할 것 같고. 나도 엄청 힘들지만, 그래도 내가 이 사람들보단 사정이 나으니까, 좀 더 능력이 되니까……."

말을 이어 나가던 아벨라는 문득 아랫입술을 꽉 깨물었다가 놓았다.

"네가 한 말도 너는 그냥 흘린 말이겠지만, 나한텐 전혀 그렇지 않았어. 왜냐면 내가 널 사랑하니까. 네가 나한테 왕이 되면, 네가 열심히 하겠다고 농담하는 순간, 나한텐 그게 농담이 될 수가 없었어. 왜냐면 네가 혹시라도 정말로 그걸 원하면 어떡해. 나는 무조건 들어주고 싶은데. 그리고 지금까지처럼, 내가 그럴 능력이 된다면 나서서 뭔가를 해야 할 것 같은데."

그 말을 듣고 난 펠리체는 아벨라를 멍청하게 바라볼 뿐이었다. 그것밖엔 할 수 있는 일이 없었다.

명치 깊은 곳이 꽉 조여지는 느낌이었다. 부지불식간에 마주하게 된 아벨라의 진심이 너무 마음 아팠다. 자신도 모르는 사이, 혼자서 짊어진 채로 곪아 있던 상처가 일순 펠리체에게 고스란히 드러났다.

"네가 이제 와서 그만두라고 말한다고 한들, 사실 나는 용기가 없어. 그러면 안 될 것 같고, 막 더럭 겁이 나고 걱정이 되는 거야. 힘들지. 때려 치고 싶지. 그냥 하기 싫고, 해먹이나 하나 걸어 놓고 빈둥대면서 책 읽고 싶고, 그렇거든? 근데 그렇게 해도 될지를 모르겠어."

아벨라는 그렇게 말을 이어 나가고는, 잠시 가만히 제 가슴 언저리를 누른 채로 가만히 눈을 깜박였다.

"……모르겠어. 그냥 답답해. 힘들지만, 그렇다고 내가 여기서 그만두면 다른 사람들은 괜찮은 걸까? 혹시라도, 내가 왕이 되지 못해서 내 주변 사람들이 힘들어지면 어떡해?"

"아벨라."

그녀의 이름을 부르던 펠리체는 제 목소리에 깜짝 놀랐다. 목소리가 잔뜩 메어 있었다. 마음이 아파, 펠리체가 제 가슴을 꽉 쥐었을 때였다. 아벨라가 가만히 말을 이었다.

"뭔가 화를 내고 싶은데, 사실 화를 내도 될지 모르겠고. 잘 모르겠어. 어쨌든 그러니까 너무 신경 쓰지 마. 나는 왕이 될 거고……."

뒷말을 이으려던 아벨라는 잠시 멈추곤 입꼬리를 올렸다. 간신히 웃는 모양이 만들어졌다. 펠리체는 눈 한번 깜박이지 않고 아벨라를 바라보았다. 마치 그녀의 모습을 똑바로 기억해 두겠다는 듯한 얼굴이었다.

"······나 잘래. 내일은 정말로, 정말로 중요한 날이거든."

그런 그를 달래듯, 펠리체의 손을 한번 매만지곤, 아벨라가 돌아 누웠다. 하지만 둘 모두 알고 있었다. 이 밤, 두 사람이 잠들 일은 없었다.

———❖———

오찬회 당일이 되었다.

아벨라와 펠리체는 다음 날 아침, 한숨도 자지 못한 얼굴로 일어나, 각자 오찬회 준비를 시작했다. 중요한 행사 전날 다툰 것의 유일한 장점이라면, 아마 서로 바빠서 어색할 틈이 없다는 점일 것이다.

각자 미리 맞춰 둔 호화로운 드레스와 정복을 갖춰 입은 채, 아벨라와 펠리체는 뻣뻣하게 팔짱을 낀 채 등장했다.

딜리온과 주켈타가 주먹을 꼭 쥔 채 뭐라고 응원의 말을 했던 것 같지만 기억이 나질 않았다.

어쨌든, 오찬회 자체는 완벽했다.

연한 파스텔 블루를 주제 색으로 삼아 꾸며 놓은 오찬회 티 테이블은 정갈하면서도 아름다웠고, 음식도 훌륭했다. 왕궁 내 디저트 장인과 아벨라가 제국에서 직접 데려온 수석 요리사인 쇼우의 솜씨였다.

찻잎 또한 펠리체가 새로 가져다 준, 크톤 연합국의 남방에서만 난다는 귀한 찻잎이었다. 그러니 차에 대한 칭찬은 들어도 트집을 잡는 이는 한 명도 없었다.

하지만.

이 오찬회의 유일한 문제가 있다면 바로 분위기였다. 절대로 누구 하나 마음 놓고 이야기를 먼저 꺼낼 수 없게끔, 아무리 노력해도 풀어지지 않는 차갑고 날 선 분위기가 있었다. 귀족들도 그랬고, 아벨라와 펠리체도 마찬가지였다.

생각해 보면 처음, 마차에서 내린 귀족들이 이곳으로 이동하는 순간부터 이상했다. 오늘 오찬회에 참여하는 귀족들은 모두 중도파가 확실했다. 하지만 부인들의 표정들은 싸늘했고 귀족들은 아벨라의 응대에도 간신히 예의만을 갖춰 말했을 뿐이었다.

아무래도 리시안이 알아봐 준 정보 대로, 이들은 이미 노아드의 적장자에게 넘어간 듯했다.

하지만 애초에 아벨라 또한 귀족의 구미를 맞춰 줄 기분이 아니었다. 그러니 오찬회 내내 분위기는 엉망진창일 수밖에 없었다. 아벨라가 사근사근하게 그들의 말을 들어주고 비위를 맞추는 일을 포기한 탓이었다.

귀족들이 아벨라에게 냉랭하게 대했다면, 아벨라는 귀족들에게 그야말로 폭격을 퍼부었다. 예를 들면, 이런 식이었다.

"부군께서는 왕녀 저하께 선물을 해 주신 적이 있나요?"

"어마, 들리는 소문으로는 어마어마한 보석들은 다 채 가셨다고 하던데. 굉장히 좋은 걸 해 주시겠지요."

라는 귀족 부인들의 조롱 섞인 물음에,

"불행히도, 이번엔 좋은 걸 구해 오지 못했다고 사과하더군요. 고작 대륙의 구석에서 난다는 핑크다이아 세트일 뿐이에요. 좀 희귀하다고는 하는데, 전 마력을 담을 수 있는 기능까지 원하는데 말이에요. 정말 기운 빠지는 일이지요? 그래서 화를 냈답니다. 여담인데, 우리끼리의 부부싸움은 대개 이런 식으로 이루어져요. 부인이 오늘 하고 계신 작고 귀여운 목걸이를 보아하니, 저희 부부와 같은 문제로 싸우신 모양이네요. 남자들이란! 여자들이 원하는 보석 하나 구해올 줄 모르나 봐요!"

하고 대답하는 식이었다.

분위기가 고양을 넘어 점점 살벌해지는 가운데, 오찬이 끝났다.

결국 차를 준비하는 시간 동안 아벨라는 잠시 시간을 갖기로 결정했다. 아니, 말이 아벨라의 결정이지 사실은 딜리온의 결정이나 마찬가지였다. 원래라면 아벨라가 앞장서서 정원을 구경시키며 그들에게 긴밀한 이야기들을 이끌어 내기로 되어 있지만, 이런 분위기라면 제대로 된 이야기가 나올 리가 없다는 판단에서였다. 현명한 결정이었다.

"짜증 나."

아무리 생각해도 이상했다.

색색의 드레스를 곱게 차려 입은 부인들은 시종일관 날카롭게 눈을 치켜뜨고 있었다.

"이대로라면 정말 곤란한데."

아벨라가 의자 등받이에 고개를 완전히 젖혀 기댄 채 혼자 중얼거렸다. 딜리온이 이들은 꼭 포섭해야 되는 인물들이라고 말했으니, 어떻게든 해야 할 텐데.

하지만 답이 없다. 애초에 아벨라의 말을 들어 볼 의지조차 없는 작자들을 데리고 뭘 하라는 거야.

아벨라는 이미 알고 있었다. 그녀의 말은 닿지 않을 것이다. 언제나 그렇듯이 귀부인들은 그녀의 말을 무시할 것이고, 그녀가 무슨 말을 하든 자신들의 논리로 찍어 누르려 들 것이다. 아벨라는 나른하게 제 팔을 들어, 팔찌 중앙에서 찬란하게 빛나고 있는 보석을 바라보았다.

한땐 이런 게 싫어서 뭣도 모르고 다 엎어 버렸던 적도 있었지만 그렇다고 여기까지 와서 다과상을 엎어 버리고 머리채를 잡을 수도 없는 노릇 아닌가. 그때는 백치인 척이라도 할 수 있어서 정말 다행이었다.

아벨라가 턱을 괸 채 심상한 표정을 짓고 있을 때였다.

"아벨라."

펠리체가 자신의 이름을 부르며 자신의 앞에 가까이 다가와 앉았다. 그러고 보니, 데면데면하고 어색한 이 분위기엔 펠리체도 기꺼이 기여하고 있었다.

"펠리체."

아벨라는 그의 이름을 부르곤 다시 입을 다물었다.

다시 싸늘한 정적이 감돌았다.

아벨라가 살짝 아랫입술을 깨물었다. 이렇게 조용히만 있으면 안 될 것 같은데, 뭐라고 말문을 터야 할 지 모르겠다.

사실 따지고 보면 싸운 것도 아닌데. 이상하게 어색하고 펠리체의 얼굴을 보기가 힘들었다. 뭐라고 해야 되지? 다시 아무렇지도 않게 굴어야 하나? 인사라도?

그때였다. 아까보다 훨씬 더 망설이는 표정이 된 펠리체가 그녀를 바라보았다. 펠리체가 할 말이 있는 모양이었다.

"있잖아, 아벨라."

"아. 잠시만."

아벨라는 펠리체에게 검지를 하나 들어 보이곤 곧바로 테이블에 놓인 꽃병 아래에 있는 아티팩트의 스위치를 내렸다. 딜리온과 주켈타에게 들려 줄 수 있는 것은 귀족들 간의 대화뿐이다. 아벨라와 펠리체가 주고받는 사적인 대화까지는 듣게 하고 싶지 않았다.

귀에 장착한 딜리온과의 통신구까지 빼 버린 채, 아벨라가 펠리체를 향해 다시 어색하게 웃어 보였다.

"이제 말해도 돼."

"음."

펠리체는 잠시 망설이는 듯하다 아벨라를 똑바로 바라보았다.

"사과하려고 왔어. 미안하다고 말하고 싶어서."

"……."

"어제 미안하다고. 어떤 의도든 간에, 네게 강요하려는 건 아니었어. 어느 쪽이든 그저, 네가 하고 싶은 걸 했으면 좋겠다는 뜻이었어."

펠리체의 부드러운 음성에, 아벨라는 자신도 모르게 서운했던 감정이 눈 녹듯 사라짐을 느꼈다. 따지고 보면 서운할 것도 없는데, 그냥 공연히 감정이 복받친 것뿐이었다.

"……나도 미안해."

아벨라가 조그마한 목소리로 사과했다. 시선을 바닥에 둔 채였다.

"내가 더 잘못했어. 공연한 화풀이였고."

"아벨라."

"그냥 나는……."

"잠깐만, 나를 좀 봐."

웅얼거리던 아벨라가 반사적으로 고개를 들어 펠리체를 마주 보았다.

"그렇지."

펠리체가 만족스러운 듯이 대답하며 빙그레 웃었다. 아벨라의 눈을 보게 되어 만족스러운 듯이, 펠리체의 부드러운 눈이 빛나고 있었다. 펠리체는 아벨라의 푸른 눈을 계속 응시한 채로 말을 이었다.

"시간이 없으니 이것만 말할게. 중요한 건 이거야, 아벨라. 어디까지나 네가 괴롭지 않았으면 좋겠어. 혹시 네가 그만두고 싶다면, 그러나 혼자선 감히 그만둘 수 없다면 나한테 신호를 줘."

펠리체의 황금빛 눈동자가 빛났다.

"나는 이미 준비를 마쳤어. 얼마든지 널 도울 준비도 되어 있고."

"……응?"

그건 또 무슨 소리야? 아벨라의 미간이 좁혀졌다. 얘가 지금 무슨 소리를 하는 거지. 신호? 아벨라가 입을 벌려 질문하려 할 때였다.

"왕녀 저하."

갑자기 다른 곳에서 들려오는 가느다란 목소리에, 펠리체와 아벨라가 동시에 그쪽을 바라보았다.

"……로잔튼 백작 부인?"

목소리의 주인을 확인한 아벨라가 어리둥절한 얼굴로 테이블에서 일어섰다.

오늘 오찬회 내내 구석에서 가만히 침묵을 지키던 로잔튼이었다. 오늘 이 자리에 온 이래로 한마디도 하지 않던 로잔튼이 아벨라에게 다가온 것이다.

그리고 보면 이렇게 면대면으로 이야기하는 일은 아까 그들을 응접할 때 이후로 처음이었다. 로잔튼 백작 부인은 오찬회의 테이블에서도 꽤 먼 곳에 자리 잡고 있었으니까.

가까이서 본 로잔튼 백작 부인의 안색은 무척이나 창백했다. 화장품을 바른 피부색이 아니라, 정말 햇빛을 아예 보지 못한 자의 피부색이었다.

"왕녀 저하께 간곡히 부탁드리고 싶은 말씀이 있어요."

"그게 무엇인가요? 제가 할 수 있는 일이라면 기꺼이 돕겠어요."

아벨라가 말하자, 펠리체가 아벨라를 바라보며 부드럽게 고개를 끄덕였다.

"저하, 이따 뵙겠습니다."

펠리체는 아벨라에게 일별하곤 로잔튼 백작 부인에게 시선도 주지 않은 채 다른 곳으로 멀어졌다.

로잔튼 백작 부인 또한 멀어지는 펠리체에게 시선 하나 주지 않았다. 아벨라가 몰랐다면, 로잔튼 백작 부인은 펠리체에게 아무런 관심이 없어보였다고 말할 만큼이나 담백한 행동이었다.

"저하, 말하기가 어려우니 잠시 같이 걸어도 될까요?"

"……그러시죠."

로잔튼 부인의 제의에, 아벨라가 응했다.

아벨라는 그녀와 함께 정원에 조성된 연못 주변을 걸었다. 하지만 걷는 내내 불편하기 짝이 없었다. 대화는 금방 끊겼고, 로잔튼 백작 부인의 시선은 아벨라에게 기이하리만치 계속해서 고정되어 있었다.

불쾌한 기분이 들 정도라 여러 번 왜 그렇게 보냐 물어봤지만, 로잔튼 백작 부인은 그때마다 사과의 말을 주워섬기며 시선을 피할 뿐이었다.

사실 처음 걷기 시작했을 땐 로잔튼 백작 부인을 설득해 편으로 만들 수도 있지 않을까 하는 꿈과 희망에 부풀어 있었는데. 아무래도 어디까지나 꿈에 불과한 모양이다.

그렇다고 펠리체에 대한 이야기를 하는 것도 아니었다. 그를 좋아해서 험한 일을 벌였다는 추문마저 돈 당사자임에도, 그녀는 계속해서 연못을 돌며 아벨라를 바라보고 있을 뿐이었다. 관상용이라 넓지도 않은 연못을 벌써 몇 바퀴째 도는 거람.

어느 순간, 아벨라가 멈춰 섰다.

"백작 부인, 하실 말씀이 없으시면 이만 자리로 돌아가도 될까요?"

짜증스러운 기색을 숨기지 않은 채, 아벨라가 그녀에게 물었다. 로잔튼 백작 부인은 자신이 얼마나 말이 없었는지를 이제야 자각했다는 듯이 깜짝 놀란 표정을 짓곤 급히 아벨라에게 무릎을 굽혔다.

"저하, 정말 죄송합니다. 공연한 걸음을 하고 계셨군요."

정말 몰랐다는 얼굴로 로잔튼이 그녀에게 사과를 건넸다. 화가 나 있던 아벨라가 주춤할 정도로, 부드러운 목소리였다.

"……무슨 생각을 그렇게 깊게 하셨는지요. 이 연못을 벌써 몇 바퀴째 돌게 하셨는지 모르겠어요. 그래서 그 부탁이라는 게 뭔가요? 어서 듣고 자리로 돌아가도록 해요. 다과가 거의 다 준비되어 가니까요."

정작 그 사과를 받고 나니, 화를 내기도 모호하다. 아까보다는 적이 풀린 목소리로 말하자 로잔튼이 그녀를 향해 애매하게 웃으며 입을 열었다.

"그렇다면…… 이런 부탁이 송구스럽지만 저하, 저하께서 하고 있는 그 팔찌를 제가 해 봐도 될까요?"

응?

뚱딴지같은 소리였다. 아벨라가 하고 있는 목걸이와 팔찌를 해 보고 싶다고?

아벨라가 순간 당황한 채 그녀를 마주 보았다. 어린아이도 아니고, 남이 하던 액세서리를 요구하다니, 무척이나 밀접한 사이가 아니면 하기 힘든 요구가 아닌가. 무슨 소리냐고 말하며 거절해도 되겠지만. 무시하기엔 로잔튼 부인의 얼굴은 지나치게 절박하고 간곡해 보였다.

아벨라의 당혹스러움을 눈치챈 것인지, 로잔튼 백작 부인이 다시 무릎을 깊숙이 굽혔다.

"저하께서 하고 계신 그 팔찌는 제가 몇 년여를 찾아 헤맸던 것입니다."

"……."

뭐 그래, 정말로 원했었던 팔찌기도 하고. 이것 때문에 펠리체에게 거절당하고 그 사단을 냈었다니까…… 줘도 되지 않을까?

"좋아요. 그런 연유가 있었다면야."

아벨라는 방긋 웃으면서 팔찌를 끌렀다. 뒤에 시립해 있던 시녀들의 얼굴이 이상하게 변했지만, 아벨라가 그를 알 리 없었다.

"여기요."

아벨라가 그녀에게 팔찌를 건넸을 때였다. 팔찌를 받아 든 백작 부인은 처음엔 무척 기뻐 보였다.

"정말 아름다워요. 이 보석은 핑크 다이아몬드라죠?"

"아마 그랬던 것 같아요."

"이 다이아는 하나 안에 두개의 색이 있다면서요?"

엄청 원했었다니, 정말인가 보다. 보석에 대해 잘 알아도 너무 잘 알고 있었다.

"이 섬세한 세공을 보세요, 이렇게 얇고 가느다란 무늬는……."

그래도 기분이 좋아 보여서 다행이라고, 아벨라가 그렇게 생각했을 때였다. 로잔튼 백작 부인의 얼굴이 이상하게 일그러졌다.

"끊어지기도 쉬워 보이는데……. 이게 뭐라고."

응?

자신이 지금 방금 뭘 들은 거지? 아벨라가 어리둥절한 표정을 지으며 로잔튼을 바라봤다.

"백작 부인?"

"……애시당초 이게 뭐라고 그 많은 것들 앞에서 날 망신을 줘?"

"부인?"

"나한테 분명히 살살 웃으면서, 자신이 사랑하는 여자만이 이 팔찌를 가질 수 있다고 자랑하면서…… 이 팔찌는 연인을 위한 거라고……그럼 내가 가져야 하는 거 아니야?"

인격이 바뀐 듯한 목소리였다.

이게 대체 무슨 소리야. 아벨라가 잔뜩 당황할 그 때였다. 기다리고 있었다는 듯이 마티나가 아벨라의 앞을 가로막았다. 그리고 순식간에 펠리체가 아벨라의 옆에 와 섰다.

"백작 부인, 자리로 돌아가시지요."

"대체 이게 뭐라고!"

마티나가 엄중한 목소리로 백작 부인에게 경고했지만, 백작 부인에겐 들리지 않는 듯했다. 새된 비명을 지르며 팔찌를 쥔 손을 휘둘렀다.

순간 반짝이는 포물선을 그리며, 팔찌가 연못 한가운데에 떨어졌다.

"헉."

아벨라가 숨을 들이켰다. 지금 백작 부인이 자신의 팔찌를……. 지금 아벨라가 본 게 맞는 건가?

"지금 뭐 하시는 겁니까?!"

마티나가 버럭 소리치는 가운데, 아벨라가 충격이 덜 가신 얼굴로 호수를 바라보고 있을 때였다. 지금 저 여자가 팔찌를 던졌다고? 로잔튼 백작 부인이 갑자기 광소를 터뜨리기 시작했다.

"저 표정 좀 봐!"

"……."

"그럼 정말로 이 팔찌를 차 보게 해 달라고 애원한 건 줄 알았어요? 똑바로 알아 둬! 댁의 남편은 이깟 보석을 얻겠다고 수많은 귀부인들에게 웃음을 팔지요, 부끄러운 줄 아시길 , 저하! 유곽과 다를 게 뭐냐 말이에요?!"

"백작 부인!"

아니 이 x이 미쳤나…….

아벨라가 헛웃음을 삼켰다.

리시안의 정보도 정확한 게 아니었다. 대체 누가 로잔튼 부인을 중도파 수장의 현숙한 아내라고 적어 놓은 거지? 이 여자는 완전히 미친 사람이었다. 지금도 보라, 할 말 못할 말 가리지 않고 쏟아 내며 난동을 부리고 있는 꼴을.

이제 아예 치마를 뒤집어쓰고 물로 뛰어들기 직전이었다. 아벨라는 순간 그 당시 펠리체의 마음을 절실하게 이해할 수 있을 것 같았다. 이런 여자의 명예를 생각해 모든 일을 불문에 붙였다니. 정말 인격자가 따로 없었다.

몰려든 귀부인들이 로잔튼 부인의 입을 막아 보려고 했으나, 역부족이었다. 로잔튼 백작 부인은 기세등등한 채로 더욱더 하이톤이 되어 말을 이어 나갔다.

"하지만 댁의 남편이 그쪽을 아무리 사랑한다고 자랑한들 연못 진창에 처박힌 걸 맨발로 들어가 주워 주진 않을 겁니다! 결국 저 작자도 귀족에 불과하니까!"

"딱히 그렇진 않은데요."

그 순간, 그 '인격자'가 대답했다.

……응? 아벨라의 고개가 옆으로 돌아갔다.

"……펠리체?"

아벨라가 그의 이름을 불렀다. 펠리체가 갑자기 성큼성큼 연못가로 다가가고 있었기 때문이었다.

펠리체는 잠시 고개를 기울인 채로 주위를 돌아보았다. 부드러운 얼굴이었지만, 그 눈엔 얼어 버릴 듯한 냉기가 어려 있었다. 환멸. 펠리체는 지금의 상황을 정말로 혐오하고 있었다.

"제가 왜 못 주울까요?"

펠리체가 차가운 목소리로 말하며, 연못가에 서서 천천히 조끼의 단추를 끌렀다.

"설마 창피해한다고 생각했을까? 그래서 이런 불경한 일을 벌이신 거겠지만, 틀리셨습니다. 그래 봐야 웃은 옷. 제 부인을 위해서라면 명예든 무엇이든 내려놓을 준비가 되어 있는데요. 댁의 상황과는 다릅니다."

펠리체는 입고 있던 어두운 푸른색의 조끼를 끌러 풀밭에 던졌다. 얼굴과는 다르게 거센 박력이었다. 그러곤 부츠를 벗어 둔 채 바지를 걷어 올렸다.

"무슨 착각을 하셨던 것인지 저는 사실 아직까지도 잘 모르겠습니다. 제가 드릴 수 있는 말씀은……."

순간 연못 주변에 모인 모든 이들의 시선이 펠리체를 향했다. 아벨라는 그 순간 아연해지는 머리를 어떻게든 부여잡으려고 노력하며 생각했다.

지금 내 남편이 사람들 앞에서 뭘 하고 있는 거지? 아니, 그렇다고 과한 노출을 한 것도 아니지만……. 이상하게 사람들의 시선이 그에게 모여 있었다.

펠리체는 그런 그들의 시선을 꼿꼿하게 견디며, 이내 거침없이 한 발을 뻗었다. 연못에 발이 자연스레 잠기자 그는 이내 거침없이 천천히 연못 안으로 걸어 들어가기 시작했다.

사람들이 식겁한 반응을 보이는 데엔 아랑곳 않은 채, 펠리체가 말을 이었다.

"너무 착각 속에 살고 계신 것 같다는 겁니다. 망상 장애는 병입니다, 부인. 로잔튼 경과 함께 요양을 고려해 보십시오."

수면이 가슴팍까지 올라올 때쯤 펠리체는 목걸이를 건져 올렸다.

"그리고 이 보석엔 추적 마법이 걸려 있지요. 제 부인인 왕녀 저하께서 복구해 내신 마법 중 하나입니다. 제 상단에서 취급하는 모든 보석들엔 모두 추적 마법이 걸려 있습니다. 무료 옵션 중 하나입니다. 도난을 당하더라도 안심이죠. 프리미엄 귀금속 라인을 부디 애용해 주시길 바랍니다."

……뭔가 상단 홍보로 변질된 것 같지만. 어쨌든 펠리체가 다시 물에서 천천히 걸어 나왔다. 펠리체의 미모는 한층 더 빛났다.

깎아 놓은 듯한 높은 콧날, 선량하게 빛나는 암황색의 눈동자, 단단히 다물린 일자 모양의 선홍빛 입술, 그리고 각진 턱, 부드럽게 물결치는 금귤색의 머리칼까지.

물에 젖은 흰 셔츠가 펠리체의 몸에 달라붙었다. 고스란히 드러나는 살빛에 여성들의 시선이 펠리체에게 멎었다.

하지만 그러거나 말거나, 펠리체는 오직 아벨라를 바라보고 있었다. 자신이 언제 다른 귀족에게 날 선 소리를 내뱉었냐는 듯한 상냥한 시선과 표정이었다.

"아벨라."

그가 성큼성큼 걸어오는데, 걸음걸이마다 물이 뚝뚝 떨어졌다. 물이 뚝뚝 떨어지는데도 이렇게 근사한 얼굴이 세상에 있을까.

아벨라의 앞에 선 펠리체가 팔찌를 양손으로 든 채 아벨라에게 조심스럽게 물었다.

"내가 채워 줘도 괜찮을까? 아직 물에 젖어서 싫을 수도 있지만."

펠리체의 말이 끝나기 전, 아벨라가 불쑥 팔목을 내밀었다.

"당연하지."

"이제 잊어버리지 마."

펠리체가 말갛게 웃으며 아벨라에게 당부하곤 몸을 돌려 다시 그녀에게서 여덟 걸음 이상 멀어졌다. 타올을 잔뜩 든 시종들이 그를 둘러싸고, 너 나 할 것 없이 타올을 그에게 둘러 주었다.

그리고 그가 돌아서는 순간,

"우아아아아아아아아아앙!"

그녀의 옆에서 로잔튼 부인이 완전히 무너진 채 흐느꼈다. 그제야 아벨라는 로잔튼 부인이 제 옆에서 펠리체에게 철저히 무시당했음을 알았다. 당황스러워서 눈치도 못챘다.

아벨라의 팔찌를 던진 사람은 로잔튼 부인이니까, 보통은 책망이나 당부를 할 수도 있었겠지. 하지만 펠리체는 그저 그녀를 깔끔하게 무시했다. 그러고 보니, 면전에서 그녀가 한 폭언들을 반박하는 순간에도 절대로 직접적으로 대화를 건넨 적은 없었다.

아벨라의 시선이 다시 시종들의 보필을 받으며 우아하게 큰 타올을 두르고 있는 펠리체에게로 향했다. 그래도 펠리체가 나타나선 아벨라가 뒤엎기 직전의 모든 순간을 수습해 준 건 정말 고마웠다.

그리고 팔목에 걸어 준 이 팔찌도.

참나. 아벨라는 인정할 수밖에 없었다. 펠리체는 진짜 말도 안 되게 멋졌고, 그렇게 멋진 작자가 아벨라만을 생각하고 있다는 자체는 설렌다. 물론, 아직 걸리는 것이 있었다.

신호.

펠리체의 성격상, 신호를 보내면 뒷일이 무사히 처리되게끔 안배를 해 놨겠지. 하지만 지금 돌아가는 꼴을 보아하니 그 신호를 보내면 대체 무슨 일이 일어날지 감도 잡히지 않는다.

이쯤 되니 불안해서라도 신호를 못 보내겠다고. 애초에 그 신호라는 건 어떻게 줘야 하는 건데? 뭐 수신호를 정해 놓은 것도 아니고!

아벨라는 제 옷소매를 다른 손으로 잠깐 만지작거리다 얼른 손을 내렸다. 아무 일 없는 듯, 아벨라가 태연히 고개를 들었을 때였다. 아벨라는 그 순간 자신을 뚫어져라 바라보고 있던 펠리체와 눈이 마주쳤다.

언제부터 자신을 보고 있던 것일까? 금빛의 눈동자가 상냥하게 빛나고 있었다. 아, 이곳에 아무도 없었다면 엉엉 울어 버렸을지도 몰라.

그래, 네 말이 맞다. 힘들었다고, 지금도 힘들다고 허심탄회하게 이야기했을지도 모른다.

허심탄회하게 털어놓는 게 펠리체가 원하던 신호일까?

하지만 아벨라는 확신이 없었다. 그렇다고 해서 펠리체가 자신을 위해 뭘 할 수 있단 말인가. 지금의 펠리체는 그저…….

그 순간, 아벨라가 크게 휘청거렸다. 뒤에서 누군가가 불쑥 제 팔을 치고 지나간 탓이었다. 갑작스러운 일이었다.

"앗!"

밀쳐질 뻔한 아벨라가 놀라 눈을 휘둥그레 떴다. 누가 자신을 밀었는지는 금방 알 수 있었다. 로잔튼 백작이었다.

잔뜩 흥분한 기색의 그가 엎드린 채 울고 있는 로잔튼 백작 부인의 팔목을 잡아당기고 있었다.

"여기서 천박하게 뭘 하는 거요, 부인."

그래도 저런 말은 좀 심하지 않나.

아벨라의 눈매가 뾰족해졌다. 로잔튼 백작이 이를 악문 채로 말했다. 눈이 분노로 번들거리고 있었다.

아, 그래. 아벨라는 다시 한번 지금 상황이 어떻게 돌아가고 있는지를 자각했다. 로잔튼 백작 부인이 이렇게 흐느끼는 광경이 좋게 보이진 않을 것이다.

"이깟 싸구려 팔찌에 눈이 멀어서는, 망상 장애라는 소리나 듣고……! 일어나시오! 일어나라고!"

저 눈이 어떤 눈인지 아벨라는 알 수 있었다. 질투로 돌아버린 눈. 그 순간 아벨라는 어쩌면, 로잔튼 백작 또한 연서 사건에 대해 알고 있는 게 아닌가 하는 확신 아닌 확신이 들었다. ……그리고 부인의 상태에 대해서도 모를 리 없겠지.

"잠시만요, 백작. 지금 싸구려 팔찌라는 게 지금 내가 걸고 있는 이 팔찌에 대한 이야기인가요?"

아벨라는 그 즉시 그를 불러 세웠다. 로잔튼 백작이 로잔튼 백작 부인의 팔목을 쥔 채, 그 자리에 멈춰 섰다. 천천히 돌아본 그가 아벨라를 똑바로 노려보았다. 그녀를 바라보고 있었지만 그 눈엔 이성 따위는 없었다. 위험한 상황이 될지도 모른다. 아벨라가 본능적으로 움직이고 있는 마티나의 위치를 확인했을 때였다.

잠시 아벨라를 무서운 눈으로 노려보던 로잔튼 백작이 아벨라를 보며 천천히 입을 열었다.

"……천박한 물질만능주의에 구애받는 모든 상황에 대하여 표현하려다 보니 그렇게 되었습니다. 저하께 무례하려 했던 것은 아니니 부디 자비로운 용서를 구합니다."

"그러니까 내 팔찌에 대한 이야기가 맞단 소리군요?"

아벨라의 미간이 좁혀졌다. 로잔튼 백작은 아벨라가 미간을 찌푸리는데도 눈썹 하나 까닥하지 않고 아벨라를 바라보고 있었다. 두려워하는 기색은 없었다. 그녀가 자신을 해치지 못할 거라고 자신하고 있는 걸까?

"맞다한들, 어쩌실 겁니까? 저는 이런 보석 따위에 구애받는 제 아내와 심도 있는 토론을 하고 싶을 뿐입니다. 애초에 더러운 돈이 얽혀 있는 패물이니 얽히지 말자고 말했건만 결국 추잡한 소문까지 돌게 만들고⋯⋯. 저 매국노에게 망상 장애라는 모욕까지 들어가면서!"

"매국노?"

면전에서 진흙 덩어리를 맞았다 한들 이렇게 화가 나진 않을 것이다.

"매국노요. 본인의 나라를 팔아넘긴 이가 아니냔 말이오!"

"허억."

"헉."

그 자리에 있던 모두가 큰 숨을 집어 삼켰다. 아벨라 또한 지금 들은 말에 대한 충격에 골이 울릴 정도였다. 지금 자신이 들은 게 무슨 말인지 믿어지지 않았다.

펠리체는 자신의 나라를 제 손으로 부쉈다. 한 톨의 정조차 남아 있지 않았다지만, 망해도 합당한 나라였다는 당위성까지 있었지만 그럼에도 불구하고 펠리체의 마음속엔 상처가 남아 있을 것이다.

자신이 나고 자란 터전의 몰락은 몇 년이 지나도 채워지지 않을 상처고, 그렇기에 마음 한편으론 깊은 실의에 빠져 있을 거라고 생각했다. 그렇기에, 지금 저들의 언행은 펠리체에게 누구보다도 더한 상흔을 남겼을 게 분명했다.

이는 완전히 도를 지나쳤다. 농담이라고 도저히 받아들일 수 없을 정도의 무례한 수위였다. 게다가 펠리체는 딜루어 왕의 단 한 명뿐인 혈육인 아벨라 왕녀의 반려. 분명히 중도파라고 알고 있는 작자들이, 대체 뭘 믿고 이렇게 무례를 저지른단 말인가.

뒷배? 아니, 뒷배가 있다 한들 지금의 이 결례는 누구도 막아 줄 수 없었다. 아벨라는 왕족이고, 그녀의 뒤엔 딜루어 왕이 있었으니까.

"말이 심하지 않소!"

"지금 장난하는 거요?"

뒤늦게 사태의 전말을 알아차린 다른 귀족들이 당황해 로잔튼 백작을 말렸다. 보라, 이들도 분명히 이미 노아드 후작가에게 포섭되었던 가문이었다. 하지만 그런 그들이 아벨라의 편을 들 만큼 로잔튼 백작의 발언은 도를 지나쳤다.

"뭐 틀린 말을 하였습니까?

그때였다. 오히려 태연자약하게 코웃음을 치고 손톱을 들여다보는 척하던 뒤쪽의 어떤 이가 말을 보탰다. 지금 자행되고 있는 실시간 불경죄 라이브에, 아벨라가 입을 쩍 벌렸다. 드로브펨 자작. 분명히 초대 명단의 맨 끝에 적혀 있던 작자였다.

드로브펨이 흠, 하고 대수롭지 않은 듯이 입을 열었다.

"사과드린다고 말씀드렸잖습니까? 어찌 그런 말을. 기꺼이 응당 처벌받아 마땅합니다. 하지만 저하와 저하의 부군께서는…… 사실 우리의 힘이 필요해 이 자리를 만드신 게 아닙니까? 그런데 확실히 그 말이 맞긴 합니다. 함부로 본인의 옷을 연못 물에 적실 정도로 체신머리가 없어 빼긴 하는 게……. 하하, 글쎄요. 여기서 유일한 해법은 왕녀 저하가 그냥 부드럽게 넘어가시는 게 ……."

"불경하오, 드로브펨 자작!"

저들이 싸우는 소리를 뒤로한 채, 아벨라는 우선 펠리체부터 살폈다. 드보르펨을 비난하는 것보다 펠리체를 먼저 살피는 게 급했다.

"펠리체."

걱정스러운 얼굴로 그의 이름을 부르려던 아벨라의 말이 멈췄다. 펠리체가 조용했다.

지금 눈앞의 펠리체는 너무나도 멀쩡해 보였다. 지나치게 평온하고, 지나치게 심상했다. 그 누구도 지금 방금 그가 엄청난 모욕을 당했다는 것을 모를 정도였다.

하지만 눈만큼은 달랐다. 눈 안에 가득 일렁이고 있는, 점차 어두워지는 황금빛의 파도. 처음엔 무언가를 호소하려 드는 눈이라고 생각했다. 하지만 펠리체는 그 눈 그대로 입을 열어 제 속을 말하지 않았다.

문득, 펠리체의 눈빛이 시리게 잠겼다. 아벨라는 그런 감정을 접해 본 적이 없었지만 알 수 있었다. 회한, 약간의 후회, 그리고 체념. 펠리체는 제 앞을 가로막고 있는 딜루어의 귀족들을 가만히 보다가 생각하는 얼굴로 고개를 내렸다.

아벨라는 알 수 있었다. 펠리체는 그에게 주어진 모욕을 감내할 생각이었다. 혹시라도 아벨라에게 자신이 폐라도 될까 저어하는 게 분명했다.

이건 아니지.

순간 아벨라가 들고 있던 부채를 와락 쥐었다. 아랫배 안쪽 깊은 단전으로부터 뜨거운 열기가 훅 올라와, 머리끝까지 치솟았다. 화였다. 화가 나 견딜 수가 없었다.

알고 있었다. 이곳이 카셀란이 아니라 딜루어라고 한들 사람들의 면면은 모두 같다. 개중 선한 사람도 있을 것이고, 내면이 추악한 자도 있겠지. 결국 사람 사는 곳은 모양이 비슷하게 흘러갈 수밖에 없다는 걸 안다.

하지만 이건 좀 아니잖아. 이들이 아벨라를 일부러 도발하고 있는 거라는 것을 안다. 아벨라가 화를 내면, 혹시라도 그들에게 해코지라도 한다면, 아벨라의 후계자로서의 입지는 무척이나 불안해질 수밖에 없었다. 하지만 그게 대수야?

아벨라가 불끈 손을 쥐었다. 머리에 불이라도 질러 버리겠어. 마침 연못뿐만 아니라 분수대도 근처에 있지 않은가. 물이라면 얼마든지 있었다. 조금쯤은 불태워도 되지 않을까?

그녀가 의자 끄는 소리를 내며 일어났다. 정적만이 감돌고 있었기에, 아벨라가 일어나는 것만으로도 사람들의 이목이 아벨라에게 모였다.

이들에게 어떤 위협을 해야 잘 먹힐까? 어떻게 해야 이것들을 제대로 조질 수 있을까? 아벨라가 이내 인상을 찌푸린 채로 막 입을 떼려던 때였다.

"아벨라, 잠깐."

그 자리에 있던 모든 사람들의 고개가 돌아갔다. 입을 떼려던 아벨라조차 놀라 익숙한 목소리를 향해 고개를 돌렸다.

펠리체였다.

펠리체가 아벨라의 말을 막으려는 듯이 한쪽 손을 들고 있었다.

"지금 그거, 신호야?"

"……뭐?"

한순간 잊고 있었는데,

"어? 어…… 그래."

얼결에 대답한 아벨라가 다시 자리에 앉았다. 펠리체는 그런 그녀를 잠시 지켜보다, 다시 고개를 돌려 좌중을 바라봤다.

펠리체는 상당히 공을 들여 주변을 천천히 살폈다. 오늘 내내 냉랭했던 이들을 비롯해, 특히나 자신에게 온갖 막말을 한 로잔튼과 드로브펨은 좀 더 오랫동안 바라보았다. 금빛 격랑이 다시 그의 눈 안에서 잠시 일렁였다가 사라졌다. 다시 시선을 정면으로 둔 채, 펠리체가 드디어 입을 열었다.

"잠시 이 자리에 계신 분들께 한 말씀 드리겠습니다."

분명히 상냥한 원래의 말투인데, 묘하게 박력이 서려 있다. 화가 나 있던 아벨라조차 얌전히 고개를 끄덕이게 만들 정도의 기운이었다. 마치 무슨 사달을 내도 단단히 낼 것 같은 폭풍전야라고 해야 할까…….

대체 그 신호라는 건 무엇일까? 아. 혹시 지금 신호가 무엇인지 이제 설명하려는 걸까……?

"남편의 미덕이란 게 뭘까요?"

……응?

뜬금없는 소리에 그 자리에 있던 모든 사람들이 잠시 눈을 깜박였다. 벙한 건 아벨라도 마찬가지였다. 지금 쟤가 무슨 소리 하고 있는 거야? 남편의 미덕이라니? 사람들의 당혹한 기색에도 아랑곳 않고 펠리체는 계속 말을 이었다.

"부부간 지켜야 할 남편의 미덕 말입니다. 부끄럽지만 제가 결혼할 때엔 약식으로 계약했기에 주례도, 아내에게 당부의 말도 듣지 못했었죠. 그래서 전 혼자서 생각했어야 했습니다. 그리고 제가 내린 남편의 덕목은 이겁니다. '아내의 발목은 잡지 말 것.'"

펠리체는 가볍게 어깨를 으쓱이곤 천연덕스럽게 말을 이었다.

"아내에게 보호받고 싶은 남편이 세상에 어디 있겠습니까? 당연히 기사로서, 남성으로서 사랑하는 아내를 우선해 지켜야 함은 당연합니다. 하지만 힘이 없어서 다 죽어 가는 입장이라면 혼자 혀라도 깨물어서 발목이라도 잡지 않아야겠다고 생각하는 게 남편의 도리라고 생각합니다. 모두 동의하시리라 믿습니다만."

허어?

그 자리에 있던 모든 사람들이 미간을 좁혔다. 만일 그들의 감정 상태를 눈으로 직접 볼 수 있다면, 머리 위로 물음표가 떠올라 있을 게 분명했다.

"하지만 판단이 어려워지는 문제들이 생기기 마련입니다. 이럴 때는 보통 착한 아내가 남편을 생각해 주는 마음이 변수가 되지요. 남편은 헷갈리기 시작할 거란 말입니다. 예를 들면, 아내가 왕을 하기 싫지만 남편을 위해 기꺼이 모든 희생을 감수하기로 마음먹었음을 눈치챘을 때 같은 경우가 그렇습니다."

"……!"

아벨라는 순간 벼락이라도 맞은 것 처럼 그 자리에서 뻣뻣하게 굳었다. 아벨라의 눈은 그 어느 때보다도 크게 뜨여져 있었다. 눈동자가 이리저리 뒤흔들렸다. 대놓고 주어를 밝히지만 않았지, 지금 이야기는 아벨라에 대한 이야기였다.

펠리체는 말을 이었다.

"이럴 때 남편은 고민하게 되지요. 무엇이 최선일까요? 아내의 뜻을 존중하자니, 이건 아내를 사지로 떠미는 짓입니다. 아내는 남편을 사랑하기에 이런 고생은 기꺼이 감수하겠다고 말하지만, 그건 남편이 원하지 않는 일이죠. 그렇다고 하지 말라고 하면, 둘 모두 위험해질 가능성이 있습니다. 아내의 고생을 면해 주려다 둘 모두 헛되게 목숨을 잃을 수가 있단 말이죠."

좌중은 이미 쥐 죽은 듯 고요해져 있었다. 아벨라는 장담컨대 이곳에 모여 있는 사람들이 펠리체의 말을 이해했을 가능성은 0%나 마찬가지라고 생각했다.

하지만 사람들의 이해 여부는 펠리체의 고려 대상이 아닌 것처럼 보였다. 펠리체는 한숨을 내쉬곤 주위를 둘러보면서 빙그레 미소지어 보였다.

"제 결론은 이겁니다. 제가 스스로 새로운 가능성을 여는 거죠. 아내의 부담을 덜고, 둘 모두 살아남아서 되도록 서로만 보면서 알콩달콩 사는 뭐 그런 방법 말입니다. 그런 게 어디 있겠냐, 불가능한 방법이다, 이상론이다, 라고 생각하실지 모르겠지만."

이 자리에서 펠리체의 이야기를 알아듣고 있는 것은 아벨라 한 명뿐이다. 그리고 아벨라가 이해한 게 맞다면, 펠리체는 아벨라가 왕이 되지 않고, 펠리체도 딜리온에서 정착할 수 있는 방법이 있다고 이야기하고 있었다. 그게 뭐지?

"일단 첫 번째 단계는 남편이 살길을 찾는 겁니다. 최대한 주변 사람들의 이견이 없는 완벽하고 정석적인 방향으로 남편의 모든 역량을 쏟아붓는 겁니다. 예를 들어, 그래. 장사라고 해 보죠. 상단을 차리는 겁니다. 단번에 실명을 걸어서 주목도를 높이고, 구미에 맞는 상품들을 특별한 고객들에게만 알선해 단골을 만드는 한편, 자본을 유통로 개척에 쏟아부어서 최대한 빠른 시간 안에 모두의 마음속에 자리 잡는 겁니다. 저 없인 모든 손님들이 못 살 정도로 말입니다. 아, 여기서 못 산다는 표현은 단순한 비유가 아닙니다. 진짜 제가 없음 다 죽게끔 모든 치부를 다 알아야 하는 거죠. 그리고 성공했다면—."

심지어 성공했어? 아벨라는 펠리체의 그 이해되지 않던 행보가 모두 이해되는 느낌이었다. 모두 이 순간을 위해 그렇게 외모를 꾸미고, 남성 귀족들의 사교계가 아닌 여성 귀족부터 노렸으며, 귀족들에게 빌려주거나 하는 일들을 반복했던 거였다.

아벨라가 속으로 감탄하는 사이, 펠리체의 설명은 이어졌다. 펠리체 혼자만 말하는 시간이 이렇게나 길어지는데도, 펠리체를 만류하거나 반박하는 사람들이 하나도 없었다.

"그리고 두 번째 단계이자, 마지막 단계는 아내에게 왕이 되라고 하는 작자들의 닦달을 남편이 효과적으로 차단하는 거죠. 예를 들어서, 멀쩡하고 성실했고 태도 면에서 흠잡을 데가 없었다면 아주 망나니가 되어 주는 겁니다. 아내는 잘났어도 남편 때문에 쉬이 말도 못 꺼내게 만들게끔 말입니다. 그리고."

펠리체는 여기까지 말하고는 숨을 후우, 하고 골랐다.

"마지막으로 말씀드리지만, 꽤 좋은 방법 같습니다. 일석이조지요, 제 아내의 부담도 풀고, 제 사적인 원한도 갚고 말입니다. 저는 항상 제 아내가 지금은 존재하지 않는 나라에서 보였던 활약상을 항상 동경해 왔거든요. 그 활약상을 조금이라도 따라할 수 있게 되다니, 사실 조금 벅찹니다."

아벨라가 펠리체의 말이 끝나기도 전에 고개를 번쩍 쳐 들었다. 잠깐, 지금 뭐라고 한 거야? 지금은 존재하지 않는 나라에서 내가 보였던 활약상이라고? 지금 설마, 그 첫 오찬회때 남들 머리채 잡았던 거 이야기하고 있는 거야? 지금 얘가 그 오찬회대로 하겠다는……. 설마, 그러면. 그 신호라는 건 결국 이 자리를 깽판 내라는 신호였단 말인가?

아벨라가 왕이 될 수 없게 적극적으로 자신이, 방해를 해 주겠다고? 지금 말했다 시피, 살길은 마련되었으니까?

"펠리체, 잠깐만! 너!"

그 순간, 아벨라가 그 자리로 성큼성큼 튀어나왔다. 하지만 그 기세도 잠시였다. 막상 사람들 사이를 걸어 나와 펠리체의 옆에 서는 순간, 자신이 딱히 할 말이 없었다. 이 사람들 앞에서 자신이 왕이 되기 싫었음을 알릴 수는 없잖아.

입에 아교를 바른 듯이 딱 다문 아벨라를, 펠리체는 마냥 사랑스럽다는 듯이 바라보았다.

"아벨라."

"너."

그 웃음을 보는 순간, 아벨라는 펠리체가 자신에게 하려는 말을 알아챘다. 이내 아벨라의 힘이 잔뜩 실린 어깨에서도 힘이 쭉 빠졌다. 펠리체는 그런 아벨라를 계속해서, 아까와 같은 애정 어린 눈으로 바라보고 있을 뿐이었다.

모두가 어리둥절한 채, 펠리체와 아벨라를 바라보고 있는 형국이었다. 어느 순간 펠리체와 눈을 마주하고 있던 아벨라가 입을 열었다.

"……내가 아무것도 안 해도 모두가 괜찮을까?"

힘이 몹시 빠진 목소리였다. 물에 젖은 아기 고양이가 낼 법한 처량한 목소리. 그런 그녀의 말에, 펠리체는 생각조차 하지 않고 즉시 고개를 끄덕였다.

"당연하지."

"하지만."

"그 누구도 네가 희생하길 바라는 사람은 아무도 없어. 넌 그걸 알아야 해."

아벨라는 눈물이 그렁거리는 눈으로 펠리체를 바라보았다.

펠리체는 아벨라에게 다정하게 웃으면서 다시 한번 힘주어 말했다.

"우린 같이 행복해지기 위해 여기까지 온 거야, 아니야?"

대화를 듣고 있던 귀족들의 시선은 이제 알 수 없는 의문으로 가득 차 있었다. 그들이 대화를 나눌 때마다 말하는 사람에게 옮겨 가던 고개가, 이제는 아벨라에게로 돌아갈 때였다.

"……맞아."

아벨라가 울컥 울음을 터뜨리며 고개를 끄덕였다.

"말해 줘서 고마워."

펠리체는 그 순간, 최고로 환한 웃음을 지어 보였다. 아주 눈부신 미소였다.

"그럼 다 죽여 놓고 올게. 네가 돌이킬 수도 없을 만큼 온갖 사감을 담아서."

대화를 듣고 있던 귀족들의 얼굴이 전부 일그러졌다. 잠깐, 뭘 어쩐다고? 귀족들이 서로를 마주 보는 순간,

"응."

아벨라가 고개를 끄덕였다.

그리고 펠리체는 이미 움직이고 있었다.

그 자리에 있는 모두가 본능적으로 알았다. 펠리체가 한번 움직인 이상, 그 자리에 있는 그 누구도 펠리체를 막을 수 없었다. 왜냐면 펠리체는 카셀란 제국에서도, 검의 새로운 경지를 개척한 소드마스터였으니까.

"으악!"

소리가 들려오는 방향을 따라 아벨라의 시선이 돌아갔다. 어느새 그는 로잔튼 백작의 앞에 당도했다.

기겁한 로잔튼이 바다에서 갓 건져 올린 장어처럼 펄떡였다. 그러곤 펠리체가 손을 뻗는 사이 용케 그 손아귀에서 빠져나갔다! 감탄이 나올 정도로 빠른 회피였다.

"도망가는 꼴이 추잡하기도 하지."

펠리체는 다시 빙그레 웃으며 그렇게 말했다. 펠리체의 황금빛 눈동자가 로잔튼 백작이 움직이는 동선을 따라 또르르 굴러갔다.

한 번은 피했지만 두 번은 피할 자신이 없던 백작은 그저 앉은 자리에서 뒤로 마구 물러나고 있었다. 그는 발버둥을 쳤지만, 그의 생각만큼 멀리 도망칠 순 없었다. 그저 멋 부린 흰색 벨벳 바지에 풀물이 들었을 뿐이다.

펠리체는 유유하게 성큼성큼 다가가 그의 멱살을 틀어쥐었다. 단숨에 허공으로 들어 올려진 백작이 "어어어어-"하는 소리를 내며 발을 버둥거렸다.

"매너 있게 발은 안 쓰겠습니다."

펠리체는 그렇게 말한 뒤 정확하게 주먹 쥔 오른손을 귀 뒤까지 당겨 순식간에 로잔튼 백작의 아래턱을 후려갈겼다. 이 와중에 매너를 찾다니, 한편으론 대단하기 짝이 없다.

어쨌든 뻐어어억, 하는 묵직한 타격음이 허공을 울리는 순간, 그 자리에 있는 모든 사람들이 너 나 할 것 없이 비명을 터뜨렸다. 제 옆의 귀부인은 울먹이며 그 자리에서 쓰러졌다.

"크어어어억!"

로잔튼이 그 자리에서 휘청이며 두 무릎을 꿇은 채 앞으로 고꾸라졌다. 그가 두 손으로 자신의 턱을 가리고 있어 보이지 않았지만, 그 자리에 있는 모두가 로잔튼 백작의 턱이 박살 났음을 알았다. 소름끼치는 소리를 들었는데 어찌 모를까?

"아아아아아아악!!!!!!!"

곧 가려진 로잔튼의 손 사이로 처참한 비명이 튀어나왔다. 무척 부정확하고 목이 메인 듯한 목소리였다. 본의 아니게 턱이 부서졌을 때의 비명 소리가 어떤지를 직접 듣게 된 귀족들의 얼굴이 백지처럼 하얗게 질렸다.

"아악! 아악! 아아아악!"

숙인 그가 끼고 있던 흰 장갑이 피로 물들자, 그의 주변에 있던 다른 귀족들이 일어나 일제히 뒤로 물러났다.

하지만 그것으로 끝이 아니었다. 주먹 한 방으로 남의 아래턱을 부순 펠리체는 이내 사람들 사이에서 창백하게 질려 있던 펠트런 후작을 찾아냈다. 지금 사태에 대해 딱히 입을 열진 않았지만, 이 작자도 확실히 오늘 내내 계속 뾰족한 태도였다.

펠리체는 두 걸음도 채 떼지 않아 그 앞으로 가더니, 대뜸 팔을 뻗어 백작의 멱살을 두 손으로 단단히 틀어쥐었다.

"잠깐, 잠깐— 펠리체 경, 그러니까 오해가—."

펠트런 후작이 겁에 질려 연거푸 소리쳤으나, 펠리체는 아랑곳 않은 채로 그를 번쩍 치켜든 채로 분수대로 걸어갔다. 물을 바라본 펠트런 후작의 얼굴이 창백해졌다.

그러고 보니 리시안에게 새로 받은 정보들에선 펠트런 후작은 소문난 물 공포증이 있다고……. 잠깐, 설마. 아벨라가 입술을 자신도 모르게 벙긋거릴 때였다.

그 순간, 펠리체가 펠트런 후작을 분수대에 담갔다. 아니다, 담갔다는 표현보다는 분수대에 '처박았다'는 표현이 적합할지도 모른다. 펠트런 후작이 다급하게 몸부림을 쳤다.

하지만 절박한 버둥거림은 펠리체에게 닿지도 못했다. 펠리체는 펠트런을 붙잡은 손아귀의 힘을 풀지 않았다. 사람들이 다시 비명을 지르며 펠리체가 없는 반대편으로 우르르 몰려갔다. 그 모습이 흡사 양치기 개에게 몰리는 양 떼들 같았다.

얼마나 지났을까. 펠트런의 버둥거림이 어느 정도 잦아들자, 펠리체는 그를 분수대에서 손쉽게 꺼냈다. 마치 물통 하나를 옮기는 듯한 가벼운 동작이었다. 그러곤 그를 분수대 옆 바닥에 패대기쳤다.

물을 먹어 괴로운 표정이던 펠트런 후작이, 땅바닥에 등이 닿는 순간 고통스럽게 헐떡이며 기침을 하며 속의 물을 뱉어 내기 시작했다.

"콜록! 콜록 콜록! 우웨엑! 우웨에에에엑!"

턱이 부서진 채로 흐느끼는 남자, 그리고 물에 빠졌다 건져진 뒤 계속해서 경련과 기침을 토하는 남자.

펠리체는 이들 가운데에서 우뚝 선 채 서 있었다. 원래도 큰 덩치였는데, 저 둘 사이에 서 있으려니 정말 무슨 큰 기둥처럼 보인다.

그리고 드디어 펠리체가 드로브펜 자작을 돌아보았다.

드로브펜 자작은 마치 범 앞에 놀라 굳은 새끼 여우같았다. 아니, 생물의 수준으로 굳은 게 아니다. 마치 석상 같았다. 그때였다.

"살, 살려 주십시오……."

드로브펨 자작이 앉아 있던 의자에서 미끄러지듯이 내려와 펠리체의 앞에 무릎을 꿇곤 두 손을 모아 비비기 시작했다. 그입에서 나오는 구차한 구명의 말에, 아벨라가 자신도 모르게 눈살을 찌푸렸을 때였다.

"헉."

누군가 헛숨을 삼켰다. 드로브펨 자작의 바지 앞섶이 짙은 색으로 변하고 있었다. 실금한 것이다. 이 말 못할 공포에 압도당하다 못해 생리적인 본능마저 놓아 버린 것이다.

그리고 아벨라는 그 순간 똑똑히 목격했다. 이 자리의 귀부인들이 공포에 질려 울음을 터뜨리면서도 그 순간 본 드로브펨의 실수를 기억하기 위해 눈을 번뜩였다는 것을.

드로브펨이 사회적인 사형 선고를 받는 순간이었다.

지금 자신이 본 게 맞나? 아벨라는 자신의 눈을 믿을 수 없었다. 지금 펠리체가 한 사람의 아래턱을 부수고, 한 사람을 익사 직전까지 만들고, 한 사람을 다가서는 것만으로도 실금하게 만들었다고? 아벨라는 그간 자신이 알고 있었던 펠리체의 모습을 떠올렸다.

아벨라가 제국에서 머무를 때 펠리체가 이렇게 자신의 감정에 응하며 날뛰는 모습을 본 적이 있던가? 없었다.

펠리체가 이렇게 원초적으로, 두 손을 사용하여 싸우는 걸 본 적 있던가? 없었다.

펠리체가 이렇게 무시무시하게 때려눕히는 잔인한 광경을 본 적 있던가? 없었다…….

아벨라는 저들에게 달려들 때의 펠리체를 떠올리며 자신도 모르게 몸을 바르르 떨었다.

언제나 웃고 다정하고, 자신의 이야기를 끝까지 들어 주며 상냥했던 남편의 모습은 온데간데없었다. 남은 것이라곤 달려드는 사자의 대가리를 손바닥으로 깨부술 수도 있을 정도로 흉흉한 야수였다.

그때였다.

"……하아."

문득 펠리체가 얕은 한숨을 토했다. 감정을 알 수 없는 눈을 한 채 초토화된 주위를 둘러보던 펠리체의 눈이, 문득 그 자리에 굳어 있는 아벨라에게 멈췄다.

"아벨라."

그 자리에 서 있던 야수는 순식간에 사라졌다. 아벨라에게 시선을 고정한 펠리체는 꿀이 질척하게 배인 목소리로 그녀를 불렀다.

그리고 그 순간 그 주변의 모든 분위기가 변했다. 펠리체는 아벨라에게서 눈을 떼지 않은 채, 물이 아직 묻어 있는 오른손으로 아주 천천히 제 머리를 쓸어 넘겼다. 아름답고 탐스럽게 굴곡진 금귤색의 아름다운 금발이, 그가 물에 젖은 손으로 넘길 때마다 오묘한 빛을 내뿜으며 그의 손길대로 정리되었다.

그를 지켜보며 오들오들 떨던 사람들의 눈이 순간 마치 홀린 것처럼 펠리체에게 머물렀다. 그 손이 젖은 이유는 방금 물 공포증이 있는 이를 분수 속에 친히 담갔기 때문이라는 것을 알면서도, 그 순간만큼은 눈을 뗄 수가 없었다.

매일 보는 얼굴이지만, 또 저럴 때는 좀처럼 적응이 되지 않았다.

"……펠리체."

아벨라는 잠시 뜸을 들였다가 조그맣게 제 남편의 이름을 불렀다. 펠리체가 고개를 끄덕였다.

"아직 안 끝났지만, 그쪽으로 가도 돼?"

"아니, 아직."

빠르게 나온 아벨라의 거절에, 펠리체의 얼굴이 흐려졌다.

"왜? 내가 겁나?"

"그런 게 아니라, 그보단 내 옆에 계신 분이 네가 분수대에 박아 버린 분의 부인이셔. 심장마비 직전이신 것 같으니 그냥 여기서 이야기하자."

"아."

아벨라가 정말로 끅끅대고 있는 펠트런 후작 부인을 눈짓하자 펠리체의 어깨가 조금 처졌다. 어떻게 저렇게 금방 비 맞은 강아지같이 가련하고 연약한 모습이 될 수 있단 말이지? 지금 방금 몇 명을 때려눕혔는데?

"알았어. 그럼, 그냥 여기서 이야기할게."

근사한 금발을 다시 정리하며, 심상한 표정으로 가볍게 한숨 쉬는 잘생긴 미남자. 밝은 햇살이 그의 머리를 비추자, 펠리체의 금발에 마치 빛의 관을 쓴 것처럼 윤기가 돌았다.

겁에 질려서 덜덜 떨던 사람들의 표정이 조금씩 풀어지고 있었다. 방금까지 그렇게 무섭다고 기겁을 해 놓고?

하지만 아벨라는 그 사람들의 심정을 더없이 잘 이해할 수 있었다. 왜냐면 펠리체는 정말, 더럽게 잘생겼으니까. 주변을 초토화시켜 놓고도 보이는 건 저놈의 얼굴밖에 없을 정도로 잘생긴 작자가 아닌가.

물론 저 셔츠에 묻은 붉은 얼룩은 이제 피인지 와인인지 구분할 방도가 없어졌다 하더라도 말이지.

"아벨라."

펠리체가 아벨라가 앉아 있는 쪽을 바라보았다. 아벨라는 잠자코 고개를 끄덕이며 그를 바라보았다.

"응."

"다시 한번 이야기할게. 어젯밤부터 계속해 왔고, 아까도 해 왔고, 지금도 또 하는 이야기라 질릴 수도 있지만, 나는 네가 왕이 되지 않았으면 좋겠어."

"……."

펠리체는 그 자리에서 다시 한번 숨을 훅, 내쉰 채로 말을 이어 나갔다.

"아니, 어디까지나 네가 원한다면 뭐든지 할 수 있지. 하지만 네가 왕이 되려는 이유가 나 때문이라면, 그리고 다른 사람들 때문이라면 정말로 그렇게 하지 않아도 돼. 물론 네가 날 지켜 주는 건 정말로 기쁘지만, 네가 나 때문에 이런 말도 안 되는 모욕을 감내해야 한다는 사실은 날 괴롭히기만 해."

"……."

"그리고 이것 또한 다시 말하지만 네가 왕이 되었으면 했던 건, 정말 네가 왕의 자리에 어울리기 때문이었어. 내가 네게 말한 게 강요처럼 들렸을 거라고 생각하면 마음이 아파. 이런 멍청이들한테 이런 모욕을 듣고도 참아야 한다고 생각할 정도로, 너는 나를 위하고 있잖아. 하지만 아벨라, 나는 괜찮아."

"펠리체."

"정말 괜찮아."

펠리체는 아벨라의 말을 막듯이 강하게 대답하곤 아벨라를 향해 다시 다정하게 웃었다. 눈꼬리가 아름답게 휘고 사랑이 꿀처럼 뚝뚝 떨어졌다.

"대체 무엇 때문에 내가 상단을 창단한 거라고 생각하는 거야? 우리 둘이 평생 놀면서 실컷 세상을 유람하고 싶었다고. 아, 혹시 정말로 왕이 되고 싶었던 거라면……."

"아니."

아벨라는 짧게 대답하곤 잠자코 주위를 둘러보았다. 초토화가 된 정원, 쓰러져 있는 몇 명의 남자들, 그리고 떨고 있는 나머지……. 그리고 그간 꽤 고생해 왔던 자신. 복잡한 감정이 아벨라의 눈에 스몄다. 그리고 일부러 깽판을 친 내 남편…….

"아벨라."

펠리체의 목소리에 정신이 든 아벨라가 펠리체를 바라보았다. 펠리체가 그녀에게 두 팔을 벌리고 있었다. 펠리체의 눈이 반짝이고 있었다.

"이해했으면 이제 안아 줘. 화해하자."

그녀는 펠리체를 의미 모를 시선으로 응시하다가 천천히 그를 향해 다가갔다. 지척에 다가가자 펠리체가 단숨에 그녀를 제 품에 안았다.

아벨라도 두 팔로 그의 목을 끌어안은 채 귀에 속삭였다.

"내가 양심이 없는 건가 싶어."

"왜?"

"지금까지 네가 내게 해 줬던 사랑 고백 중에 최고로 잔인한데, 오히려 마음에 들어."

아벨라의 속삭임에 펠리체가 작은 웃음을 터뜨렸다. 웃기는. 아벨라는 펠리체에게 눈을 흘겼다. 순간 뇌리를 스쳐 지나가는 생각에, 아벨라가 '아' 하고 알은체를 했다.

"그리고 하나 정정할 게 있는데."

펠리체가 말해 보라는 듯이 고개를 끄덕였다. 펠리체의 목에선 옅은 사향내가 났다. 아벨라가 오늘 아침 직접 뿌린 향이다. 달큰한 냄새에, 아벨라가 한숨을 쉬면서 말을 이었다.

"……난 제국에서 머리채밖에 안 잡았어. 저 사람은 평생 딱딱한 걸 못 씹을 거야."

"내 알 바인가. 혀라도 남아 있는게 어디야."

"전부터 생각했는데, 너 성격이 변한 것 같아."

"책임으로부터 해방되어 자유로워졌다고 해 두자."

변한 거 맞구만. 하지만 아벨라는 따져 묻는 대신 그의 어깨에 고개를 묻은 채로 중얼거렸다.

"……이다음엔 어떻게 되지?"

"끌려가겠지."

"그럼 그때까지 이렇게 안고 있자."

"좋아."

펠리체가 키득거렸다.

그 뒤로는 아벨라가 익히 예상한 바였다. 왕의 단 하나뿐인 부마가 분을 못 이겨 주요 인사들을 크게 다치게 했다는 소식은 즉시 수도를 뒤집어 놓았다.

펠리체는 출동한 왕국 내 가드들에게 호송되었고, 귀족들은 궁내에 머무르면서 치료를 받았다. 그리고 그 자리에 참석했던 자들을 대상으로 조사가 이루어졌다.

펠리체에 대한 귀족들의 여론은 싸늘해진 지 오래였다. 귀금속 상품을 의뢰하던 귀족들의 발길이 뚝 끊겼다고 했다. 하지만 리시안은 의외로 상단의 매출은 별 차이가 없다고 말해 주었다.

"그게 있죠, 백성들한텐 인기가 더 많아졌지 뭡니까."

"왜요?"

"상단에서 펠리체 님이 아내를 위해서 정의를 구현했다고 소문냈거든요."

"아하."

리시안이 만면에 뿌듯한 미소를 지었다. 마치 칭찬해 달라는 것 같은 얼굴이었지만, 아벨라는 그를 무시한 채 리시안의 말을 기다렸다. 아벨라가 별 반응이 없자, 리시안이 시무룩한 표정으로 말을 이었다.

"딜루어는 계급 사회지만, 한편으론 국업이 상업이라 일단 장사를 잘하면 인기가 많거든요. 거기다 잘생겼고, 아내를 아끼는 데다, 잰 체하는 귀족들을 혼내 주기까지 했으니 인기 만점이 된 거죠."

"그렇군요."

그건 좀 안심이다. 아벨라의 앞길을 친히 망치느라 펠리체의 앞길마저 망쳤다면, 부부의 앞길이 완전히 막혔을 거란 소리 아닌가. 아벨라가 만족스럽게 웃자, 리시안도 아벨라의 표정을 보곤 따라 웃었다.

"그러니 걱정 마세요. 아니, 망하려야 망할 수가 없습니다. 이미 사업도 궤도에 올랐고 말이죠. 펠리체 저하께서도 다 알고 안배를……."

"……거기까지 합시다, 리시안 경."

"……예."

리시안이 과장된 표정을 지으며 거북목을 만들어 보였다. 언제나 생각하지만, 수많은 단점에도 불구하고 눈치 하나는 참 빠른 작자다. 아벨라가 빙그레 웃을 때였다. 갑자기 아벨라가 앉아 있는 집무실의 문이 쾅, 열렸다.

"저하!"

딜리온이었다. 그는 잔뜩 흥분한 얼굴로 아벨라를 향해 빠른 속도로 걸어왔다. 리시안은 딜리온의 기세를 보곤 놀란 표정으로 열린 문을 통해 재빨리 퇴장했다. 역시, 저 눈치 하나는 빠르단 말이지.

딜리온은 뒤를 살피지 않은 채, 오직 아벨라만 보고 돌진하듯 걸어왔다. 아벨라를 아예 들이받을 기세였다.

"신 딜리온, 저하를 뵙습니다!"

"딜리온 경."

"이게 대체 무슨 일이란 말입니까? 아티팩트 작동이 안 되는 건 둘째 치고, 궁인들에 의해 영문도 모르고 출궁하게 되었습니다. 게다가 그 뒤의 사고라니……!"

아, 그러고 보니 나중에 펠리체에게 들었다. 다과회의 아티팩트 작동을 막은 것은 다름 아닌 펠리체라고 했다. 이번 폭력

사태는 펠리체가 의도적으로 일으켰기에, 일말의 증거라도 남길 수 없다는 판단했기 때문이다.

덕분에 그날 당시 궁에 들어와 있던 주켈타와 딜리온은 영문도 모른 채 상황을 지켜보다 펠리체가 보낸 자들에 의해서 출궁되었다고 들었다. 둘 모두 아무런 설명도 듣지 못했기에 그 당시엔 꽤나 당황했을 것이다.

뒤늦게서야 밀려오는 미안함에 아벨라가 괜히 눈을 한번 더 깜박였다. 여전히 딜리온은 잔뜩 흥분한 채로 아벨라에게 말을 쏟아내고 있었다.

"대체 무슨 일이 있었던 건지…… 나중에 부마께서 구금되셨다는 소리를 듣고 기절하는 줄 알았습니다. 부마께서는 괜찮으십니까? 그래도 재판은 피할 수 없을 거라는 이야기를 들었습니다!"

"뭐, 그렇게 됐어요."

"그렇게 되다뇨."

태연자약한 아벨라의 대답에, 딜리온이 눈썹을 잠시 좁혔다. 딜리온의 눈에 혼란스러움이 스쳐 지나갔지만, 이내 침착하게 다시 입을 열었다. 딜리온이 전해야 할 나쁜 소식이 너무나 많았다. 이제 표정은 침통 그 자체였다.

"저하, 태평하게 말씀하실 때가 아닙니다. 상황이 도저히 제 선에서 정리되지 않습니다. 이걸 정말 어떡한단 말입니까? 중도파 귀족들의 반응이 너무 냉담합니다. 저희와 연락이 되지 않는 귀족들도 있고요. 친왕파 귀족들 중에서도 지지를 철회하는 자들이 늘어날 것 같습니다."

"어쩔 수 없죠 뭐."

"……예?"

아벨라의 답에, 딜리온이 얼빠진 듯한 표정을 지었다. 어쩔 수 없다고? 정신없이 걱정하던 딜리온의 얼굴에 의아함이 서렸다. 아벨라는 천천히 찻잔을 들어, 우아하게 차를 한 모금 머금었다. 어리둥절해하던 딜리온이 고개를 왼쪽으로 살짝 기울인 채 물었다.

"어쩔 수 없다뇨, 그게 무슨 말씀이십니까, 저하?"

"말 그대로예요, 어쩔 수 없다고요. 때려 쳐야지."

"때려 치…… 예?"

다시 물으려던 딜리온의 표정이 서서히 굳어졌다. 아벨라가 한 대답이 뒤늦게 인식되었기 때문이다. 그리고 몇 분이나 지났을까, 딜리온이 두 뺨에 손을 얹은 채 소리쳤다.

"지금 무슨 말씀을 하고 계시는 겁니까?!"

"말 그대로예요. 후계자 안 한다고요. 아직 세자 책봉은 먼 일이지만, 안 할래요."

"저하! 말이 지나치십니다!"

아까보다 훨씬 더 비명에 가까운 소리다. 하지만 아벨라는 그를 무시한 채로 계속 말을 이어 나갔다.

"아니, 지나치지 않아요. 경이 말한 대로 사태가 무척이나 심각한걸요. 제 반려의 부덕으로 말미암아 이런 일이 벌어졌으니, 어쩔 수 없죠. 귀족들 중엔 영구적인 부상을 입게 될 거라는 진단을 받은 자들도 있다 들었어요. 정말로 안타까운 일이죠."

하나도 안타깝지 않은 얼굴로 아벨라는 빙그레 웃었다. 딜리온은 지금 자신이 들은 말을 도저히 믿을 수가 없었다. 게다가 저 평온한 표정은 또 뭐란 말인가. 마치 물결 하나 일지 않을 듯한 잔잔한 호수 같은 저 표정 말이다!

"제가 지금 혼란스러워서 미쳐 버린 걸지도 모릅니다."

"뭐라고요?"

"사실 왕녀 저하께서는 지금 매우 슬픈 표정을 짓고 계시는 건데, 제 머리가 혼란스러워서 알아채지 못한 것일 수도 있지 싶습니다."

딜리온의 황망한 표정을 본 아벨라가 푸핫, 하고 크게 웃음을 터뜨리며 고개를 저었다.

"아니에요, 경이 바로 본 게 맞아요. 그리고 보시는 바와 같이, 전 매우 평온하답니다."

"저하!"

"제 말 먼저 듣도록 해요, 경."

딜리온을 향해 손을 들어 보인 뒤, 아벨라가 말을 이었다.

"경도 아시겠지만, 이번 사태는 심각해요. 수습을 하지 못할 지경이란 말이죠. 이러다간 딜루어 왕국을 만드는 데 세웠던 제 공마저 가려질 판이에요. 이럴 땐 역시 물러나는 게 제일 좋은 방법이죠."

'사실 이번 일은 나를 너무 사랑하는 나의 남편이 나를 배려하느라 이렇게 되었다'라고 말한다면, 딜리온은 여기서 뒷목을 잡고 넘어가겠지. 그리고 아벨라가 굳이 말하지 않아도, 이미 딜리온은 뒷목을 잡고 넘어가기 직전이었다.

"물러나실 수 없습니다, 저하!"

딜리온의 눈이 절박함으로 번뜩이고 있었다. 지금까지 들어본 적 없던 강경한 어조였다.

"저하, 지금 약해지시면 안 됩니다. 지금이 가장 중요한 때고, 저하께서 포기한다고 하시면 저하께 힘을 실어준 모든 이들이 위험하게 되는 게 아닙니까?"

"경의 말이 맞아요."

아벨라는 손쉽게 그의 말을 긍정했다. 딜리온의 말은 일견 타당했다. 사실 아벨라도 지금까지 그렇게 생각했기 때문에 후계자가 되어야 한다고 생각했었다. 어느새부턴가 주변 사람들의 희망은 자기 자신 하나라고 생각하고 있었지. 대체 왜 그랬을까?

하지만…… 아벨라는 자신을 끌어안고 말했던 펠리체의 말을 다시 상기했다. 이젠 알게 되었다. 그렇다고 해서 나 자신을 버릴 필요까진 없었다.

자신이 사람들을 생각하는 만큼, 다른 사람들도 그녀를 생각해 줄 것이다. 자신의 주위 사람들을 걱정하고 생각하느라, 오히려 주위 사람들이 어떤 이들인지 잊고 있었다. 특히, 펠리체 말이다.

아벨라가 곤란해한다면 제 몸에 불을 질러서라도 그녀를 구할 이. 자기 자신이 모든 걸 떠안아서라도 아벨라를 구할, 제 사랑스러운 연인.

"하지만 정말 어쩔 수 없잖아요."

지금 이런 핑계를 댈 수 있는 것도 그 덕분이지. 펠리체에게 마음속으로 키스를 보내며, 아벨라가 딜리온을 바라보았다.

"딜리온 경, 그대도 말했듯이 지금 상황은 심각해요. 펠리체가 벌여 놓은 난장판 때문에 이대로 가다간 제가 세운 공마저 흉흉한 여론에 가려질 가능성이 커요. 여기서 제가 할 수 있는 일은 조용히 뒤로 물러나는 일 뿐입니다."

"하지만 그렇게 된다면 저하의 입지 자체가 약해지는 꼴이 됩니다! 포기만큼은!"

딜리온이 다시 애타게 소리치려는 순간이었다. 아벨라가 씨 익 웃으며 손을 번쩍 들었다.

"저도 그래서 생각을 한번 곰곰이 해 봤죠."

"예?"

"대안이 있단 소리예요. 일은 이렇게까지 되었고, 내가 후 계자가 될 수는 없다. 하지만 다른 후계자가 왕이 된다면 내가 누릴 수 있는 이점이 사라질 수도 있거니와, 내 공을 빼앗길 수도 있다……. 그러니까, 방법은 단 하나인 거죠."

"방법이요?"

"새로운 후보로 내세우는 거예요."

"다른 사람을요?"

그녀의 입에서 튀어나온 다른 후보라는 말에 딜리온의 눈이 번쩍 뜨였다. 새로운 발상의 전환. 순식간에 딜리온이 계산을 시작했다. 딜리온이 이리저리 가능성을 셈하는 동안, 아벨라 는 계속해서 말을 이어 나갔다.

"네. 친왕파 귀족들 중 하나로, 문무에 출중하고 정치 현안 을 꿰뚫어 보는 날카로운 눈을 갖고 있어야 하며, 무엇보다도 백성을 사랑하는 사람이어야 하죠. 저와 제 남편의 활동을 지 지해 줄 사람이어야 하기도 하고요."

아벨라는 그리 말하며 딜리온의 안색을 유심히 살폈다. 얼 굴색이 나쁘지 않은 걸 보니 거절하진 않을 것 같다. 아벨라가 속으로 주먹을 불끈 쥐는 동안, 고개를 끄덕이던 딜리온이 반 문했다.

"하지만 다른 후보로 세울 자가 없습니다. 대체 누굴 후보로 생각하고 계신 겁니까?"

"네? 없다뇨? 지금 코앞에 있는데요."

"코앞에요?"

두리번거리던 딜리온은 아벨라가 한 말의 내용을 뒤늦게 인식했다. 딜리온의 표정이 급격히 창백해졌다. 설마, 설마……

"설마…… 접니까?"

"헤헤."

아벨라는 방긋 웃으며 고개를 끄덕이곤 책상 아래에서 넓은 전지를 쑥 꺼내 들었다. 딜리온이 그 종이를 몰라볼 리 없었다.

아벨라가 딜리온과 함께 처음 후계자 과정을 밟을 때 공부했던 귀족 가문 이름들과 그 구성원들을 적어 놓은 관계도였다. 딜리온이 손수 그 가문들 중 중요하고 유력한 가문들을 체크해 주기도 했었다.

이 종이를 왜.

딜리온이 눈을 깜박였을 때였다. 아벨라는 딜리온의 앞에 그 종이를 펼치고 문진을 잘 얹어 두었다. 그러곤 그녀가 종이의 어느 부분을 손가락으로 가리켰다.

딜리온의 눈이 휘둥그레졌다. 아벨라는 딜루어 왕과 관련된 가문의 첫째 원에 적혀 있는 자신의 가문을 가리키고 있었다. 붉게 칠해져 있지도 않았고, 글씨의 크기도 다른 가문에 비해 몹시 작았지만, 어쨌거나 딜리온 가문의 이름이었다.

"딜리온 경, 왕위 계승권이 있으시잖아요?"

"그, 그건."

"저와 꽤 가까운 사촌이시던데요. 제 할아버지인 전대 딜루어 공작의 차남, 즉 제 아버지의 남동생의 가문이 아닌가요?"

아벨라가 오른쪽 눈썹을 까닥였다.

"제가 조사를 좀 해 봤죠."

"조사요?"

"유능한 조사원을 구해서요. 어쨌든 이 대략적인 정보 중에 유일하게 틀린 정보가 바로 당신의 가문이더군요. 텔름 바이어가는 딜루어 왕국 건국 이래 한 번도 중요한 역할에서 비켜난 적이 없는 명문가더라고요. 지금도 행정 전반에서 중요한 업무를 수행하고 있기도 하고요. 특히나 텔름 바이어가의 전대 백작 부인, 그러니까 당신의 어머니는ㅡ."

"잠시만요!"

딜리온이 애타게 말을 막으려 했지만, 아벨라는 야무지게 뒷말을 해치웠다.

"제 어머니의 친동생이더라고요."

딜리온은 탄식을 삼키며 제 이마를 짚었다. 안색이 몹시 어두운 게, 심지어 비통해 보이기까지 했다. 하지만 아벨라는 딜리온의 안색따윈 아랑곳 않은 채 손바닥을 짝 마주치며 활짝 웃었다.

"어쩐지. 가끔 시녀들이 우리 닮았다고 소곤대는 거 알아요? 혹시 출생의 비밀이 있는 게 아닌가 수군거리더라고요."

"탄생의 비밀이라뇨, 저하! 제가 어찌 감히!"

"어쨌든 따지자면 그 노아드 후작가 장남이라는 작자보다 당신이 훨씬 더 자격이 있는 사람이라는 소리죠. 틀려요?"

"안 됩니다, 저하. 제가 어찌 감히 이 나라의 사직을 잇는단 말입니까? 가문의 이름에 맹세코 한 번도 그런 발칙한 생각으로 나라에 충성을 맹세한 게 아니라-."

"어쨌든, 저는 경이 제 뜻을 대신 이루어 이 딜루어의 후대를 이어 주셨으면 해요."

"저하, 이 나라와 후계자는 결코 농담거리가 아닙니다!"

딜리온이 소리치는 순간이었다. 아벨라가 턱을 당기며 목소리를 바꿨다.

"저는 아까부터 전혀 농담하지 않았는데요."

아까보다 낮고 엄숙한 목소리. 아벨라는 등을 곧게 편 채로 딜리온을 진중한 표정으로 바라봤다. 위엄을 담은 눈이 무겁게 빛나고 있었다.

딜리온은 자신도 모르게 무릎을 휘청였다. 무릎을 꿇고 그녀를 마주해야 할 거라고, 제 본능이 속삭였기 때문이었다.

이런 사람이 왕을 하지 않는다고?

딜리온이 억울하고 울컥하는 감정을 이기지 못하고 다시 입을 열려 할 때였다. 아벨라가 먼저 입을 열었다.

"경."

"예."

반박하려던 딜리온이 그녀를 향해 즉시 대답했다. 아벨라는 딜리온을 바라보며 빙긋 웃었다.

"있죠, 경은 이 종이에 적힌 모든 이름 중 가장 욕심이 없는 사람이에요."

"저하."

"그리고 경은 이 종이에 적힌 모든 이름 중 가장 딜루어를 사랑하는 자이기도 하고요."

아벨라의 목소리가 낮아졌다. 딜리온은 어느새 그녀의 말을 막을 생각조차 못한 채, 그녀의 말을 듣고 있었다.

"저는 이 나라를 그대보다 사랑하진 않아요."

아벨라의 목소리가 좀 더 낮아졌다.

"경도 알겠죠? 내가 후계자가 되고 싶은 이유는 단 하나였어요. 나는 내가 사랑하는 사람들을 지키고 싶었어요. 저를 희생해서라도요."

"그렇다면 더더욱 후계자를 포기하시면 안 되는 게 아닙니까? 부마께서 어떻게 될지 모르잖습니까?"

딜리온의 반문에, 아벨라가 눈을 휘어 웃었다.

"잘 될 거예요."

"네?"

"오직 나만이 구세주가 될 수 있다고 생각하는 선민의식은 그만두기로 했어요. 내가 그들을 생각하는 만큼 그들도 날 생각하고 있으니, 알아서 잘하겠죠 뭐. 그도 생각한 게 있을 거예요. 그러니까 전 그냥 그들을 믿고, 그만두려고요."

"아니, 그게 무슨 궤변입니까, 저하?"

"어쨌든 그런 연유로 저는 더 이상 이 후계자직을 계속할 이유가 없어요."

"저하?!"

딜리온이 다시 큰 소리를 내지르려는 순간, 아벨라는 딜리온에게 손을 뻗었다. 여기까지 감정을 끌어올렸으니, 남은 단계는 철저하게 이성적으로 대응하는 방법뿐이다.

"딜리온."

"……예."

"당신이 정말로 이 나라를 아낀다면, 여기서 날 내세우는 게 더 이상 좋은 선택이 아님을 잘 알 거예요. 내 사심이 섞인 결정이긴 하지만, 결정 자체는 지금 가장 적합한 결정이란 말이에요. 그리고 당신은 자격이 있고, 현 행정 전반에 대해 가장 잘 아는 데다 딜루어를 가장 사랑하고 아끼고 있고요. 그리고 심지어 아버지도 당신을 아끼시잖아요."

성공적이었다. 붉으락푸르락한 얼굴색을 하고서도, 딜리온은 아까처럼 섣불리 비명을 내지르거나 그녀의 말을 막으려고 하지 않았다. 잘 통하네. 배운 설득의 기술을 가르친 본인에게 써먹게 될 줄이야.

"나아가서 내 잘못을 당신이 수습하는 것처럼 포장하면서 다른 귀족들을 설득해요. 그리고 나도 당신에게 감사해하면서 공식적으로 지지를 선포하면, 내 정통성에 기반한지지 세력도 당신이 완전히 흡수할 수 있겠죠. 그리고 내 덕을 보는 만큼 당신은 내 뒤를 봐줘야 하고요."

아벨라는 빙그레 웃으며 마지막 말을 맺었다.

"그리고 후계자는 어디까지나 후계자예요. 내게 수천 수백 번 말했듯이, 그중 가장 자격 있는 자가 엄정한 기준을 통과해 왕관을 쓰겠죠. 당신이 노아드 후작가의 장남보다 못하다면, 당신은 지금까지 하던 대로 가신으로 남으면 되는 거 아니에요?"

"제가 못할 리가 없습니다…… 앗."

무심코 튀어나온 목소리에, 딜리온이 제 입을 틀어막았다.

걸렸다. 아벨라는 호선을 그리며 빙그레 웃었다.

"경은 잘할 거예요."

아벨라는 그렇게 말하며, 뒤를 바라봤다. 창으로 환한 햇살이 내리쬐고 있었다. 비록 후계자지만 은퇴 선언하기엔 꽤 괜찮은 날씨라고, 아벨라는 그렇게 생각했다.

※

몇 달 후.

카셀란의 영토를 고스란히 차지하게 된 딜루어가 왕국이 된 이후로 가장 힘쓰고 있는 일은 동쪽과 남쪽에 있는 항구를 다시 재정비하는 일이었다.

특히 딜루어와 이어지는 남만 항구는 이전보다 몇 배로 더 크게 확장된 상태였다. 그리고 오늘, 그 남만 항구에 척 봐도 수상쩍어 보이는 검은 옷을 입은 사람들이 나타났다.

검은 옷을 입은 사람들이 가장 먼저 한 일은 항구의 출입구를 폐쇄하는 일이었다. 오늘 하루, 남만 항구의 입항과 출항은 완전히 정지될 예정이었다. 이유는 철저한 기밀에 붙여졌지만, 사실 아는 사람들은 모두 알고 있었다. 바로 아벨라가 펠리체와 함께 떠나는 날이었다.

"……이대로 떠난다니, 조금 더 있다가 가도 되지 않니? 아니, 애초에 궁에 있다가 텔레포트로 섬으로 바로 가면 될 일 아니냐? 이렇게 급하게 배를 이용할 필요 없지 않니. 이대로 가면 대체 언제쯤 볼지……."

남만 항구의 파도를 살피던 딜루어 공작, 아니, 딜루어 국왕이 그녀에게 말을 건넸다. 퍽 씁쓸해 보이는 표정이었다. 왕이 되고 난 이후, 그는 좀더 말라 보였지만, 눈은 여전히 형형하게 빛나고 있었다.

"제가 가는 곳이 바로 옆의 섬인 건 알고 계시는 거죠? 고래 섬이에요, 아버지. 그리고 배 정도는 한번 타 보고 싶었어요. 경험이잖아요?"

왕의 말을 바로 받아치며, 아벨라가 왕에게로 성큼성큼 다가왔다. 후계자 과정을 밟지 않겠다고 선언한 이후, 아벨라는 고래섬으로부터 요청을 받았다.

현존하는 마법사 중 가장 높은 성취를 기록한 자로서, 고래 섬의 마탑주가 되지 않겠냐는 요청이었다. 게다가 놀랄 일은 또 있었다. 고래섬의 마탑주의 특권으로, 아직 존재하는 카셀란 아카데미의 교장도 겸임할 수 있게 되었다.

아벨라로서는 눈이 번쩍 뜨이는 제안이었다. 당연히 수락했고, 오늘이 바로 고래섬으로 주거지를 완전히 옮기는 날이었다.

펠리체는 재판에서 꽤 많은 금액의 벌금형 처분을 받았다. 금액이 높다지만 어디까지나 다른 처벌이 없었기 때문에 무죄 판결이나 다름없었다. 그 외 다른 제한 처분은 하나도 받지 않았기 때문에 일부 귀족들 사이에서는 솜방망이 처벌이라는 불만이 나오기도 했지만, 그는 어디까지나 일부였고 반발은 극히 적었다.

귀족들의 반발이 줄어든 이유는 간단했다. 지금 아벨라의 코앞에서 그녀를 바라보고 있는 자신의 아버지 덕이었다.

아벨라와 펠리체를 모욕한 로잔튼 백작가는 간신히 귀족 작위만을 유지한 채 국정 전반에서 축출당했다. 왕의 뜻이었다.

피해자인 로잔튼은 일상생활이 불가할 정도로 다친 뒤 모든 권력 구도에서 축출된 데 비해 왕의 사위인 펠리체는 벌금형뿐이라니, 차기 권력을 꿈꾸며 정쟁에 참여하려던 자들 모두 몸을 사릴 수밖에 없는 결과였다. 불공평했지만, 어쩔 수 없었다.

"자주 찾아올게요."

아벨라는 언제 자신이 앓았냐는 듯 금세 원래의 활력을 되찾은 모습이었다. 머리를 높게 올려 묶고 셔츠와 여성용 승마 바지를 갖춰 입은 아벨라는 무척이나 편해 보였고, 그래서 더욱 아름다워 보였다.

"사람들을 지켜야 한다고, 네가 그렇게 생각하고 있는 줄은 몰랐다."

"아버지."

"제국에서 온 자들을 내게 맡길 거라고만 생각했거든. 네가 그들을 끝까지 걱정하고, 네가 왕이 되어야만 그들을 책임질 수 있을 거라고 생각하는 줄은 몰랐다. 그만큼 네가 겪어 왔던 일들이 무척이나 혹독했다는 뜻이겠지. 그리고 실제로, 네가 걱정할 만한 일들이 일어나고 있었고 말이다."

왕은 한숨을 쉬며 아벨라의 어깨를 부드럽게 토닥였다.

"국정 초기니 기틀을 다지는 게 먼저라고 생각했다. 애초에 물밑에서 이미 이런 싸움이 시작되고 있었을 거라는 걸 알고도 방치했었다. 그들이 후계를 노리는 이상, 그들을 내가 이용할 수 있을 거라고만 생각했다. 여기에 네가 휘둘릴 거라는 걸 생각조차 못 하고 있었어. 네가 후계자가 된다고 했을 때도, 왜 후계자가 될 생각이냐 묻는 대신 당연히 후계가 될 거라고 생각했지. 전적으로 내 탓이다. 하지만 아벨라, 이건 꼭 알아 두렴. 네가 간과한 게 있어."

아벨라는 대답하는 대신, 왕의 눈동자를 가만히 바라보았다. 왕 또한 아벨라를 똑바로 바라보며 입을 열었다.

"내 힘 말이다."

"아."

아벨라는 순간 얼빠진 표정으로 왕을 바라봤다. 맞아, 가장 중요한 사람을 잊고 있었다. 바로 자신의 아버지. 아벨라는 제 아버지의 영향력을 믿지 않았을뿐더러, 불신하고 있었다. 딜루어 왕은 그런 그녀를 보며 다만 미소 지을 뿐이었다. 마치 그럴 줄 알았다는 표정이었다.

"나는 네가 봐 왔던 무기력하고 욕심 많은 황제와는 달라. 이런 말 하긴 뭐 하지만, 나는 무척 건재하단다. 아마도 20년은 거뜬히 통치할 거야. 후계자를 점찍는다 해도 그 후계자가 정식으로 세자의 자리에 책봉되는 것 또한 10년 이후다. 나는 이 왕권을 강화하기 위해 무슨 짓이든지 할 거야. 무슨 말인지 알겠니? 네가 다시 왕이 되고 싶다 한다면, 그 누구도 널 막을 수가 없을 거다."

"……아버지."

아벨라는 그런 그를 알 수 없는 눈으로 물끄러미 바라보았다. 알 수 없는 감정들이 그녀의 눈에 고였다가 사라졌다.

다시 한번 제 곁엔 자신을 사랑하는 사람들만이 남았음을 실감한다. 자신이 이들을 사랑하는 만큼, 이들도 자신을 사랑해 줄 것이다.

한동안 자신의 아버지를 바라보던 아벨라가 이내 활짝 입을 벌려 미소 지었다.

"정말 감사합니다. 하지만 이젠 왕이 되지 않아도 괜찮아요. 마탑주가 훨씬 더 좋은 결말 아닌가 싶은데요. 한 나라의 왕보다 훨씬 더 권위 있는 자리라고요? 아카데미에 입학하는 재원들에게 영향력도 끼칠 수 있을 거고요. 아버지도 제 눈치를 보게 되실걸요."

너스레를 떨던 아벨라가 다시 한번 자신의 아버지를 똑바로 바라보았다.

"그리고 아버지 말씀대로, 향후 이십 년 동안은 아버지의 나라니까요. 아버지에게 맡길게요."

"……그러렴."

아벨라의 아버지가 다시 미소지었다. 때맞춰 출발을 알리는 뱃고동 소리가 길게 한 번 울렸다. 두 번 울리기 전에 배에 어서 올라야 했다. 아벨라는 등을 돌려 성큼성큼 배에 오르기 시작했다.

짐을 다 실었는지, 베티가 배의 선실에서 자신을 향해 손을 흔들고 있었다. 그리고 그 옆엔 자신을 다정한 얼굴로 바라보고 있는 펠리체가 있었다. 그가 자신을 뚫어져라 보다 이내 알 듯 모를 듯 고개를 끄덕였다. 아벨라만 알 수 있을 작은 신호.

그녀는 그쪽을 향해 환하게 웃어 보였다.

이제부터 다시 시작이다.

─끝─

백치 아벨라 3

초판 인쇄 2019년 2월 20일
초판 발행 2019년 2월 28일

지은이 박승아
펴낸이 신현호
편집부장 예숙영
편집 박상희 이영조
편집디자인 한방울
영업·관리 김민원 조인희
물류 이순우 최준혁 박찬수

펴낸곳 ㈜디앤씨미디어
출판등록 2002년 5월 1일 제117-90-51792호
주소 서울시 구로구 디지털로 26길 111 JnK디지털타워 503호
대표전화 (02)333-2513 팩스 (02)333-2514
전자우편 dncbooks@dncmedia.co.kr
디앤씨북스 블로그 http://blog.naver.com/dncbooks

ISBN 979-11-264-4607-0 (04810)
ISBN 979-11-264-4604-9 (세트)